4 -

D0342434

# The Empire of the Ants
# and Other Short Stories

# Dans la même collection

*LES LANGUES MODERNES / BILINGUE*
*Série anglaise dirigée par Pierre Nordon*

# H. G. WELLS

# The Empire of the Ants and Other Short Stories

## *L'Empire des fourmis et autres nouvelles*

Traduction et notes
de Joseph Dobrinsky

Le Livre de Poche

# Sommaire

# Principales abréviations

adj. - *adjectif*
adv. - *adverbe*
am. - *américain*
c.o. - *complément d'objet*
fam. - *familier*
fig. - *figuré*
i.e. - *id est = c'est-à-dire*
intr. - *intransitif*
jur. - *juridique*
loc. - *locution*
lit. - *littéraire*

mil. - *militaire*
péj. - *péjoratif*
pers. - *personne*
pron. - *prononcer*
qqn - *quelqu'un*
qqch. - *quelque chose*
sb - *somebody*
s.o. - *someone*
sth - *something*
tr. - *transitif*

# Préface

Herbert George Wells (1866-1946) a publié plus de cent vingt volumes d'essais ou de fiction. Les textes repris dans le présent ouvrage illustrent exclusivement sa production de nouvelliste, relativement réduite (une soixantaine de titres), mais typique dans sa gamme, ses thèmes et sa manière. Un rappel des dates de première parution situera ces nouvelles dans la carrière de Wells et dans leur temps.

*Chronologie de publication:*

« Le Bacille dérobé », « La Floraison de l'étrange orchidée », « Dans l'observatoire d'Avu », « Une vente d'autruches », « Le Fabricant de diamants » : *Pall Mall Budget*, 1894.

« Les Cuirassés terrestres », « L'Empire des fourmis » : *The Strand Magazine*, 1903 et 1905.

« Le Beau Costume » : *Collier's Weekly*, 1909 ; « La Perle d'Amour » : *The Strand Magazine*, 1925.

Cette chronologie, qui a déterminé l'ordre des textes traduits, dictera celui du commentaire, car les trois groupes de récits, séparés dans le temps, marquent une évolution. Si, d'autre part, comme l'auteur l'a noté à propos de son œuvre : « Je suis mon propre cobaye[1] », un rapide préambule biographique s'impose.

Troisième fils de parents très modestes, Wells a connu une enfance pauvre et une adolescence frustrante dans la province anglaise de l'époque victorienne. Son père, ancien jardinier, et sa mère, ancienne femme de chambre, avaient ouvert, à Bromley dans le Kent, une petite boutique de porcelaine. Quand ce négoce périclita, Sarah Wells dut, en 1880, reprendre du service auprès de son ancienne patronne, cette fois comme gouvernante du manoir qu'elle habitait à Petersfield dans le comté du Hampshire. Son mari, conservant la boutique, dut compléter ses maigres revenus en exerçant les fonctions d'entraîneur de cricket. Sarah, femme pieuse et conformiste, ambitionnait de faire de ses fils des commerçants. Herbert, son favori, garçon malingre, passionné de lectures, fut donc, à quatorze ans, arraché à l'école pour occuper, à son corps défendant, une série de petits emplois : en tant que calicot, qu'aide-pharmacien (avec un intervalle d'étude du latin), et surtout, durant deux longues années qui nourrirent son observation et sa pensée sociales, comme apprenti vendeur dans un grand magasin de nouveautés de Southsea. Mais, en 1883, à dix-sept ans, l'adolescent entra en révolte. Ayant fui la routine fastidieuse du magasin, il réussit, comme élève-maître dans un lycée du Sussex, à préparer un concours de bourse qui lui donnait accès, l'année suivante, à l'École Normale des Sciences de Kensington, à Londres. Le jeune étudiant y fut enthousiasmé par l'enseignement de T.H. Huxley, éminent biologiste et disciple éloquent de Darwin ; mais, ensuite, les cours de physique, d'astronomie et surtout de géologie le rebutèrent. Sollicité par d'autres lectures, il négligea son travail et, à vingt et un ans, subit l'humiliation d'échouer à l'examen de sortie de l'École. Suivirent sept années de vaches maigres durant

1. Dans son autobiographie citée plus bas, p. 417 (notre traduction).

lesquelles Wells enseigna ; prépara par correspondance, et obtint finalement, une licence de sciences ; se maria (en 1891) ; connut de graves ennuis de santé ; intenta une action en divorce ; écrivit des articles et des contes... La chance tourna pour lui entre 1894 et 1895 (date de son second mariage, plus heureux) avec la parution dans un hebdomadaire d'une série de nouvelles (dont les cinq premières citées plus haut) et, surtout, la sortie en volume de son premier roman, aussitôt populaire, de science-fiction : *La Machine à explorer le temps*. Sur cette lancée parurent sous sa plume plusieurs romans d'anticipation scientifique sensationnelle, dont *L'Homme invisible* (1897), *La Guerre des mondes* (1898) et *Les Premiers Hommes dans la lune* (1901). Leur succédèrent, après le tournant du siècle, des fictions mi-documentaires, mi-humoristiques, évoquant avec verve la société anglaise victorienne ou édouardienne, genre dans lequel Wells écrivit ses meilleurs romans, en partie autobiographiques : *Kipps* (1905) et *Tono-Bungay* (1909). Enfin, à partir de 1909 (*Anne Véronica*) les frontières s'estompèrent entre les nombreux essais de l'écrivain — sociologiques ou politiques — et ses romans, envahis par des thèses moralement anticonformistes ou socialement engagées, au gré des controverses et des événements de l'histoire britannique ou mondiale. En 1934, dans son *Autobiographie expérimentale (Experiment in Autobiography)*, l'auteur, prenant du champ, a retracé, et commenté avec une belle franchise, les étapes de son cheminement intellectuel et littéraire.

*

Les circonstances dans lesquelles furent conçus les contes inauguraux — y compris les cinq premiers récits du présent volume — en expliquent les sujets, la brièveté, le ton. En 1894, le *Pall Mall Budget*, jusqu'alors simple supplément hebdomadaire d'un journal à grand tirage, la *Pall Mall Gazette*, se préparait à prendre plus d'ampleur

11

en devenant autonome. Son rédacteur en chef, Lewis Hind, s'ouvrit au jeune Wells du projet d'«utiliser mes connaissances particulières de la science... dans une série de nouvelles ''à lire en une fois''... et j'appliquai mon esprit à imaginer des histoires possibles dans le genre qu'il requérait... La première que je produisis avec effort fut *Le Bacille dérobé* et, au bout de quelque temps, j'acquis une certaine adresse à développer des incidents et des anecdotes à partir de petites virtualités scientifiques ou prétendument telles[1]. »

En matière d'hypothèses scientifiques, le jeune auteur a, de toute évidence, fait flèche de tout bois. Nous le verrons, ici, mettre tout à tour à contribution : la bactériologie, la botanique, l'astronomie et la zoologie, l'ornithologie, la minéralogie. L'entomologie présidera à la septième nouvelle, plus longue. Or, dans chacun des cas, la méthode est la même. Wells s'emploie à accréditer une anecdote sensationnelle grâce à une attention minutieuse aux détails, garante de vraisemblance. Ainsi explorerons-nous un laboratoire de bactériologiste ; apprendrons-nous le fonctionnement d'une serre pour plantes exotiques, celui d'un télescope, les spécificités d'un estomac d'oiseau, la chimie du carbone... L'adhésion du lecteur profane est acquise et brièvement maintenue à ce prix. Cette technique traditionnelle étend, en somme, au fantastique pseudo-scientifique ce qui valait, chez des auteurs plus anciens, pour le surnaturel.

On est en droit de parler de «fantastique» car, à la différence d'un Jules Verne, méditant prophétiquement sur les promesses techniques du progrès des sciences, il s'agit, tout au moins dans ces premières nouvelles, de purs jeux de l'imagination, élaborés, de l'aveu même de l'auteur, sur commande, et pour des lecteurs du dimanche. Aussi bien nous entraîne-t-il sur des voies théâtrales, dramatiques ou cocasses : menace d'une épidé-

1. Id., pp. 514-15.

mie de choléra sur la ville de Londres ; assaut d'une orchidée suceuse de sang ; attaque d'un monstre préhistorique contre un homme seul ; expériences périlleuses de fusion du carbone... L'on note qu'à l'exception de la quatrième anecdote (*Une vente d'autruches*), récit humoristique où les plaies ne sont que d'argent, des images morbides (tableau insistant d'une épidémie), des épisodes sanglants (vampirisme de plante ; bataille d'homme contre bête, une hypothèse d'explosion meurtrière) hantent ces nouvelles légères. Leur fin heureuse ou ironique distancie ces cruautés qui, à en juger par un roman contemporain comme *L'Ile du docteur Moreau* (1896), procèdent, chez leur auteur, d'obsessions personnelles.

C'est sur un terrain consciemment autobiographique que s'ébauchent de futurs leitmotive de Wells. Pour esquissés qu'ils soient, ses protagonistes se posent déjà en s'opposant à des sujétions où à des malveillances : étroitesses d'esprit ; indifférence du monde ; cruautés de la nature. Au regard de l'adolescence vécue par l'auteur, l'on ne s'étonnera guère de voir railler le conformisme des seules deux figurantes d'une distribution presque exclusivement masculine : l'épouse du bactériologiste et la gouvernante de l'amateur d'orchidées, l'une et l'autre tyranniques dans leur maternage, et attachées, qui à de ridicules convenances vestimentaires, qui à une routine d'existence stérilisante. Les récentes frustrations de l'écrivain en herbe, besogneux et méconnu, semblent lui avoir inspiré, dans une veine d'autodérision, les figures parallèles de l'anarchiste du « Bacille dérobé » et du « Fabricant de diamants » du dernier conte juvénile. Soucieux d'une notoriété qui leur échappe, aigris par l'hostilité ou la froideur de la société en place, ils réagissent par esprit de revanche ou par cynisme en exterminateurs potentiels. Sous la comédie rosse se déclare une pulsion de contestation violente. Enfin, l'image naturaliste de la jungle — celle de Bornéo après celle des Îles Adaman — et de ses

13

incarnations — l'orchidée vampirique et le monstre griffu — renvoie, certes, aux leçons de Darwin, mais aussi, en amont, aux mêmes idées moroses qui sous-tendent *La Machine à explorer le temps*, publiée en feuilleton durant la même année. À en juger par les ironies que suscitent la sédentarité de Winter-Wedderburn et la prudence de l'homme d'affaires du dernier conte bref, H.G. Wells n'invite pas, pour autant, à un repli frileux, à la Schopenhauer, mais plutôt, dans le sillage d'Henley et de Kipling, à une exploration curieuse, vigilante et pugnace, incarnée au passage par son jeune astronome et son chercheur ardent. L'esprit du temps n'est pas à voie unique.

La texture de ces premières nouvelles — fonctionnalité des personnages et des décors, recours au suspens, art du dialogue, alternance des tons, diversité des niveaux de langue... — sera commentée au fil du volume. Notons simplement en préambule que ces récits courts restent traditionnels par le privilège accordé à l'anecdote et le soin apporté à l'unité d'action. Non moins classiques du genre en sont les conclusions qui, dans deux cas (1 et 4), reposent sur un coup de théâtre et, pour les trois autres, sur un commentaire paradoxal ou ironique. Quant aux variations dans l'emploi du point de vue narratif, elles évoquent un tâtonnement expérimental. Les deux premières nouvelles sont omniscientes avec de brefs commentaires d'auteur ; la troisième, à l'avenant, se focalise toutefois, presque de bout en bout, sur les perceptions du jeune protagoniste, l'astronome agressé ; la quatrième (*Une vente d'autruches*), bonne histoire de type oral, est un récit à la première personne, rapporté par un auditeur sans visage ; mais la dernière (*Le Fabricant de diamants*) inaugure une technique plus complexe avec un premier narrateur spécifique, à la fois témoin, juge et acteur, et un récit par bribes dans le récit. En conteur inspiré, le jeune Wells fait ses gammes.

*

Succédant à plusieurs romans, pour la plupart de science-fiction, « Les Cuirassés terrestres » et « l'Empire des fourmis » sont des nouvelles plus longues, plus substantielles et d'une structure plus élaborée. L'une et l'autre explorent l'hypothèse d'un avenir alarmant soit au plan des conflits de nations, soit à celui de la lutte des espèces.

« Les Cuirassés terrestres » mettent partiellement en fiction un chapitre de Wells paru deux ans plus tôt : « La Guerre au XXe siècle[1] ». Influencé par un ouvrage français de Jean de Bloch, l'auteur y prédisait « le remplacement graduel de la cavalerie et du fantassin... par des machines..., une ample variété de mécanismes ingénieux conçus pour surprendre et déconcerter l'ennemi grâce à des méthodes originales ». Sa conclusion majeure prônait un effort d'éducation technique, car « une nation doit développer et renforcer la formation de ses classes instruites et douées ou bien perdre à la guerre[2]... »

Ce que la nouvelle décrit éloquemment, sous le regard surpris d'un journaliste au front — une espèce de Fabrice, témoin d'un Waterloo moderne —, c'est une attaque foudroyante de blindés, un *blitzkrieg* avant la lettre, qui bouscule en quelques heures une grande armée classique. Bien qu'endurcie, cette armée d'un pays anonyme est en retard d'un conflit au moins, dans sa pratique d'une guerre de positions et dans son postulat qu'une charge héroïque de cavalerie — sur le mode suicidaire de la guerre de Crimée — peut repousser une infanterie cycliste protégée par des tanks. Wells imagine,

1. In *Anticipations of the Reaction of Mechanical and Scientific Progress upon Human Life and Thought* (Prévisions quant à l'incidence du progrès technique et scientifique sur la vie et la pensée de l'homme), 1901.

2. *La Guerre* de Jean de Bloch avait été partiellement traduite en anglais, en 1899, sous le titre *Is War Now Impossible ?* (La guerre est-elle désormais impossible ?).

en outre, l'emploi par l'ennemi de fusils à lunette (d'un maniement encore bien compliqué) et, sous le nom-valise de « pédirails », il nous présente une version baroque mais prémonitoire des chenilles de chars d'assaut. Le paradoxe est que cette fiction de 1903, alors sensationnelle, reste *en deçà* de la réalité : même celle de la Première Guerre mondiale puisqu'elle n'arme les tanks que de fusils, fussent-ils perfectionnés, et les prive du support d'une aviation de combat. Malgré tout, la prévision d'une victoire de la technique n'est que trop juste et témoigne d'une vision en avance sur son temps[1].

Mais la réflexion de Wells, qui s'exprime tout au long du récit par la bouche du correspondant de guerre perspicace, porte aussi sur deux stades de civilisation générant deux types humains et deux systèmes sociaux contrastés. D'un côté, une culture rurale et aristocratique dont procède une race d'agriculteurs et de chasseurs, des hommes « de plein air », « robustes et basanés », mais frustes, respectueux d'une hiérarchie paternaliste traditionnelle, officiers-soldats, cavaliers-fantassins ; et eux-mêmes méprisants à l'endroit des noirs qu'ils emploient, à la manière des petits Blancs sudistes d'Amérique du Nord. De l'autre, des citadins, moins vigoureux et moins bons cavaliers, mais plus évolués, plus intelligents, constituant une armée plus technicienne et, partant, plus démocratique. Pour des raisons biographiques évidentes, la sympathie médiatisée de l'auteur va plutôt aux représentants de la ville et d'une promotion sociale acquise par le biais d'une formation scientifique : tels le jeune capitaine et ses mécaniciens, qu'il nous présente à l'œuvre dans l'un des « cuirassés terrestres ». Alors que les porte-parole des officiers adverses (un jeune lieutenant

1. En 1899 encore, Kipling concluait son roman populaire *Stalky and Co* en prônant la formation d'officiers à l'ancienne, sachant user des méthodes coloniales de l'armée des Indes pour l'emporter dans un éventuel conflit européen. L'hécatombe subie par l'armée britannique au cours de la bataille de la Somme allait lui donner tort.

arrogant ; une vieille baderne de colonel) pèchent par routine d'esprit, et que leurs soldats, mus par un chauvinisme sentimental, ne sont que des « lourdauds ». Mais l'imagination du nouvelliste nuance la pensée du théoricien. L'option technicienne qui le fascine peut aussi conduire à des abus. La capacité de tuer en pressant un bouton déshumanise l'*homo technicus* du combat moderne, l'assimile explicitement à un commis alignant froidement des morts comme on aligne des chiffres dans un livre de comptes. La conclusion secrètement autojustificative de l'intellectuel Wells n'est donc pas univoque. Les « ingénieurs » de son récit ne manquent pas de virilité mais, en se libérant de la sensiblerie, ils ont perdu de leur naturel et de leur chaleur humaine. Ce qui, peut-être, s'interpose à ce stade, c'est l'image que l'auteur a gardée de son père à cet égard envié : familier de la nature, sportif et, par une rencontre verbale significative, décrit plus tard par Wells autobiographe comme « un homme de plein air » ?

Ce n'est pas uniquement par cette tension imaginative que la fiction l'emporte sur la thèse. Le talent très visuel de l'auteur (qui illustrait souvent sa correspondance à l'aide de dessins) se trouve ici amplement mis à contribution : pour décrire l'agencement des machines qu'il conçoit ; pour évoquer des paysages en demi-jour ; et, surtout, sous le regard de son observateur-acteur, pour représenter les scènes collectives ou individuelles de la bataille : échanges de tirs, repli éperdu, peur panique, extermination... L'on reconnaît ici l'auteur si efficace de *La Guerre des mondes*, le metteur en scène cinématographique avant la lettre de scénarios-catastrophe...

Comme son titre l'annonce, « L'Empire des fourmis », traite d'une autre victoire, cette fois dans une optique plus littéralement évolutionniste. Au sein d'une nature darwinienne où les espèces s'affrontent, la technique de l'homme, représentée par une canonnière moderne, se révèle dérisoire, impuissante à endiguer l'avance destructrice, l'irrésistible ascension d'une armée d'insectes évolués. Le thème principal est donc celui de la précarité de la maîtrise humaine de l'univers.

Outre l'influence diffuse du Swift de l'épisode de Lilliput, la source littéraire principale de ce récit nous paraît manifeste. Il s'agit du *Cœur des ténèbres*, court mais puissant roman de Joseph Conrad, dont Wells allait à nouveau s'inspirer en 1909 dans un épisode de son roman *Tono-Bungay*. Faut-il rappeler que le texte de Conrad, paru en 1898, relate la lente remontée d'un fleuve sombre, intemporel, le Congo ? qu'il évoque la traversée archétypique d'une jungle d'une sauvagerie angoissante ? qu'il y décrit un alignement de crânes d'hommes rongés par des fourmis ? et même qu'il rapporte, au passage, une canonnade absurde : celle d'un navire de guerre français dispersant des obus dans la forêt[1] ? Wells a écrit, néanmoins, une œuvre originale. Le conflit, chez lui, reste essentiellement extérieur et s'inspire d'une nouvelle hypothèse scientifique. Celle qu'il exploite, d'une invasion meurtrière des *saúbas*, les fourmis d'Amazonie — l'équivalent wellsien du Congo de Conrad — extrapole à partir de données connues en Amérique du Sud. Quant à l'universalisation conjecturale de la menace, sur laquelle s'achève le récit, elle prolonge les méditations pessimistes de la fin du XIXᵉ siècle, fait, notamment, écho à un article de l'auteur publié à l'époque, intitulé « L'Extinction de l'homme[2], et participe, *mutatis mutandis*, d'une même angoisse millénariste que son roman, déjà cité, d'anticipation cosmique, *La Guerre des mondes*.

La part du rêve est ici, comme fréquemment chez Wells, surtout celle de l'horreur : dans l'anthropomorphisme alarmant qui équipe des fourmis innombrables en soldats, leur attribue une stratégie de masse, et un venin qui affole et tue ; dans les descriptions expressionnistes de

---

1. *Le Cœur des ténèbres* figure dans la présente collection, Langues Modernes — Bilingue, 1988.

2. Article paru dans la *Pall Mall Gazette* du 25 septembre 1894.

cadavres déchiquetés aux chairs rongées, au squelette désarticulé. L'hypothèse d'une délectation morose du romancier trouve un certain fondement dans l'insistance qu'il met à peindre ces détails.

L'essentiel de l'action du récit omniscient a lieu sur le navire de guerre brésilien qui s'enfonce dans la jungle immémoriale et menaçante. Classiquement, cette aventure révèle la psychologie des trois protagonistes. Il s'agit du chef mécanicien britannique, témoin et juge de bon sens, mais aussi voyageur déçu dans sa quête d'exotisme; du lieutenant qui, en mission commandée contre son propre avis, mourra absurdement pour l'honneur de son grade; et, surtout, du capitaine, au centre du tableau, dont émergent à mesure l'incompétence, l'indécision, l'autoritarisme tragique, la couardise, la stupidité... Ce portrait central nourrit une dérision tantôt cocasse, tantôt amère, qui contribue à la vraisemblance prosaïque de l'anecdote. Sur cette base, l'auteur implicite nous offre, en conclusion, une froide chronologie de la conquête prévisible du monde par ses fourmis guerrières : sombre chute de rideau au terme d'une mise en scène mi-naturaliste, mi-bouffonne.

*

Enfin, les nouvelles 8 et 9, la seconde nettement plus tardive, illustrent la narration plus dépouillée, allégorique, de plusieurs des meilleurs récits de maturité de Wells, comme « Le Pays des aveugles » (1904) et « La Porte dans le mur » (1906). Il s'agit dans la plupart des cas d'interrogations psychologiques, esthétiques ou métaphysiques sur le sens de la vie et de la mort, la part du sentiment, l'importance du rêve et de la beauté...

À la manière d'un conte de fées, « le Beau costume » dit l'histoire d'un complet du dimanche tendrement tissé par une mère pour son fils mais dont, par souci de le ménager, elle lui interdit le port quotidien jusqu'à ce qu'en un sursaut de révolte nocturne, il l'endosse en secret pour une libre promenade à travers la campagne.

Cette distribution et l'essence du conflit s'inspirent évidemment du passé de l'auteur, dans ses rapports mi-affectueux, mi-rebelles avec une mère conformiste et surprotectrice. Au culte des apparences et à une austérité puritaine s'oppose une protestation hédoniste et d'anarchisme esthétique. Deux traits spécifient le message de cette « fable lunaire » (le titre primitif du conte) : une insistance, la nuit de l'escapade, sur la beauté onirique du paysage, baigné par les reflets argentés de la pleine lune : et le fait que cette plongée dans une existence affranchie et ardente s'achève dans une mort extasiée. Avec un décalage de plusieurs années, ces motifs — éloge d'une quête artiste de sensations, apothéose de cet affranchissement dans une mort romantique — prolongent deux autres veines typiquement fin-de-siècle.

L'écriture, d'une élégance sobre, est traversée par des élans lyriques dans la relation de l'escapade au clair de lune, à travers une nature transfigurée. Elle fait appel à des symboles traditionnels : traversée d'un étang baptismal ; vol d'un papillon annonciateur d'une mort spiritualisante. La conclusion, ouverte quant à la nature du triomphe suggéré, laisse une part poétique à l'interprétation du lecteur. Le nouvelliste anecdotique et « réaliste » des textes précédents s'est, lui aussi, transcendé à ce titre.

Une prose littéraire, d'une simplicité stylisée, préside également au dernier conte court, censément emprunté à la littérature persane médiévale.

Après un préambule qui, en forme d'essai, énonce une problématique, la narration s'élabore en deux temps d'une importance significativement inégale : évocation rapide des amours heureuses du héros princier, jusqu'à la mort précoce de sa princesse ; récit circonstancié de sa lente édification d'un mausolée sublime (« La Perle d'Amour » du titre) en mémoire de la défunte, dont, finalement, il fera enlever le sarcophage pour cause de disharmonie architecturale.

*Ars longa, vita brevis*? Sans doute. Mais le conte ébauche trois autres réflexions sur les rapports de l'art avec la vie. La première, romantique s'il en fut, est que la souffrance vécue est le ferment de la création. Une seconde idée, tacite dans l'éloge de l'évolution esthétique du prince, est que l'art véritable n'a que faire de l'excès du détail et du décoratif : il doit s'harmoniser, classiquement, aux lignes sobres et grandioses de la nature. Enfin, le thème central que suggère l'ultime coup de théâtre est que la sacralisation de l'art peut dessécher le cœur. Echo tardif d'une célèbre controverse avec Henry James, théoricien d'un art exclusivement attentif à lui-même ? Et/ou méditation de l'homme et de l'auteur au seuil de la soixantaine ?

En tout état de cause, les deux derniers récits marquent bien, dans le fond, et surtout dans la forme, un net renouvellement.

Joseph DOBRINSKY

## Bibliographie sélective

Oeuvres (choisies) de Wells :

*The Time Machine* (La Machine à explorer le temps), 1895 ; *The Island of Dr Moreau* (L'Ile du docteur Moreau), 1896 ; *The Invisible Man* (l'Homme invisible), 1897 ; *The War of the Worlds* (La Guerre des mondes), 1898 ; *The First Men in the Moon* (Les Premiers Hommes dans la lune), 1901 ; *Kipps* (1905) ; *In the Days of the Comet* (Au temps de la comète), 1906 ; *Tono-Bungay*, 1909 ; *The History of Mr Polly* (Histoire de M. Polly), 1910 ; *The New Machiavelli* (Le Nouveau Machiavel), 1911 ; *The Outline of History* (Un aperçu de l'histoire), essai, 1920 ; *The World of William Clissold* (Le Monde de William Clissold), 1926 ; *The Complete Short-Stories of H.G. Wells*, 1927 (Penguin 1958) ; *Experiment in Autobiography* (Autobiographie expérimentale), 2 volumes, 1934.

Etudes biographiques ou critiques :

Edouard Guyot, 1920 ; Georges Connes, 1926 ; Bernard Bergonzi, *The Early H.G Wells*, 1961 ; Lovat Dickson, *H.G. Wells, His Turbulent Life and Times*, 1969 ; Patrick Parrinder, 1970 ; Jean-Pierre Vernier, *H.G. Wells et son temps*, 1971 ; Norman and Jeanne Mackenzie, *The Time Traveller : The Life of H.G. Wells*, 1973 ; John Batchelor, 1985 ; J.R. Hammond, *H.G. Wells and the Modern Novel*, 1988.

# The Stolen Bacillus

*Le Bacille dérobé*

"This again," said the Bacteriologist[1], slipping a glass slide under the microscope, "is a preparation of the celebrated Bacillus of cholera—the cholera germ[2]."

The pale-faced man peered down the microscope[3]. He was evidently not accustomed to that kind of thing, and held a limp white hand[4] over his disengaged eye. "I see very little," he said.

"Touch this screw," said the Bacteriologist; "perhaps the microscope is out of focus[5] for you. Eyes vary so much. Just the fraction of a turn this way or that."

"Ah! now I see," said the visitor. "Not so very much to see after all. Little streaks[6] and shreds of pink. And yet those little particles, those mere atomies[7], might multiply and devastate a city! Wonderful!"

He stood up, and releasing the glass slip from the microscope, held it in his hand towards the window. "Scarcely visible," he said, scrutinising the preparation. He hesitated[8]. "Are these—alive? Are they dangerous now?"

"Those have been stained[9] and killed," said the Bacteriologist. "I wish, for my own part, we could kill and stain every one of them in the universe."

"I suppose," the pale man said with a slight smile, "that you scarcely care[10] to have such things about you in the living—in the active state?"

---

1. **Bacteriologist** : notez la majuscule. Il s'agit d'un type professionnel au service de l'anecdote. Comme son principal interlocuteur, il ne bénéficiera donc pas d'un nom de famille.

2. **cholera germ** : ce détail pose d'entrée de jeu la nature mortelle du bacille dont le titre du conte a, par avance, annoncé le vol. Wells a emprunté au théâtre la méthode, d'une présentation directe de la situation à mi-chemin d'un dialogue.

3. **peered down the microscope** : équivalent d'une indication scénique. L'anglais spécifie la direction du regard.

4. **hand** : comme la pâleur de l'homme, les caractéristiques malsaines de sa main participent de son portrait caricatural d'anémique.

5. **out of focus** : **the focus** est le *foyer* (d'une lentille) ; **to bring a picture into focus** : *mettre une image au point*.

6. **streaks** : *raies, stries, rayures*. **A streak of lightning** : *un éclair*.

« Et ceci encore, dit le bactériologiste en glissant un porte-objet sous le microscope, est une préparation qui contient le célèbre bacille du choléra : le germe du choléra. »

L'homme au teint pâle regarda avec attention à travers le microscope. Manifestement, il n'avait pas l'habitude de ce genre d'activité et maintenait sur son œil libre une main blanche et flasque. « Je ne vois pas grand-chose », dit-il.

« Touchez cette vis, expliqua le bactériologiste, peut-être que le microscope est mal réglé pour vous. La vision varie tellement. Il suffit d'une fraction de tour dans un sens ou dans l'autre.

— Ah ! je vois à présent, dit le visiteur. En somme, il n'y a pas tellement à voir. Des petites stries et des filaments de couleur rose. Et pourtant ces petites particules, ces simples atomes pourraient se multiplier et dévaster une grande ville ! Incroyable ! »

Il se releva et, après avoir dégagé du microscope le porte-objet, le tendit vers la fenêtre.

« C'est à peine visible », dit-il en scrutant la préparation. Il hésita : « Est-ce que ces bacilles sont vivants ? Restent-ils dangereux ?

— Ceux-ci ont été colorés et tués, expliqua le bactériologiste. Pour ma part, j'aimerais que nous soyons en mesure de tuer et colorer tous ceux qui restent au monde.

— Je présume, dit l'homme au teint pâle, en souriant du bout des lèvres, que vous ne tenez guère à garder auprès de vous de tels germes en vie, à l'état actif ?

---

7. **atomies** : mot savant pour **atom(s)** : *atome(s)*.

8. **hesitated** : détail préparatoire, le personnage a évidemment peur de révéler la nature véritable de son intérêt.

9. **stained : to stain** : *tacher, souiller*, mais aussi, dans un sens technique, *teindre* (des microbes).

10. **scarcely care : scarce** (adj.) : *rare ;* devant un verbe, l'adverbe **scarcely** prend le sens semi-négatif de *à peine, presque pas*. **To care for** : *tenir à :* **not to care to do something** : *ne pas tenir à faire quelque chose.*

"On the contrary, we are obliged to," said the Bacteriologist. "Here, for instance——" He walked across the room and took up one of several sealed[1] tubes. "Here is the living thing. This is a cultivation of the actual[2] living disease bacteria." He hesitated[3]. "Bottled cholera, so to speak."

A slight gleam of satisfaction appeared momentarily in the face of the pale man. "It's a deadly[4] thing to have in your possession," he said, devouring the little tube with his eyes. The Bacteriologist watched the morbid pleasure in his visitor's expression. This man, who had visited him that afternoon with a note of introduction from an old friend, interested him from the very contrast of their dispositions[5]. The lank[6] black hair and deep grey eyes, the haggard[7] expression and nervous[8] manner, the fitful[9] yet keen interest of his visitor were a novel[10] change from the phlegmatic deliberations[11] of the ordinary scientific worker with whom the Bacteriologist chiefly associated. It was perhaps natural, with a hearer evidently so impressionable to the lethal[12] nature of his topic, to take the most effective[13] aspect of the matter.

He held the tube in his hand thoughtfully. "Yes, here is the pestilence[14] imprisoned. Only break such a little tube as this into a supply of drinking-water, say to these minute particles of life that one must needs[15] stain and examine with the highest powers of the microscope even to see, and that one can neither smell nor taste

1. **sealed**: cf. **a seal**: *un sceau, un cachet*.

2. **actual**: *réel, véritable*. **Actually**: *bel et bien*.

3. **hesitated**: préparation pour l'ultime coup de théâtre. Le savant est sur le point de mentir.

4. **deadly**: littéralement, *mortel*.

5. **dispositions**: *caractères, natures, complexions*. **A pleasant disposition**: *un bon naturel*.

6. **lank**: **a lank** (ou **lanky**) **person**: *une personne efflanquée*; **lank hair**: *des cheveux plats*.

7. **haggard**: *hâve* (pour une personne); *décharné* ou *égaré, défait* (pour un visage). *Hagard* se dirait **wild-eyed**.

8. **nervous**: en général, *craintif* ou *inquiet*. **To fell nervous**: *se sentir nerveux* ou *intimidé, avoir le trac* ≠ *une personne nerveuse*: **a highly**

« — Au contraire, nous y sommes contraints, répondit le bactériologiste. Ici par exemple... » Il traversa la pièce et prit dans la main une éprouvette scellée entre plusieurs.

« Voici le germe vivant. Ceci est une culture de bactéries authentiques, vivantes, de cette maladie. » Il hésita. « C'est en quelque sorte du choléra en bouteille. »

Une lueur de satisfaction passa brièvement dans le regard de l'homme au teint pâle. « C'est un objet redoutable à détenir », dit-il en dévorant des yeux la petite éprouvette. Le bactériologiste observait chez son visiteur l'expression d'une joie morbide. Cet homme qui était venu le voir cette après-midi avec une courte lettre d'introduction d'un de ses vieux amis, l'intéressait précisément en raison du contraste de leurs caractères. Les cheveux noirs et plats, les yeux gris foncé, l'air égaré et la mimique anxieuse, les intermittences de l'intérêt, pourtant vif, de son visiteur changeaient singulièrement le bactériologiste des lenteurs réfléchies et flegmatiques des chercheurs scientifiques ordinaires qu'il fréquentait surtout. Sans doute allait-il de soi qu'en face d'un auditeur manifestement aussi sensible à l'essence tragique de son propos, il en privilégiât les aspects les plus sensationnels.

Il tenait l'éprouvette dans la main d'un air méditatif. « Oui, voici la peste en captivité. Il suffirait de briser une petite éprouvette comme celle-ci au-dessus d'un réservoir d'eau potable, de dire à ces minuscules particules que l'on est dans l'obligation de colorer et de scruter en utilisant les pouvoirs extrêmes du microscope pour parvenir même à les voir et qui sont inodores et insipides,

---

strung person.

9. **fitful** : *irrégulier, par à-coups.*

10. **novel** = **original**, *nouveau, singulier.*

11. **deliberations** : cf. a **deliberate action** : *une action réfléchie* et donc *lente* (2e sens). **Deliberately** : *posément.*

12. **lethal** : *léthifère, mortel.*

13. **effective** : au sens ici de *qui fait de l'effet.*

14. **pestilence** : *peste bubonique.* Le mot courant est **plague**.

15. **needs** : adverbe = *nécessairement, par force.*

—say to them, 'Go forth[1], increase and multiply, and replenish the cisterns,' and death—mysterious, untraceable[2] death, death swift and terrible, death full of pain and indignity—would be released upon this city, and go hither and thither[3] seeking his[4] victims. Here he would take the husband from the wife, here the child from its[5] mother, here the statesman from his duty, and here the toiler[6] from his trouble. He would follow the water-mains, creeping along streets, picking out and punishing[7] a house here and a house there where they did not boil their drinking-water[8], creeping into the wells of the mineral-water makers, getting washed into salad, and lying dormant[9] in ices. He would wait ready to be drunk in the horse-troughs, and by unwary[10] children in the public fountains. He would soak into the soil, to reappear in springs and wells at a thousand unexpected places. Once start him at the water supply, and before we could ring him in[11], and catch him again, he would have decimated the metropolis."

He stopped abruptly. He had been told rhetoric was his weakness.

"But he is quite safe here, you know—quite safe[12]."

The pale-faced man nodded. His eyes shone. He cleared his throat. "These Anarchist-rascals," said he, "are fools, blind fools[13]—to use bombs when this kind of thing is attainable[14]. I think[15]——"

---

1. **forth**: *en avant*. Style biblique ou littéraire pour **forward**.
2. **untraceable**: **to trace**: *retrouver la trace* ou *l'origine*.
3. **hither and thither**: accusatifs littéraires de **here and there**.
4. **his**: la mort en anglais est personnifiée au masculin. Cette personnification contribue au style rhétorique de toute la période.
5. **its**: on emploie le neutre pour un jeune enfant.
6. **toiler**: **toil**: *le labeur*.
7. **punishing**: **to punish** peut avoir pour c.o. quelque chose d'inanimé, au sens de *maltraiter*.
8. **drinking water**: *eau potable*.
9. **dormant**: *en sommeil*. **A dormant volcano**: *un volcan assoupi*.
10. **unwary**: cf. **to be wary of**: *se méfier de*.
11. **ring him in**: **to ring round sb.**: *faire un cercle autour de qq*. Le **in** introduit la notion d'emprisonnement.

28

il suffirait de leur dire : « Sortez, croissez et multipliez-vous, remplissez les citernes, et la mort — la mort mystérieuse, inexplicable, la mort rapide et terrible, la mort cruelle et dégradante — serait lâchée sur cette grande ville, errant çà et là en quête de victimes. Ici elle arracherait l'époux à son épouse, là, l'enfant à sa mère ; ailleurs, l'homme d'État à son devoir, ailleurs encore, le travailleur à son pénible effort. Elle suivrait les canalisations d'eau, glissant le long des rues, choisissant une maison ici et là pour y sévir, là où l'on boit l'eau sans la faire bouillir, s'insinuant dans les puits des fabricants d'eau minérale, pénétrant dans la salade au moment de son lavage, et restant tapie à l'état latent dans les blocs de glace. Cette mort attendrait, prête à être absorbée par les chevaux dans les abreuvoirs et par les enfants imprudents dans les fontaines publiques. Elle s'infiltrerait dans la terre pour ressurgir dans les sources et les puits en mille endroits imprévus. Une fois lâchée dans la réserve d'eau et avant que l'on puisse la cerner et la recapturer, elle aurait décimé la métropole. »

Il s'arrêta net. On lui avait dit que l'amour de la rhétorique était son point faible.

« Mais, vous savez, ce germe mortel est tout à fait en sûreté ici, tout à fait en sûreté. »

L'homme au teint pâle acquiesça d'un signe de tête. Ses yeux brillaient. Il se racla la gorge. « Je trouve, dit-il, que ces gredins d'anarchistes sont stupides, stupides et bornés, de se servir de bombes alors qu'on peut se procurer ce genre de chose. Je trouve... »

---

12. **safe** : s'applique tantôt à la victime éventuelle (**to be safe** : *être hors de danger*), tantôt à ce qui aurait pu menacer celle-ci : **a safe road**, *une route sûre*. **It is safe** : *cela ne risque rien*.

13. **blind fools** : littéralement des *sots aveugles*. Ne pas confondre : *a fool*, *un imbécile* avec **a madman**, *un fou*. **Blind** est pris ici au sens figuré de *borné*.

14. **attainable** : *accessible*.

15. **I think : (that)** : *je trouve que*. Ne pas confondre avec **I find that** : *je m'aperçois que*.

A gentle[1] rap[2], a mere light touch of the finger-nails was heard at the door. The Bacteriologist opened it. "Just a minute, dear," whispered his wife.

When he re-entered the laboratory, his visitor was looking at his watch. "I had no idea I had wasted[3] an hour of your time," he said. "Twelve minutes to four. I ought to have left here by[4] half-past three. But your things were really too interesting. No, positively I cannot stop[5] a moment longer. I have an engagement at four."

He passed out of the room reiterating his thanks, and the Bacteriologist accompanied him to the door, and then returned thoughtfully along the passage to his laboratory. He was musing[6] on the ethnology of his visitor. Certainly the man was not a Teutonic type nor a common Latin one[7]. "A morbid product, anyhow, I am afraid," said the Bacteriologist to himself. "How he gloated on[8] those cultivations of disease-germs[9]!" A disturbing thought struck[10] him. He turned to the bench by the vapour-bath, and then very quickly to his writing-table. Then he felt hastily in his pockets, and then rushed to the door. "I may have put it[11] down on the hall table," he said.

"Minnie!" he shouted hoarsely in the hall.

"Yes, dear," came a remote voice.

"Had I anything[12] in my hand when I spoke to you, dear, just now?"

---

1. **gentle** : *doux*. Gentil serait **nice** ou **kind**.

2. **a rap** : *un petit coup sec*.

3. **wasted** : to waste : *perdre, gaspiller,* notamment son temps, son argent ou sa vie. **What a waste** : *Quel dommage !*

4. **by** : suivie d'une heure ou d'une date, cette préposition signifie *avant, pour, pas plus tard que.* Cf. **He will be here by one o'clock** : *il sera là pour treize heures.*

5. **stop** est souvent synonyme de **to stay** : *rester*.

6. **musing** : *méditant* ou *rêvant*. **To muse on an idea** : *ruminer une idée.*

7. **Latin one** : les anarchistes, s'ils n'étaient pas des révolutionnaires irlandais, étaient censés être des étrangers.

8. **gloated on** : *dévorait du regard.*

On entendit frapper doucement à la porte : un simple grattement d'ongles.

Le bactériologiste ouvrit.

« Une petite minute, mon chéri », murmura son épouse.

Quand il rentra dans le laboratoire, son visiteur regardait sa montre. « Je ne m'étais pas rendu compte que je vous avais fait perdre une heure de votre temps, dit-il. Il est quatre heures moins douze. J'aurais dû repartir avant trois heures et demie. Mais ce que vous avez là m'intéressait vraiment trop. Non, je ne peux absolument pas rester une seconde de plus. Je suis pris à quatre heures. »

Il sortit de la pièce en renouvelant ses remerciements, et le bactériologiste le raccompagna jusqu'à la porte, avant de revenir d'un air pensif le long du couloir qui menait à son laboratoire. Il méditait sur l'origine ethnique de son visiteur. A coup sûr, cet homme n'était pas de type teuton ni d'un type latin banal. « Un rejeton morbide en tout cas, j'en ai peur, se disait-il. Comme il couvait des yeux ces cultures de germes de maladie ! »

Une idée alarmante lui traversa l'esprit. Il se tourna vers l'établi près du bain de vapeur puis, précipitamment, vers son bureau. Après quoi, il s'empressa de fouiller dans ses poches, puis se précipita vers la porte. « Je l'ai peut-être posé sur la table du vestibule », dit-il.

« Minnie ! » cria-t-il dans le vestibule d'une voix enrouée.

« Oui, chéri, répondit une voix lointaine.

— Est-ce que j'avais quelque chose dans la main, ma chérie, quand je t'ai parlé à l'instant ? »

9. **disease-germs**: a **disease**: *une maladie grave* et/ou *contagieuse,* par opposition à **illness** qui *peut* être une maladie bénigne.

10. **struck him**: an **idea strikes me**: *une idée me vient soudain à l'esprit.*

11. **it**: il s'agit, bien sûr, de l'éprouvette.

12. **anything**: puisqu'il y a un doute, au sens de *quoi que ce soit.*

Pause.

"Nothing, dear, because I remember——"

"Blue ruin[1]!" cried the Bacteriologist, and incontinently ran to the front door and down the steps of his house to the street.

Minnie, hearing the door slam violently, ran in alarm to the window. Down the street a slender[2] man was getting into a cab[3]. The Bacteriologist, hatless, and in his carpet slippers[4], was running and gesticulating wildly[5] towards this group. One slipper came off, but he did not wait for it. "He has gone *mad*[6]!" said Minnie; "it's that horrid science of his[7]"; and, opening the window, would have called after him. The slender man, suddenly glancing round, seemed struck with the same idea of mental disorder. He pointed hastily to the Bacteriologist, said something to the cabman, the apron of the cab slammed, the whip swished[8], the horses's feet clattered[9], and in a moment cab, and Bacteriologist hotly in pursuit[10], had receded up the vista[11] of the roadway and disappeared round the corner.

Minnie remained straining[12] out of the window for a minute. Then she drew her head back into the room again. She was dumbfounded. "Of course he is eccentric," she meditated. "But running about London—in the height of the season[13], too—in his socks!" A happy thought struck her.

---

1. **blue ruin** : blue a ici une valeur d'intensif.

2. **slender** : *svelte* ou *fluet*. Le second sens paraît plus logique en contexte.

3. **cab** : abréviation de cabriolet, désignait alors *un fiacre*. Actuellement, le mot s'applique à un taxi **(a taxi-cab)**.

4. **carpet slippers** : *pantoufles en tapisserie*.

5. **wildly** : wild = *sauvage, furieux, égaré* ou *frénétique*.

6. **gone mad : to go mad** : *devenir fou ;* de même : **to go red,** *rougir,* **to go hungry** : *manquer de nourriture, être affamé.*

7. **that science of his** : littéralement, cette science qui est sienne, forme de mise en relief du possessif. Le cliché du savant lunaire est international.

32

Un silence.

« Tu n'avais rien, chéri, parce que je me rappelle...

— Catastrophe ! » s'écria le bactériologiste et il courut aussitôt jusqu'à la porte d'entrée et dévala jusqu'à la rue les marches de son perron.

En entendant la porte claquer violemment, Minnie, inquiète, courut à la fenêtre. Plus loin dans la rue, un homme fluet montait dans un fiacre. Le bactériologiste, tête nue et en pantoufles, courait et gesticulait frénétiquement en direction de l'homme et du cocher.

Il perdit une pantoufle mais ne s'arrêta pas pour la remettre. « Il est devenu fou ! se dit Minnie, c'est son horrible science » ; et elle ouvrit la fenêtre avec l'intention de l'appeler. L'homme fluet, se retournant soudain pour jeter un coup d'œil, sembla frappé par la même impression d'un désordre mental. Il montra prestement du doigt le bactériologiste, dit quelque chose au cocher : le tablier du fiacre retomba en claquant, le fouet siffla, les sabots du cheval martelèrent l'asphalte et, l'instant d'après, le fiacre et le bactériologiste, lancé furieusement à sa poursuite, s'étaient éloignés le long de la partie visible de la chaussée, avant de disparaître au tournant.

Minnie resta une minute tendant le cou par la fenêtre. Puis elle rentra la tête. Elle était abasourdie. « Bien sûr, réfléchit-elle, il est excentrique, mais courir dans Londres en chaussettes, et, qui plus est, au plein de la saison ! » Une bonne idée lui vint.

---

8. **swished** : to swish évoque le sifflement d'un fouet ou d'une faux. *Siffler* se dira **to whistle** pour une personne et **to hiss** pour une balle de fusil.

9. **clattered** évoque une *battue* de sabots ou un *ferraillement* de machine.

10. **pursuit** : a hot pursuit = *une poursuite acharnée*.

11. **the vista** : littéralement, *la perspective*.

12. **straining** : notion d'effort, de tension.

13. **in the height of the season** : littéralement, *au (plus) haut de la saison* (où l'on reçoit dans la bonne société). Le souci du qu'en-dira-t-on est le trait distinctif du personnage.

She hastily put her bonnet[1] on, seized his shoes, went into the hall, took down his hat and light overcoat from the pegs, emerged upon the doorstep, and hailed a cab that opportunely crawled[2] by. "Drive me up the road and round Havelock Crescent[3], and see if we can find a gentleman running about in a velveteen[4] coat and no hat."

"Velveteen coat, ma'am, and no 'at. Very good, ma'am." And the cabman whipped up at once in the most matter-of-fact[5] way, as if he drove to this address[6] every day in his life.

Some few minutes later the little group of cabmen and loafers[7] that collects round the cabmen's shelter at Haverstock Hill[8] were startled by the passing of a cab with a ginger-coloured screw of a horse[9], driven furiously.

They were silent as it went by, and then as it receded—"That's 'Arry 'Icks. Wot's *he* got[10]?" said the stout gentleman known as Old Tootles.

"He's a-using his whip, he is, *to* rights," said the ostler boy.

"Hullo!" said poor old Tommy Byles; "here's another bloomin' loonatic[11]. Blowed if there ain't[12]."

"It's old George," said old Tootles, "and he's drivin' a loonatic, *as* you say. Ain't he[13] a-clawin'[14] out of the keb[15]? Wonder[16] if he's after 'Arry 'Icks?"

---

1. **bonnet**: en général, *chapeau à brides. Un bonnet* est plutôt **a cap**. **The bonnet** est aussi *le capot* d'une automobile.

2. **crawled by**: to crawl: *ramper* ou *se traîner*, s'applique également à un taxi ou un fiacre qui *maraude*.

3. **Crescent**: il s'agit d'une *rue en arc de cercle*.

4. **velveteen**: à distinguer de **velvet** *(velours)* et **corduroy** *(gros velours à côtes)*.

5. **matter-of-fact**: *prosaïque, terre à terre, neutre, sans avoir l'air de rien*.

6. **address**: remarquer l'orthographe.

7. **loafers**: *badauds;* de **to loaf**: *flâner, fainéanter*.

8. **Haverstock Hill**: *la côte* ou *la montée d'Haverstock*, proche de Finsbury Park, dans le nord de Londres.

9. **a screw of a horse**: *une rosse*.

Elle se hâta d'enfiler son chapeau à brides, prit les chaussures de son mari, alla dans le vestibule décrocher du portemanteau son chapeau et son pardessus léger, sortit sur le pas de la porte et héla un fiacre qui passait en maraude à point nommé devant la maison.

« Montez la rue et faites-moi faire le tour de Havelock Crescent pour voir si nous apercevons un monsieur qui court tête nue en veste de veloutine.

— En veste de veloutine, m'dame, et tête nue. Très bien, m'dame. » Et le cocher fit aussitôt partir son cheval d'un coup de fouet, de la façon la plus naturelle, comme s'il se rendait à une telle adresse tous les jours de sa vie.

Quelques minutes plus tard, le petit groupe de cochers et de badauds qui se rassemblent autour de l'abri des cochers de fiacre à Haverstock Hill fut stupéfait de voir passer, conduit à un train d'enfer, un fiacre que tirait un mauvais cheval roux. Ils restèrent cois sur son passage, puis, quand il s'éloigna, le gros homme connu sous le nom du père Tootles s'écria : « C'est 'Arry 'Icks. Qu'est-ce qui lui prend ?

— Y donne du fouet, pour sûr, d'la belle manière, dit le jeune garçon d'écurie.

— Ohé ! dit le pauvre vieux Tommy Byles, v'la un autre sacré dingo. J'veux ben êt' pendu si c'est pas vrai !

— C'est c'vieux Georges, dit le père Tootles et y transporte un aut' dingo, comme tu dis. Vous l'voyez pas gesticuler du fiacre ? J'me d'mande s'y cherche à rattraper 'Arry 'Icks ? »

---

10. **got :** Wells reproduit les déformations des Londoniens du bas peuple, dont l'élision des **h** initiaux aspirés. **Wot's = What has...**

11. **loonatic : a lunatic :** *un fou*.

12. **ain't : isn't.**

13. **ain't he : isn't he.**

14. **a-clawing :** littéralement : *en train de donner des coups de griffe*. Le **a** est un ajout de langue vulgaire.

15. **keb** pour **cab**.

16. **wonder : I wonder.**

The group round the cabmen's shelter became animated. Chorus[1]: "Go it, George!" "It's a race!" "You'll ketch[2] 'em!" "Whip up!"

"She's a goer, she is!" said the ostler boy.

"Strike me giddy[3]!" cried old Tootles. "Here! *I'm* a-goin' to begin in a minute. Here's another comin'. If all the kebs in Hampstead ain't[4] gone mad this morning!"

"It's a fieldmale[5] this time," said the ostler boy.

"She's a followin' *him*," said old Tootles. "Usually the other way about."

"What's she got in her 'and?"

"Looks like a 'igh 'at[6]."

"What a bloomin' lark[7] it is! Three to one on old George," said the ostler boy. "Next!"

Minnie went by in a perfect roar of applause[8]. She did not like it but she felt that she was doing her duty, and whirled on down Haverstock Hill and Camden Town[9] High Street with her eyes ever intent[10] on the animated back view of old George, who was driving her vagrant[11] husband so incomprehensively[12] away from her.

The man in the foremost[13] cab sat crouched in the corner, his arms tightly folded, and the little tube that contained such vast possibilities of destruction gripped in his hand. His mood[14] was a singular mixture of fear and exultation.

---

1. **chorus**: *le chœur,* dans le drame antique et dans l'expression *chanter en chœur*: **to sing in chorus.**

2. **ketch**: **catch** avec l'accent cockney.

3. **giddy**: littéralement, *j'en ai la tête qui tourne.*

4. **ain't**: **aren't.**

5. **fieldmale**: déformation comique de **female**: *une bonne femme.*

6. **'igh 'at**: **high hat**: *un chapeau claque.*

7. **lark**: **What a lark!** *Quelle farce, quelle rigolade!* Tout le dialogue qui précède est d'esprit populiste, dans la tradition comique des romans de Dickens.

8. **roar of applause**: **a roar** est littéralement *un rugissement* mais on dit **roars of laughter** au sens de *grands éclats de rire.* **Applause,** *applaudissements,* est un mot invariable.

9. **Camden Town**: quartier de Londres proche de Regent's Park.

36

Les hommes groupés autour de l'abri des cochers s'émoustillèrent. Chœur : « Vas-y, Georges ! » — « C'est une course ! » « Tu vas les rattraper ! » « Fouette, cocher ! »

« Elle en veut c'te jument, pour sûr ! dit le garçon d'écurie.

— Mince alors ! cria Tootles. R'gardez. La tête va m'tourner bientôt. En v'là un aut' qu'arrive. Si tous les fiacres de Hampstead sont pas d'venus fous c'matin !

— C'est une bonne fème, cette fois, dit le garçon d'écurie.

— Elle suit l'homme, dit le père Tootles. D'habitude c'est l'contraire.

— Qu'est-ce qu'elle a dans la main ?

— On dirait un claque.

— Quelle sacrée rigolade ! Trois contre un sur le vieux Georges, dit le garçon d'écurie. Au suivant ! »

De grandes acclamations saluèrent le passage de Minnie. Cela lui déplut, mais elle avait le sentiment de faire son devoir et continua de passer en trombe le long de Haverstock Hill et de la grand-rue de Camden Town, sans quitter un instant des yeux le dos agité du vieux Georges qui, si cruellement, emmenait au loin son mari vagabond.

L'homme qui occupait le premier des trois fiacres s'était tapi dans un coin du siège, les bras croisés contre sa poitrine ; et il serrait dans la main la petite éprouvette qui contenait de si énormes virtualités de destruction. Son esprit se partageait de façon singulière entre la peur et l'exultation.

---

10. **intent on :** *fixés sur.*

11. **vagrant :** *errant, vagabond.* **A vagrant :** *un vagabond.*

12. **so incomprehensively :** littéralement : *de façon si peu compréhensive* (à son égard).

13. **foremost :** superlatif de **fore : *en avant* = *le premier*,** celui qui précède les autres.

14. **his mood :** littéralement : *son état d'esprit, son humeur.*

Chiefly he was afraid of being caught before he could accomplish his purpose, but behind this was a vaguer but larger fear of the awfulness[1] of his crime. But his exultation far[2] exceeded his fear. No Anarchist before him had ever approached this conception of his. Ravachol, Vaillant, all those distinguished persons whose fame he had envied dwindled[3] into insignificance beside him. He had only to make sure of the water supply, and break the little tube into a reservoir. How brilliantly he had planned it, forged[4] the letter of introduction and got into the laboratory, and how brilliantly he had seized his opportunity! The world should hear of him[5] at last. All those people who had sneered at him, neglected him, preferred other people to him, found his company undesirable, should consider him at last. Death, death, death! They had always treated him as a man of no importance[6]. All the world had been in a conspiracy to keep him under[7]. He would teach them yet what it is to isolate a man. What was this familiar street? Great Saint Andrew's Street, of course! How fared the chase[8]? He craned out[9] of the cab. The Bacteriologist was scarcely fifty yards[10] behind. That was bad. He would be caught and stopped yet. He felt[11] in his pocket for money, and found half-a-sovereign[12].

---

1. **awfulness :** *caractère imposant* ou *terrible* d'une action ou d'un spectacle.

2. **far :** *de loin.*

3. **dwindled :** to dwindle : *diminuer, décroître, s'amenuiser.* **To dwindle to nothing :** *se réduire à rien.*

4. **to forge :** *contrefaire* (une signature ou des billets de banque). **A forger :** *un faussaire.*

5. **should hear of him :** should, ici, *devrait* ou *ne pourrait manquer de.* **To hear of s.o. :** entendre parler de qqn mais **to hear from s.o. :** *avoir des nouvelles* (directes) *de qqn.*

6. **no importance :** selon Wells, c'est un sentiment de frustration sociale qui conduit, donc, à l'affirmation de soi par la violence.

7. **to keep him under :** littéralement, *le maintenir en position d'infériorité, dans une situation subalterne.*

8. **fared the chase : a chase :** *une poursuite.* La chasse se dit **hunting**

Il craignait surtout de se faire prendre avant d'avoir accompli son dessein mais, au-delà, l'horreur de son crime l'emplissait d'une peur plus vague mais plus profonde. Pourtant, l'exultation l'emportait en lui largement sur la peur. Aucun anarchiste n'avait jamais conçu quelque chose d'approchant. Ravachol, Vaillant, tous ces hommes remarquables dont il avait envié la gloire, se réduisaient à rien à côté de lui. Il lui suffisait de vérifier d'où venait l'eau d'alimentation urbaine et de briser la petite éprouvette pour en verser le contenu dans un réservoir. Avec quel génie, il avait monté son coup, contrefait l'écriture de sa lettre de recommandation pour avoir accès au laboratoire ; avec quel génie, il avait saisi l'occasion à lui offerte ! A coup sûr, le monde allait, enfin, entendre parler de lui. Tous ces gens qui s'étaient moqués de lui, qui lui avaient manqué d'égards, qui lui avaient préféré d'autres personnes, qui l'avaient trouvé peu fréquentable allaient, enfin, lui prêter attention. La mort pour eux, la mort, la mort ! Ils l'avaient toujours traité en personne négligeable. Le monde entier avait conspiré pour l'opprimer. Il allait leur apprendre à présent ce qu'il en coûtait d'isoler un homme. Quelle était cette rue qu'il connaissait ? Great St Andrews Street, bien sûr. Où en était la poursuite ? Il pencha la tête au-dehors. Le bactériologiste le suivait à moins de cinquante mètres. Ça se présentait mal. On allait le rattraper et encore maintenant l'empêcher d'agir. Il fouilla dans sa poche en quête d'argent et y trouva une pièce d'un demi-souverain.

---

(chasse à courre) ou **shooting** (chasse au fusil). **How did you fare ?** comment ça a marché ?

9. **craned out : to crane one's neck :** tendre le cou.

10. **fifty yards :** un **yard** mesure un peu plus de 91 cm.

11. **felt : to feel for :** chercher à trouver en tâtant.

12. **half a sovereign : a sovereign** (un souverain) est une ancienne pièce d'or qui valait une livre. Un demi-souverain valait dix shillings de l'époque.

This he thrust up through the trap[1] in the top of the cab into the man's face. "More," he shouted, "if only we get away."

The money was snatched out[2] of his hand. "Right you are," said the cabman, and the trap slammed, and the lash lay along the glistening[3] side of the horse. The cab swayed, and the Anarchist, half-standing under the trap, put the hand containing the little glass tube upon the apron to preserve his balance[4]. He felt the brittle[5] thing crack, and the broken half of it rang upon the floor of the cab. He fell back into the seat with a curse, and stared dismally[6] at the two or three drops of moisture on the apron.

He shuddered.

"Well[7]! I suppose I shall be the first. Phew! Anyhow[8], I shall be a Martyr. That's something. But it is a filthy death, nevertheless. I wonder if it hurts as much as they say."

Presently[9] a thought occurred to him—he groped between his feet. A little drop was still in the broken end of the tube, and he drank that to make sure. It was better to make sure. At any rate[10], he would not fail.

Then it dawned[11] upon him that there was no further[12] need to escape[13] the Bacteriologist. In Wellington Street[14] he told the cabman to stop, and got out. He slipped[15] on the step, and his head felt queer[16]. It was rapid stuff[17] this cholera poison.

---

1. **the trap** : le cocher d'un fiacre anglais était assis au-dessus et à l'arrière de son client, séparé de lui par une trappe.

2. **snatched out** : to snatch : *s'emparer brusquement de qqch.*

3. **glistening** : to glisten : *briller, étinceler,* lorsqu'il s'agit d'un liquide.

4. **balance** : to preserve (ou : to keep) one's balance : *garder l'équilibre. Perdre l'équilibre :* to lose one's balance au sens physique ou mental.

5. **brittle** : *fragile, cassant.*

6. **dismally** : *sombrement, d'un air morne.*

7. **well** : *eh bien,* en début de phrase.

8. **anyhow** : *de toute façon, en tout cas.* **Somehow** : *d'une façon ou d'une autre.* **Nohow** : *en aucune façon.*

9. **presently** : *peu après, bientôt.*

En passant la main par la trappe au-dessus du siège, il fourra la pièce sous le nez du cocher. «Vous en aurez d'autres, cria-t-il, si nous lui échappons.»

L'argent lui fut arraché de la main. «Très bien», dit le cocher. La trappe se referma brutalement et la lanière du fouet se plaqua contre le flanc luisant du cheval. Le fiacre oscilla et l'anarchiste qui s'était levé à demi pour atteindre la trappe chercha à garder l'équilibre en appuyant sur le tablier du fiacre sa main qui tenait la petite éprouvette. Il sentit se fendre cet objet fragile et sa moitié brisée tinta sur le plancher. L'homme retomba sur son siège en jurant et fixa d'un air consterné les deux ou trois gouttes de liquide répandues sur le tablier.

Il frissonna.

«Eh bien, je serai sans doute le premier. Pouah! En tout cas, je serai un martyr. C'est déjà quelque chose. Mais c'est tout de même une mort immonde. Je me demande si elle est aussi douloureuse qu'on le dit.»

Bientôt, une idée lui vint et il tâtonna entre ses pieds. L'extrémité brisée de l'éprouvette contenait encore une petite goutte de liquide et il la but pour plus de sûreté. Ça valait mieux. En tout cas, il n'échouerait pas.

Il s'avisa alors qu'il n'avait plus besoin d'échapper au bactériologiste. Dans Wellington Street, il dit au cocher d'arrêter et descendit du fiacre. Il glissa sur le marchepied et la tête lui tourna. Ce germe empoisonné du choléra agissait vite.

---

10. **at any rate** : *de toute façon, en tout cas, quoi qu'il en soit.*

11. **it dawned** : **to dawn,** littéralement : *poindre.* **It dawned on me that** : *il me vint à l'esprit que.*

12. **further** : comparatif de **far** : *supplémentaire.*

13. **to escape** : verbe transitif en anglais.

14. **Wellington Street** : rue proche de la Tamise.

15. **slipped** : **to slip** : *glisser accidentellement* : **to slide** peut avoir le même sens ou signifier : *faire une glissade* (volontaire).

16. **felt queer** : **to feel queer** : *se sentir patraque.*

17. **rapid stuff** : littéralement, *un produit rapide* (dans ses effets).

He waved his cabman out of[1] existence, so to speak, and stood on the pavement with his arm folded upon his breast awaiting[2] the arrival of the Bacteriologist, There was something tragic in his pose. The sense of imminent death gave him a certain dignity. He greeted his pursuer with a defiant[3] laugh.

"Vive l'Anarchie[4]! You are too late, my friend. I have drunk it. The cholera is abroad[5]!"

The Bacteriologist from his cab beamed[6] curiously at him through his spectacles. "You have drunk it! An Anarchist! I see now." He was about to say something more, and then checked himself[7]. A smile hung in the corner of his mouth. He opened the apron of his cab as if to descend, at which the Anarchist waved him a dramatic[8] farewell and strode off[9] towards Waterloo Bridge[10], carefully jostling his infected[11] body against as many people as possible. The Bacteriologist was so preoccupied with the vision of him that he scarcely manifested the slightest surprise at the appearance of Minnie upon the pavement[12] with his hat and shoes and overcoat. "Very good of you to bring my things," he said, and remained lost in contemplation of the receding figure[13] of the Anarchist.

"You had better get in," he said, still staring. Minnie felt absolutely convinced now that he was mad, and directed[14] the cabman home[15] on her own responsibility.

---

1. **out of**: a la force d'un verbe : *faire sortir de, chasser de*.

2. **awaiting** : moins courant que **to wait for, to await,** *attendre,* est transitif ≠ *s'attendre à :* **to expect**.

3. **defiant** : *provocant, de défi* ≠ **diffident** : *timide, manquant de confiance en soi :* **mistrustful** : *méfiant*.

4. **l'Anarchie !** : en français dans le texte. Les modèles cités plus haut étaient français.

5. **abroad** : trois sens majeurs : *à l'étranger, au-dehors, répandu.* Il s'agit, ici, du troisième sens.

6. **beamed** : **to beam** : *rayonner* (soleil ou personne).

7. **checked himself** : **to check** : *vérifier, contrôler, réprimer, contenir*.

8. **dramatic** : sens fréquent : *spectaculaire* ou *théâtral*.

D'un geste de la main, il chassa pour ainsi dire le cocher de l'existence et resta debout sur le trottoir, les bras croisés sur la poitrine, pour attendre l'arrivée du bactériologiste. Il avait pris une pose plus ou moins tragique. Le sentiment de sa mort imminente lui conférait une certaine dignité. Il accueillit son poursuivant avec un rire de défi.

« *Vive l'Anarchie!* Vous arrivez trop tard, mon ami, j'ai bu son contenu. Le choléra est lâché! »

De son fiacre, le bactériologiste l'observait, l'air radieux, avec curiosité, à travers ses lunettes. « Vous l'avez bu! Un anarchiste! Je comprends à présent. » Il allait ajouter quelque chose, puis se retint. Un sourire flottait aux coins de ses lèvres. Il releva le tablier de son fiacre comme pour descendre, ce que voyant, l'anarchiste agita la main en guise d'adieu théâtral, et partit à grands pas vers le pont de Waterloo en prenant soin de bousculer autant de gens que possible de son corps contaminé. Le bactériologiste était si absorbé par ce spectacle qu'il ne manifesta pas la moindre surprise lorsque Minnie apparut sur le trottoir, chargée de son chapeau, de ses chaussures et de son pardessus. « C'est très gentil de ta part de m'avoir apporté mes affaires », dit-il, et il resta plongé dans sa contemplation de la silhouette de l'anarchiste en train de s'éloigner.

« Tu ferais mieux de monter dans mon fiacre », dit-il, le regard toujours fixe. Minnie était à présent tout à fait convaincue qu'il était devenu fou, et elle prit sur elle de donner au cocher l'adresse de leur maison.

---

9. **strode off : off** décrit le mouvement, **to stride,** la manière : i.e. *à grandes enjambées.*

10. **Waterloo Bridge :** l'un des ponts les plus connus de la Tamise.

11. **infected : to infect s.o. with a disease :** *contaminer qqn.*

12. **pavement :** *le trottoir,* par opposition à **roadway :** *la chaussée.*

13. **figure :** *taille, silhouette, forme humaine.*

14. **directed : to direct to :** *indiquer le chemin de.*

15. **home :** emploi adverbial dans **to go home, to get home, to come home :** *aller, rentrer chez soi.* Mais on dira : **to be at home :** *être chez soi.*

"Put on my shoes? Certainly, dear," said he, as the cab began to turn, and hid the strutting[1] black figure, now small in the distance, from his eyes. Then suddenly something grotesque struck him, and he laughed. Then he remarked, "It is really very serious, though."

"You see, that man came to my house to see me, and he is an Anarchist. No—don't faint[2], or I cannot possibly tell you the rest. And I wanted to astonish him, not knowing he was an Anarchist, and took up a cultivation of that new species of Bacterium[3] I was telling you of[4], that infest, and I think cause, the blue patches upon various monkeys; and like a fool, I said it was Asiatic cholera. And he ran away with it to poison the water of London, and he certainly might have made things look blue[5] for this civilised city. And now he has swallowed it. Of course, I cannot say what will happen, but you know it turned[6] that kitten blue, and the three puppies—in patches[7], and the sparrow—bright blue[8]. But the bother is[9], I shall have all the trouble[10] and expense of preparing some more[11].

"Put on my coat[12] on this hot day! Why? Because we might meet Mrs. Jabber[13]. My dear, Mrs. Jabber is not a draught. But why should I wear a coat on a hot day because of Mrs.——? Oh! *very* well[14]."

---

1. **strutting : to strut :** *se pavaner, se rengorger.* L'anarchiste est évidemment fier de son coup d'éclat.

2. **don't faint :** il était de bon ton pour une dame victorienne de s'évanouir de frayeur pour accuser sa délicatesse. Mais, ironiquement, la curiosité va l'emporter chez Minnie sur le sens de la convention.

3. **Bacterium :** le pluriel est **bacteria.**

4. **I was telling you of : (that) I was** est sous-entendu en langue parlée.

5. **look blue : to look blue :** *avoir l'air triste* ou *sombre,* pour une personne. **Things look blue :** *les choses se présentent mal.*

6. **turned : turn** + adjectif : *transformer, convertir.*

7. **patches :** *des morceaux de tissu* ou *des taches.* **A damp patch :** *une tache d'humidité.*

8. **bright blue :** *bleu vif, bleu roi.* L'idée, appliquée à l'anarchiste, est évidemment comique.

9. **the bother is : a bother :** *un tracas, un embêtement,* en langue familière. **What a bother !** *Quel ennui !*

44

« Tu veux que j'enfile mes chaussures ? Certainement, chérie », dit-il, tandis que le fiacre entamait un demi-tour, lui cachant la silhouette noire, à présent rapetissée, de l'homme qui s'éloignait en bombant le torse. Puis, brusquement, une pensée grotesque lui traversa l'esprit et il se mit à rire. Après quoi, il commenta : « En fait, cette affaire est pourtant très sérieuse.

« Vois-tu, cet homme est venu à la maison pour me voir, et c'est un anarchiste. Il ne faut pas te trouver mal, sinon je ne pourrai vraiment pas te raconter la suite. Et j'ai voulu l'étonner, sans savoir que c'était un anarchiste : alors j'ai pris une culture de cette nouvelle espèce de bactérie dont je te parlais, qui contamine plusieurs races de singes, et leur donne, je crois, ces plaques bleues ; et j'ai eu la bêtise de dire qu'il s'agissait du choléra asiatique. Il s'est sauvé en l'emportant pour contaminer l'eau de Londres, et il aurait certainement pu assombrir l'horizon de cette grande ville moderne. Et voilà qu'il a avalé ma préparation. Bien entendu, j'ignore ce qui lui arrivera, mais tu sais que cette culture a fait bleuir le petit chat et teint en bleu roi les trois petits chiens par plaques, et le moineau tout entier. Mais l'ennui pour moi, c'est que je vais avoir tout le mal et toute la dépense de refaire une culture.

« Enfiler mon pardessus par ce jour de chaleur ! Pourquoi ? Parce que nous pourrions rencontrer madame Jabber. Ma chérie, madame Jabber n'est pas un courant d'air. Mais pourquoi devrais-je mettre un pardessus un jour de chaleur à cause de madame... Oh ! Très bien ! »

---

10. **the trouble** : *l'ennui, la difficulté, la peine, le mal*. **What's the trouble ?** *Qu'est-ce qui ne va pas ?*

11. **of preparing some more** : *d'en préparer d'autre* (littéralement : *une certaine quantité en plus*).

12. **my coat** : ici, pour **overcoat** : *pardessus*. Ailleurs, **a coat** serait *une veste*, ou *un manteau de femme*.

13. **Mrs. Jabber** : le nom caractérise la personne. **To jabber** : *jacasser*.

14. **very well** : comme souvent dans un texte comique, le mari se soumet à une épouse autoritaire.

# The Flowering of the Strange Orchid

*La Floraison de l'étrange orchidée*

The buying of orchids always has in it a certain speculative flavour[1]. You have before you the brown shrivelled lump of tissue, and for the rest you must trust your judgment, or the auctioneer[2], or your good-luck, as your taste may incline. The plant may be moribund or dead, or it may be just a respectable purchase, fair value for your money, or perhaps—for the thing has happened again and again—there slowly unfolds[3] before the delighted eyes of the happy purchaser, day after day, some new variety, some novel richness[4], a strange[5] twist of the labellum[6], or some subtler coloration or unexpected mimicry. Pride, beauty, and profit blossom together on one delicate green spike, and, it may be, even immortality. For the new miracle of Nature may stand in need[7] of a new specific name, and what so convenient as that of its discoverer? "Johnsmithia[8]"! There have been worse names.

It was perhaps the hope of some such happy discovery that made Winter-Wedderburn[9] such a frequent attendant[10] at these sales—that hope, and also, maybe, the fact that he had nothing else of the slightest interest to do in the world.

He was a shy, lonely, rather ineffectual[11] man, provided with just enough income to keep off the spur of necessity[12], and not enough nervous energy to make him seek any exacting[13] employment.

1. **speculative flavour** : la nouvelle commence par une affirmation générale évidemment anticipatrice. **Flavour** : au sens propre, *saveur ;* au sens figuré, *aspect, caractéristique, qualité.* **Speculative** a, en anglais, le double sens de *spéculatif* et *d'hypothétique,* qui vaut pour la suite.

2. **auctioneer** : **an auction** est *une vente aux enchères.*

3. **unfolds** : littéralement, *se déploie.*

4. **richness** : **a rich colour** : *une couleur chaude.*

5. **strange** : *étrange, inconnue, insolite.*

6. **labellum** : plur. latin **labella**. L'auteur, ici comme plus loin, se pose en botaniste bien informé. L'on sait qu'il avait étudié à Londres la botanique entre autres matières scientifiques.

7. **stand in need of** : *avoir besoin de, requérir.*

8. **John Smith** est le plus banal des noms anglais, à l'instar de Pierre Durand en français. Sa latinisation aurait de quoi l'ennoblir.

L'achat d'orchidées présente toujours un certain caractère de spéculation. Vous avez devant vous cette petite masse brune desséchée et, pour le reste, vous devez vous fier à votre jugement, ou au commissaire-priseur, ou à votre chance, selon votre penchant. Il se peut que la plante soit moribonde ou morte, ou qu'elle soit simplement une acquisition estimable, payée à son juste prix ; mais peut-être — car cela s'est produit en maintes occasions — l'heureux acheteur voit-il lentement apparaître, jour après jour, sous son œil ravi, une variété nouvelle, un éclat original, une courbure inconnue du labelle, une teinte plus délicate, ou bien un mimétisme inattendu. L'orgueil, la beauté, le profit s'épanouissent ensemble, au sommet d'une tige verte et fragile, et peut-être même l'immortalité. Car ce nouveau miracle de la nature peut requérir un nouveau nom spécifique, et en est-il d'aussi commode que celui de l'homme qui l'a découvert ? « Johnsmithia » ! Il y a eu pire en matière de baptême.

C'était peut-être l'espoir de quelque heureuse découverte de ce genre qui faisait de Winter-Wedderburn un habitué si assidu de ces ventes : cet espoir et aussi, il se peut, le fait qu'il n'avait rien d'autre du moindre intérêt à faire au monde.

Timide, solitaire, assez velléitaire, il possédait une rente tout juste suffisante pour lui épargner la stimulation du besoin et trop peu d'énergie nerveuse pour l'inciter à rechercher quelque occupation astreignante.

---

9. **Winter-Wedderburn** : le nom est comique par sa longueur et surtout par son étymologie, qui renvoie à *l'hiver* (**Winter**), à un *bélier châtré* (**wedder** alias **wether**) et à l'idée, contradictoire, d'*une passion* (**to burn** : *brûler*). Le personnage est évidemment caricatural dans ses contradictions.

10. **attendant** : to attend : *fréquenter, être présent*.

11. **ineffectual** ou **ineffective** : *incapable, incompétent* ou *dont les efforts n'aboutissent pas*.

12. **spur of necessity** : littéralement *l'éperon du besoin*. **On the spur of the moment** : *sous l'inspiration du moment*.

13. **exacting** : *exigeant(e)*.

He might have collected stamps or coins, or translated Horace, or bound[1] books, or invented new species of diatoms. But, as it happened, he grew orchids, and had one[2] ambitious little hothouse.

"I have a fancy," he said over[3] his coffee, "that something is going to happen to me to-day." He spoke—as he moved and thought—slowly[4].

"Oh, don't say *that*!" said his housekeeper[5]—who was also his remote cousin. For "something happening" was a euphemism that meant only one thing to her[6].

"You misunderstand me. I mean nothing unpleasant...though what I do mean I scarcely know.

"To-day," he continued, after a pause, "Peters'[7] are going to sell a batch[8] of plants from the Andamans and the Indies[9]. I shall go up[10] and see what they have. It may be I shall buy something good, unawares[11]. That may be it[12]."

He passed his cup for his second cupful of coffee.

"Are those the things collected by that poor young fellow you told me of the other day?" asked his cousin as she filled his cup.

"Yes," he said, and became meditative over a piece of toast[13].

"Nothing ever does happen to me," he remarked presently, beginning to think aloud.

---

1. **bound** : p.p. de **to bind** : *lier* ou *relier*. **A book-binder** : *un relieur*.

2. **one** : *une* par opposition à plusieurs.

3. **over** : en consommant une boisson ou de la nourriture.

4. **slowly** : la lenteur du personnage accusera l'effet du coup de théâtre.

5. **housekeeper** : *femme de charge* ou *gouvernante*. Ne pas confondre avec **housewife** : *maîtresse de maison, femme d'intérieur*.

6. **one thing to her** : tout événement ne peut être qu'inquiétant pour cette personne frileuse devant la vie.

7. **Peters'** : le 's désigne un magasin, une boutique, un restaurant, un établissement commercial : ici, une salle des ventes.

8. **a batch** : *un arrivage, un lot*.

9. **Indies** : ici, **The East Indies,** les Indes (orientales). Attention : **the West Indies,** *les Antilles*.

Il aurait pu collectionner des timbres ou des pièces de monnaie, ou traduire Horace, ou relier des volumes, ou inventer de nouvelles espèces de diatomées. Mais il se trouvait qu'il faisait pousser des orchidées dans une seule mais ambitieuse petite serre chaude.

« J'ai dans l'idée, déclara-t-il en buvant son café, qu'il va m'arriver quelque chose aujourd'hui. » Il parlait comme il se déplaçait et comme il réfléchissait, avec lenteur.

« Oh, ne dites pas ça ! s'écria sa gouvernante, qui était aussi sa cousine éloignée, car "quelque chose qui vous arrivait"[^10] lui semblait un euphémisme qui ne pouvait avoir qu'un sens.

— Vous me comprenez mal. Je ne veux pas dire quelque chose de désagréable... bien que je ne sache pas trop ce que je veux vraiment dire. »

« Aujourd'hui, reprit-il après un silence, l'établissement Peters va mettre en vente un lot de plantes en provenance des îles Andaman et des Indes. Je vais monter à Londres pour voir ce qu'ils ont. Peut-être que je ferai un bon achat sans le savoir[^11]. Il se peut que ce soit[^12] le grand jour. »

Il tendit sa tasse pour sa deuxième ration de café.

« S'agit-il de la collection de ce pauvre jeune homme dont vous me parliez l'autre jour ? » demanda sa cousine en remplissant la tasse.

« Oui », répondit-il et il prit un air méditatif en mangeant une tranche de pain grillé[^13].

« Rien ne m'arrive jamais, fit-il bientôt remarquer en commençant à penser tout haut.

---

10. **go up** : sous-entendu **to London** ou **to town** : *monter à* Londres (le personnage habite la banlieue).

11. **unawares** : **to be aware of** : *être conscient de* ; **unawares,** adverbe, signifie *à son (mon) insu.*

12. **be it** : **it** au sens intensif : cf. **it's the it of its** : *c'est le nec plus ultra.*

13. **piece of toast** : au sens de *pain grillé,* **toast** est invariable ; *un toast, une rôtie* se dit : **a piece, a round of toast.** En un autre sens, on dit **to give** ou **to propose a toast** : *porter un toast.*

"I wonder why? Things enough[1] happen to other people. There is[2] Harvey. Only the other week—on Monday he picked up sixpence[3], on Wednesday his chicks[4] all had the staggers, on Friday his cousin came home from Australia, and on Saturday he broke his ankle. What a whirl of excitement[5]!—compared to me."

"I think I would rather be without so much excitement," said his housekeeper. "I can't be good for you[6]."

"I suppose it's troublesome[7]. Still...you see, nothing ever happens to me. When I was a little boy I never had accidents. I never fell in love as I grew up. Never married... I wonder how it feels to have something happen[8] to you, something really remarkable.

"That orchid-collector was only thirty-six—twenty years younger than myself[9]—when he died. And he had been married twice and divorced once; he had had malarial fever four times, and once he broke his thigh[10]. He killed a Malay once, and once he was wounded by a poisoned dart. And in the end he was killed by jungle-leeches[11]. It must have all been very troublesome[12], but then it must have been very interesting, you know—except, perhaps, the leeches."

"I am sure it was not good for him[13]," said the lady, with conviction.

"Perhaps not." And then Wedderburn looked at his watch.

---

1. **things enough** : enough, *assez,* se met avant ou après le substantif qu'il qualifie.
2. **there is** : *prenons le cas, prenons l'exemple de...*
3. **sixpence** : un demi-shilling, soit le quarantième d'une livre sterling dans l'ancien système monétaire anglais.
4. **chicks** : *des poussins:* **chickens** : *des poulets.*
5. **excitement** : *émoi joyeux, émotion, énervement.*
6. **for you** : au sens impersonnel.
7. **troublesome** : *incommode, gênant, fatigant.*
8. **have something happen** : littéralement *avoir qqch. qui vous arrive.*
9. **than myself** : nous apprenons ainsi l'âge du personnage : cinquante-six ans.

Je me demande pourquoi. Il arrive assez de choses aux autres. A Harvey par exemple. Pas plus tard que l'autre semaine : le lundi, il a trouvé par terre une pièce de six pence, le mercredi, tous ses poussins ont été pris de vertiges, le vendredi, sa cousine est rentrée d'Australie, et le samedi il s'est cassé la cheville. Quel tourbillon d'émotions, si on le compare à moi !

— Je crois, dit sa gouvernante, que je préférerais me passer de tant d'émotions. Ça ne peut pas être bon pour la santé.

— C'est fatigant, sans doute. Pourtant, voyez-vous, rien ne m'arrive jamais. Quand j'étais petit, je n'avais jamais d'accidents. En grandissant je ne suis jamais tombé amoureux. Je ne me suis jamais marié... Je me demande quelle impression ça vous fait quand quelque chose vous arrive : quelque chose de vraiment remarquable. »

« Ce collectionneur d'orchidées n'avait que trente-six ans — vingt ans de moins que moi — quant il est mort. Et il avait été deux fois marié et une fois divorcé ; il avait eu quatre accès de malaria et une fracture du fémur. Il avait un jour tué un Malais et une autre fois reçu une flèche empoisonnée. Et, finalement, il est mort victime de sangsues de la jungle. Tout ça a dû être bien fatigant mais aussi bien intéressant, vous savez : sauf, peut-être, les sangsues.

— Je suis sûre que ce n'était pas bon pour sa santé, dit la dame avec conviction.

— Peut-être pas. » Puis Wedderburn regarda sa montre.

---

10. **thigh** : *la cuisse :* **thighbone** : *le fémur.*

11. **jungle-leeches** : l'hypothèse des sangsues nous prépare à ce qui va suivre.

12. **troublesome** : cette répétition accuse le désir de confort du vieux célibataire.

13. **not good for him** : la gouvernante s'en tient à son souci obsessif de sécurité.

"Twenty-three minutes past eight. I am going up by the quarter to twelve train, so that there is plenty of time[1]. I think I shall wear my alpaca jacket—it is quite warm enough—and my grey felt hat and brown shoes. I suppose——"

He glanced out of the window at the serene sky and sunlit[2] garden, and then nervously[3] at his cousin's face.

"I think you had better[4] take an umbrella if you are going to London," she said in a voice that admitted of no denial[5]. "There's all between here and the station coming back."

When he returned he was in a state of mild[6] excitement. He had made a purchase. It was rare that he could make up his mind[7] quickly enough to buy, but this time he had done so.

"These are Vandas," he said, "and a Dendrobe and some Palæonophis." He surveyed[8] his purchases lovingly as he consumed his soup. They were laid out[9] on the spotless[10] tablecloth before him, and he was telling his cousin all about them as he slowly meandered[11] through his dinner. It was his custom to live all his visit to London over again[12] in the evening for her and his own entertainment.

"I knew something would happen to-day. And I have bought all these. Some of them—some of them—I feel sure, do you know, that some of them will be remarkable. I don't know how it is, but I feel just as sure as if someone had told me that some of these will turn out[13] remarkable."

---

1. **plenty of time** = **a lot of time**: *beaucoup de temps, tout le temps.*

2. **sunlit** =**sunny**: *ensoleillé.*

3. **nervously**: *avec appréhension* ou *crainte.* La gouvernante porte la culotte.

4. **you had better**: *vous feriez mieux:* ne pas confondre avec **you had rather,** *vous préféreriez.*

5. **admitted of no denial**: littéralement, *ne laissait place à aucun refus.*

6. **mild**: *modéré.*

7. **make up his mind**: *prendre une résolution, se décider.*

« Huit heures vingt-trois. Je prends le train de midi moins le quart pour Londres, j'ai, donc, tout mon temps. Je crois que je vais mettre ma veste d'alpaga — il fait bien assez chaud pour ça — avec mon chapeau de feutre gris et mes chaussures marron. Sans doute... »

Il jeta un coup d'œil par la fenêtre en direction du ciel serein et du jardin ensoleillé, puis posa un regard craintif sur le visage de sa cousine.

« Je crois que vous feriez mieux de prendre un parapluie si vous allez à Londres, lui dit-elle d'un ton péremptoire. Il y a tout ce chemin d'ici à la gare à refaire au retour. »

Quand il revint, il était un peu en émoi. Il avait acheté quelque chose. Il se décidait rarement assez vite pour y parvenir mais, cette fois c'était le cas.

« Ce sont des Vandas, dit-il, et un Dandrobium et quelques Phalaenopsis. » En mangeant sa soupe, il contemplait ses achats d'un regard amoureux. Ils étaient disposés devant lui sur la nappe immaculée et, en passant de plat en plat sans se presser, il donnait à sa cousine une information complète à leur sujet. Il avait l'habitude de revivre, le soir, chacune de ses visites à Londres pour leur distraction commune.

« Je savais que quelque chose arriverait aujourd'hui. Et j'ai acheté toutes ces plantes. Certaines d'entre elles, certaines d'entre elles... je suis persuadé, voyez-vous, que certaines d'entre elles deviendront remarquables. Je ne sais pas pourquoi, mais je suis persuadé comme si on me l'avait dit que certaines d'entre elles se révéleront remarquables. »

---

8. **surveyed** : *regardait, contemplait.* **A survey** : *une étude, un exposé sommaire, une inspection.*

9. **laid out** (de **to lay**) : *étalés, disposés.*

10. **spotless** : *sans tache, immaculée.*

11. **meandered** : **to meander,** pour une personne, c'est *errer çà et là.* Il s'agit ici d'un cheminement gastronomique.

12. **over again** : **to live an experience over again** : *revivre une épreuve, un événement.*

13. **turn out** : *s'avérer, se révéler.*

"That one"—he pointed to a shrivelled rhizome—"was not identified. It may be a Palæonophis—or it may not. It may be a new species, or even a new genus. And it was the last[1] that poor Batten[2] ever collected."

"I don't like the look of it[3]," said his housekeeper. "It's such an ugly shape."

"To me it scarcely seems to have a shape."

"I don't like those things that stick out[4]," said his housekeeper.

"It shall be[5] put away in a pot to-morrow."

"It looks," said the housekeeper, "like a spider shamming dead[6]."

Wedderburn smiled and surveyed the root with his head on one side. "It is certainly not a pretty lump of stuff. But you can never judge of these things from their dry appearance. It may turn out to be a very beautiful orchid indeed. How busy I shall be to-morrow! I must see to-night just exactly what to do with these things, and to-morrow I shall set to work.

"They found[7] poor Batten lying dead, or dying, in a mangrove swamp—I forget which[8]," he began again presently, "with one of these very[9] orchids crushed up under his body. He had been unwell[10] for some days with some kind of native fever, and I suppose he fainted[11]. These mangrove swamps are very unwholesome.

---

1. **the last** : nouveau jalon dans la composante dramatique du récit.

2. **poor Batten** : *ce pauvre Batten,* sans article comme d'autres appellations familières : ex. : **little David, old Mr. Smith.**

3. **the look of it** : expression toute faite = **its look** : *son aspect, son allure.*

4. **to stick out** : *dépasser, faire saillie.* **To stick one's tongue out** : *tirer la langue.*

5. **it shall be** : sens d'un engagement.

6. **shamming dead** : **to sham** : *simuler, feindre ;* **to sham dead** : *faire le mort.* De même on dira : **to sham sickness,** *faire le malade,* et **to sham sleep,** *feindre de dormir.*

7. **they found** : traduction contextuelle de « on a trouvé ». Cf. **in France we drink wine, in Germany they drink beer** : deux traductions contraires mais logiques de « on ».

« Celle-là », il montrait du doigt un rhizome desséché, « n'a pas été identifiée. C'est peut-être une Phalaenopsis, ou peut-être pas. Peut-être est-ce une nouvelle espèce, ou même un nouveau genre. Et c'est la dernière orchidée que ce pauvre Batten a cueillie de sa vie.

— Son allure ne me plaît pas, dit la gouvernante. Sa forme est si hideuse.

— Je ne lui vois guère de forme.

— Je n'aime pas ces choses qui la hérissent, expliqua la gouvernante.

— Demain sans faute, elle sera mise en pot.

— Elle ressemble, dit la gouvernante, à une araignée qui fait la morte. »

Wedderburn sourit et contempla la racine, en penchant la tête. « À coup sûr, cette petite masse de matière végétale n'est pas séduisante. Mais on ne peut jamais juger de ces plantes d'après leur aspect quand elles sont desséchées. Cette orchidée peut vraiment se révéler très belle. Je vais être bien occupé demain ! Il me faut voir avec précision ce soir ce qu'il convient de faire pour ces plantes, et demain je me mettrai au travail. »

« On a découvert ce pauvre Batten dans une mangrove où il gisait mort ou mourant — j'ai oublié lequel des deux, reprit-il bientôt — et l'une de ces orchidées que vous voyez là se trouvait complètement écrasée sous le poids de son corps. Il souffrait depuis quelques jours de je ne sais quelle fièvre locale et je présume qu'il s'était évanoui. Ces mangroves sont très malsaines.

---

8. **which**, interrogatif = *lequel* ou *laquelle des deux*. Ex : **which of the two is the prettier** : *laquelle des deux est la plus jolie*.

9. **very**, adjectif = *même*. Ex : **at this very moment** : *à ce moment même, précis*.

10. **had been unwell** : *était malade, souffrait* ; le « past perfect » exprime un imparfait français de continuation.

11. **he fainted** : le prétérite correspond ici, comme souvent, à un plus-que-parfait français : *il s'était évanoui, trouvé mal*. La relation entre la mort de Batten et la présence de l'orchidée s'établit progressivement.

Every drop of blood, they say, was taken out of him by the jungle-leeches. It may be that very plant that cost[1] him his life to obtain."

"I think none the better[2] of it for that."

"Men must work though[3] women may weep," said Wedderburn with profound gravity.

"Fancy[4] dying away from every comfort in a nasty[5] swamp! Fancy being ill of fever with nothing to take but chlorodyne and quinine—if men were left to themselves they would live on chlorodyne and quinine—and no one round you but horrible natives! They say the Andaman islanders are most disgusting wretches[6]—and, anyhow, they can scarcely make good nurses[7], not having the necessary training[8]. And just for people in England to have orchids!"

"I don't suppose it was comfortable, but some men seem to enjoy that kind of thing," said Wedderburn. "Anyhow, the natives of his party[9] were sufficiently civilised to take care of all his collection until his colleague, who was an ornithologist, came back again from the interior; though they could not tell[10] the species of the orchid and had let it wither. And it makes these things more interesting."

"It makes them disgusting. I should be afraid of some of the malaria clinging to them[11]. And just think, there has been a dead body lying across that ugly thing!

---

1. **that cost** : prétérite de **to cost** : *qui lui a coûté.*

2. **none the better** : dans ces expressions comparatives, **none** a un sens adverbial : *nullement, en aucune façon.* Autre exemple : **he is none the happier for this** : *il n'en est pas plus heureux.*

3. **though** : *même si, bien que.*

4. **fancy** : *qui se serait attendu à ce que, on n'a pas idée de.* **Fancy his coming to see me** : *qui aurait cru à sa visite.*

5. **nasty** : *désagréable, dégoûtant, nauséabond.*

6. **wretches** : *malheureux* ou *scélérats,* dans une note compatissante ou contemptrice. Il s'agit ici de la seconde. La gouvernante fait partie des racistes britanniques ordinaires.

7. **nurses** : *infirmières* ou *infirmiers* **(male-nurses).**

8. **training** : *éducation, instruction, formation.*

Il paraît que les sangsues de la jungle l'avaient vidé de son sang jusqu'à la dernière goutte. C'est peut-être cette plante-ci dont la découverte lui a coûté la vie.

— Ça ne me la rend pas plus sympathique pour autant.

— Le travail est le lot des hommes, dussent les femmes en pleurer, déclara Wedderburn avec un grand sérieux.

— On n'a pas idée de mourir privé de toutes ses aises, dans un marais puant ! On n'a pas idée de souffrir d'une fièvre sans autre remède que de la chlorodyne et de la quinine : livrés à eux-mêmes, les hommes vivraient de chlorodyne et de quinine avec personne autour sauf d'horribles indigènes. Il paraît que les habitants des îles Andaman sont des brutes répugnantes et, en tout cas, ils ne sauraient faire de bons infirmiers faute de la formation requise. Et tout ça pour procurer des orchidées aux personnes restées en Angleterre !

— Je présume que ça manquait de confort, dit Wedderburn, mais certains hommes semblent trouver plaisir à ce genre d'activité. En tout cas, les indigènes de son expédition étaient suffisamment civilisés pour avoir pris soin de toute sa collection en attendant que son collègue, un ornithologue, revienne de l'intérieur de l'île : même s'ils ne connaissaient pas l'espèce de cette orchidée et l'ont laissée flétrir. Et cela rend ces plantes d'autant plus intéressantes.

— Ça les rend répugnantes. J'aurais peur qu'une partie des germes de la malaria s'y accroche. Et pensez donc, il y a eu un corps étendu sur cet objet hideux !

9. **party** : *groupe ;* ici : *expédition.* A **party** signifie souvent *une réception.* To give a **party** : *recevoir.* A **dinner party** : *un dîner.*

10. **they could not tell** : *ils ne pouvaient pas distinguer, reconnaître.* You never can tell : *on ne sait jamais.*

11. **clinging to them** : outre ses préjugés, la gouvernante possède des notions médicales peu scientifiques. Le personnage est caricaturé dans l'étroitesse de son esprit et les limites de son éducation.

I never thought of that before. There! I declare I cannot eat another mouthful of dinner."

"I will take them off the table if you like, and put them in the window-seat. I can see them just as well there."

The next few days he was indeed singularly busy in his steamy[1] little hothouse, fussing about[2] with charcoal, lumps of teak, moss, and all the other mysteries of the orchid cultivator. He considered he was having a wonderfully eventful[3] time. In the evening he would talk[4] about these new orchids to his friends, and over and over again he reverted to his expectation[5] of something strange.

Several of the Vandas and the Dendrobium died under his care[6], but presently the strange orchid began to show signs of life. He was delighted and took his housekeeper right away from jam-making to see it at once, directly[7] he made the discovery.

"That is a bud," he said, "and presently there will be a lot of leaves there, and those little things coming out here are aërial rootlets[8]."

"They look to me like little white fingers poking out[9] of the brown," said his housekeeper. "I don't like them."

"Why not?"

"I don't know. They look like fingers trying to get at you[10]. I can't help[11] my likes and dislikes[12]."

---

1. **steamy** (de **steam**) : *pleine de vapeur, de buée.*

2. **fussing about** : *faisant l'affairé, s'affairant.* **To make a fuss** : *faire des embarras.*

3. **eventful** : *pleine d'événements, d'incidents, mouvementée.*

4. **would talk** : forme fréquentative exprimant un imparfait d'habitude.

5. **expectation** : *attente* (au sens d'un espoir). **Great Expectations,** *Les Grandes Espérances* (d'héritage) est le titre d'un roman de Dickens.

6. **under his care** : littéralement, *alors qu'il en prenait soin.*

7. **directly = as soon as** : *dès que, aussitôt que.*

8. **rootlets** : diminutif de **roots.**

9. **poking out** : *sortant, dépassant.* Cf. **to poke one's head out** (of a window) : *passer la tête par une fenêtre.* **A poker** : *un tisonnier.*

Je ne m'en étais pas avisée jusqu'ici. Et voilà ! Croyez-moi, je ne peux vraiment plus manger une bouchée de plus de ce repas.

— Si vous voulez, j'enlèverai ces plantes de la table et les mettrai sur la banquette de fenêtre. Je peux les voir tout aussi bien là-bas. »

Les jours suivants, il fut vraiment très occupé dans sa petite serre à l'atmosphère moite : il s'affairait avec du charbon de bois, des morceaux de teck, de la mousse et tous les autres mystères du cultivateur d'orchidées. Il trouvait cette période merveilleusement pleine. Le soir, il entretenait ses amis de ces nouvelles orchidées et revenait constamment sur son attente d'un résultat insolite.

Plusieurs des Vandas et le Dandrobium périrent malgré ses soins, mais l'orchidée inconnue commença bientôt à donner des signes de vie. Ravi, il n'eut pas plus tôt fait cette découverte qu'il arracha sur-le-champ sa gouvernante à la préparation de confitures pour qu'elle vînt voir la plante illico.

« Voilà un bourgeon, expliqua-t-il, et bientôt il y aura beaucoup de feuilles à cet endroit, et ces petites tiges qui émergent ici sont des radicelles aériennes.

— On dirait des petits doigts blancs qui sortent de la masse brune, dit la gouvernante. Ils ne me plaisent pas.

— Pourquoi pas ?

— Je ne sais pas. On dirait des doigts qui cherchent à vous attraper. Je ne commande pas mes goûts et mes dégoûts.

10. **to get at you** : notation préparatoire à l'agression de la plante.

11. **I can't help** : *je ne peux m'empêcher.* La construction la plus fréquente régit le participe présent : **I can't help laughing** : *je ne peux pas m'empêcher de rire.* Mais *empêcher qqn de faire qqch.* se dira : **to prevent s.o. from doing sth.**

12. **dislikes** : *aversions, dégoûts, répugnances.* **Everyone has his likes and dislikes** (dicton) : *des goûts et des couleurs...* **to conceive a dislike to s.o.** : *prendre qqn en grippe.*

"I don't know for certain[1], but I don't *think*[2] there are any orchids I know[3] that have aërial rootlets quite like that. It may be my fancy[4], of course. You see they are a little flattened at the ends."

"I don't like 'em," said his housekeeper, suddenly shivering[5] and turning away. "I know it's very silly of me—and I'm very sorry, particularly as[6] you like the thing so much. But I can't help thinking of that corpse."

"But it may not be that particular plant. That was merely a guess of mine[7]."

His housekeeper shrugged her shoulders. "Anyhow I don't like it," she said.

Wedderburn felt a little hurt at[8] her dislike to the plant. But that did not prevent his talking to her about orchids generally, and this orchid in particular, whenever[9] he felt inclined.

"There are such queer things about orchids," he said one day; "such possibilities of surprises. You know, Darwin[10] studied their fertilisation, and showed that the whole structure of an ordinary orchid-flower was contrived in order that[11] moths[12] might carry the pollen from plant to plant. Well, it seems that there are lots of orchids known the flower of which[13] cannot possibly be used for fertilisation in that way.

---

1. **know for certain (to)**: *être sûr de qqch.*
2. ***think*** : italiques d'insistance.
3. **orchids I know** = **(that) I know** : *que je connaisse.*
4. **my fancy** : *mon imagination* (au sens de fantaisie). A distinguer de the creative imagination : *l'imagination créatrice.*
5. **shivering**: *frissonnant* (ici : d'appréhension ou de dégoût). **To shudder** aurait eu un sens plus fort.
6. **particularly as**: *surtout que* = **the more so as** : *d'autant plus que.*
7. **a guess of mine** : forme fréquente de possessif postposé : littéralement, *une conjecture, une hypothèse à moi.*
8. **hurt at** : sens figuré, *froissé, vexé de (qqch.).* **To hurt s.o.'s feelings** : *offenser qqn.*
9. **whenever** : *chaque fois que.* De même **wherever** : *où que ce soit;* **whatever** : *quoi que ce soit.*

— Je n'en suis pas sûr, mais je ne crois vraiment pas avoir connu d'orchidées avec des radicelles aériennes tout à fait semblables. Bien entendu, c'est peut-être un effet de mon imagination. Voyez-vous, leurs extrémités sont légèrement aplaties.

— Elles ne me plaisent pas », répondit sa gouvernante. Prise d'un frisson soudain, elle se détourna. « Je sais que c'est très bête de ma part et je le regrette d'autant plus que cette plante vous plaît tant. Mais je ne peux pas m'empêcher de penser à ce cadavre.

— Mais peut-être ne s'agissait-il pas de cette plante précise. Ce n'était qu'une hypothèse de ma part. »

La gouvernante haussa les épaules :

« En tout cas, dit-elle, cette plante ne me plaît pas. »

Wedderburn était un peu vexé de cette antipathie. Mais cela ne l'empêchait pas d'entretenir sa gouvernante des orchidées en général et de celle-ci en particulier, chaque fois qu'il en avait envie.

« Il y a tant de choses bizarres à propos des orchidées, expliqua-t-il un jour, tant de virtualités de surprises. Vous savez que Darwin a étudié leur fertilisation et montré que toute la structure d'une fleur d'orchidée commune a été conçue pour permettre aux papillons de nuit de transporter le pollen d'une plante à l'autre. Eh bien, il semble que l'on connaisse de nombreuses orchidées dont la fleur ne peut absolument pas être utilisée de cette manière pour la fertilisation.

10. **Darwin (Charles),** 1809-1882, l'auteur de l'*Origine des espèces* (1859), a écrit dans la même démarche un ouvrage important sur la *Fertilisation des orchidées* (1862). On sait que Wells connaissait et admirait fort les découvertes de l'évolutionnisme.

11. **in order that = so that :** *de sorte que, afin que.*

12. **moths :** *papillons nocturnes, phalènes* ≠ **butterfly :** *papillon de jour.*

13. **the flowers of which :** *dont les fleurs.* On dirait plutôt aujourd'hui **whose flowers,** même avec un nom de chose.

Some of the Cypripediums, for instance; there are no insects known that can possibly fertilise them, and some of them have never been found with seed[1]."

"But how do they form new plants?"

"By runners[2] and tubers, and that kind of outgrowth. That is easily explained. The puzzle[3] is, what are the flowers for?"

"Very likely," he added, "*my* orchid may be something extraordinary in that way. If so I shall study it. I have often thought of[4] making researches as Darwin did. But hitherto[5] I have not found the time, or something else has happened to prevent it. The leaves are beginning to unfold now. I do wish[6] you would come and see them!"

But she said that the orchid-house was so hot it gave her the headache. She had seen the plant once again, and the aërial rootlets, which were now some of them more than a foot[7] long, had unfortunately reminded her of tentacles reaching out after[8] something; and they got into her dreams, growing after her with incredible rapidity. So that she had settled[9] to her entire satisfaction that she would not see that plant again, and Wedderburn had to admire its leaves alone. They were of the ordinary broad form, and a deep glossy[10] green, with splashes[11] and dots[12] of deep[13] red towards the base. He knew of no other leaves quite like them.

---

1. **seed**: *grain, graine, semence, semis.* Au sens figuré: *germe.* **The seeds of discord**: *les germes de discorde.*

2. **runners**: *coulants, rejetons* (d'une plante rampante).

3. **the puzzle**: littéralement: *l'énigme.*

4. **thought of**: *pensé à (faire)*: Wells fait le portrait d'un velléitaire.

5. **hitherto**: *jusqu'ici* (**hither** est l'accusatif ancien de **here**).

6. **I do wish**: forme d'insistance: *je souhaite beaucoup.* Dans ce sens, **to wish** est suivi de **would**. Mais notez la construction. **I wish I were a bird** (**were**: subjonctif) lorsqu'il s'agit d'une impossibilité.

7. **a foot**: 30,48 cm.

8. **reaching out after**: littéralement, *s'allongeant à la poursuite de.*

9. **settled**: *décidé, résolu.* **The matter is settled**: *C'est une affaire faite.*

Certains des Sabots de Vénus, par exemple : on ne connaît pas d'insectes susceptibles de les fertiliser et, chez certaines de ces plantes, on n'a jamais découvert de semences.

— Mais comment se reproduisent-elles ?

— Au moyen de rejetons, de tiges tubéreuses et d'excrescences de ce genre. Ça s'explique facilement. Le problème est de savoir à quoi servent les fleurs.

— C'est très probablement dans ce domaine, ajouta-t-il, que mon orchidée à moi peut se révéler extraordinaire. Si c'est le cas, je l'étudierai. J'ai souvent songé à faire des recherches comme Darwin. Mais jusqu'ici je n'ai pas trouvé le temps, ou quelque autre événement m'en a empêché. À présent les feuilles commencent à s'ouvrir. J'aimerais tant que vous veniez les voir ! »

Mais sa cousine répondit que la grande chaleur qui régnait dans la serre des orchidées lui donnait la migraine. Elle avait vu la plante une seconde fois et les radicelles aériennes, dont certaines avaient à présent plus d'un pied de long, lui avaient fâcheusement rappelé des tentacules cherchant à se saisir de quelque chose : et elles avaient envahi ses rêves, s'allongeant à une vitesse incroyable pour la poursuivre. Elle avait donc résolu une fois pour toutes de ne plus revoir cette plante et Wedderburn dut en admirer les feuilles tout seul. Elles étaient d'une largeur banale et d'un vert sombre satiné avec, près de la base, des taches et des tavelures rouge foncé. Il n'avait jamais vu de feuilles tout à fait semblables.

---

10. **glossy** : *lustré, poli.*
11. **splashes** : littéralement : *des éclaboussures.*
12. **dots** : *points* (d'un trait pointillé). **Dotted with** : *piqueté.*
13. **deep** (suivi d'une couleur) : *foncé.*

The plant was placed on a low bench near the thermometer, and close by[1] was a simple arrangement by which a tap dripped[2] on the hot-water pipes[3] and kept the air steamy. And he spent his afternoons now with some regularity meditating on the approaching flowering of this strange plant.

And at last the great thing happened. Directly he entered the little glass house he knew that the spike had burst out[4], although his great *Palæonophis Lowii* hid the corner where his new darling stood. There was a new odour in the air, a rich[5], intensely sweet[6] scent, that overpowered every other in that crowded, steaming[7] little greenhouse.

Directly he noticed this he hurried down to[8] the strange orchid. And, behold[9]! the trailing green spikes bore now three great splashes of blossom, from which this overpowering sweetness proceeded. He stopped before them in an ecstasy of[10] admiration.

The flowers were white, with streaks of golden orange upon the petals; the heavy labellum was coiled into an intricate[11] projection, and a wonderful bluish purple[12] mingled there with the gold. He could see at once that the genus was altogether a new one. And the insufferable scent! How hot the place[13] was! The blossoms swam[14] before his eyes.

He would see[15] if the temperature was right. He made a step[16] towards the thermometer. Suddenly everything appeared unsteady.

---

1. **close by**: *tout près.*
2. **dripped**: cf. **a drop**: *une goutte.* **To drip**: *s'égoutter* ou *goutter.*
3. **pipes**: *conduites* (d'eau ou de gaz), *canalisations.*
4. **burst out**: p.p. de **to burst**: *éclater.* **To burst into blossom**: *fleurir.*
5. **rich**: *très forte, pénétrante* (pour une odeur).
6. **sweet**: *sucré(e)* ou *suave.*
7. **steaming**: *embuée,* de **steam**: *vapeur.*
8. **down to**: *jusqu'à.*
9. **behold!**: littéralement: *voyez = voici que, voilà que.*
10. **an ecstasy of**: *un transport* (par exemple de joie).

La plante était placée sur un petit banc près du thermomètre et, à proximité, se trouvait un dispositif simple permettant, grâce à un robinet qui gouttait sur les conduites d'eau chaude, de maintenir la moiteur de l'air. Et, à présent, il passait assez régulièrement ses après-midi à méditer sur la floraison proche de cette plante étrange.

Et, enfin, ce grand événement se produisit. Dès qu'il entra dans la petite pièce vitrée, il sut que l'inflorescence s'était épanouie, bien que son grand Palaenopsis Lowii cachât le recoin où se dressait sa nouvelle favorite. Un parfum nouveau flottait dans l'air : une odeur pénétrante, d'une intense suavité, qui dominait toutes les autres dans cette petite serre moite et encombrée.

Dès qu'il s'en aperçut, il se précipita vers l'étrange orchidée. Et voilà que les tiges vertes rampantes portaient à présent trois grandes taches de floraison dont émanait cette suavité suffocante. Il s'arrêta devant elles, transporté d'admiration.

Ces fleurs étaient blanches avec, sur leurs pétales, des stries orange tirant sur le jaune d'or ; le lourd labelle se lovait pour en émerger confusément et une merveilleuse teinte d'un violet bleuté s'y mêlait aux reflets d'or. Il vit aussitôt qu'il avait affaire à une plante d'un genre parfaitement inconnu. Et quelle odeur insupportable ! Quelle chaleur dans la pièce ! Les fleurs semblèrent tourner devant ses yeux.

Il voulait voir si la température était bonne. Il fit un pas vers le thermomètre. Soudain, tout sembla vaciller.

---

11. **intricate** : *compliqué, difficile à démêler.*

12. **purple** : presque toujours : *violet* ou *mauve.*

13. **the place** : *l'endroit* peut désigner *une ville, une maison* et même, comme ici, *une pièce.*

14. **swam** : notion d'étourdissement. **My head is swimming** : *la tête me tourne.*

15. **he would see** : prétérite de **to will** au sens de *vouloir : il voulait, tenait à voir.*

16. **made a step** : le tour plus habituel est **to take a step.**

The bricks on the floor were dancing up and down. Then the white blossoms, the green leaves behind them, the whole greenhouse[1], seemed to sweep[2] sideways[3], and then in a curve upward.

At half-past four his cousin made the tea, according to their invariable custom. But Wedderburn dit not come in for his tea. "He is worshipping[4] that horrid orchid," she told herself, and waited ten minutes. "His watch must have stopped. I will go and call[5] him."

She went straight to the hothouse, and, opening the door, called[6] his name. There was no reply. She noticed that the air was very close[7], and loaded with an intense perfume. Then she saw something lying on the bricks between the hot-water pipes.

For a minute, perhaps, she stood motionless.

He[8] was lying, face upward, at the foot of the strange orchid. The tentacle-like aërial rootlets no longer[9] swayed freely in the air, but were crowded together, a tangle[10] of grey ropes, and stretched tight[11] with their ends closely[12] applied to his chin and neck and hands.

She did not understand. Then she saw from[13] under one of the exultant[14] tentacles upon his cheek there trickled[15] a little thread[16] of blood.

---

1. greenhouse = hothouse.

2. to sweep : décrit souvent un mouvement rapide.

3. sideways : *obliquement, de côté.* To walk sideways : *avancer en crabe.*

4. worshipping : to worship : *célébrer le culte de, être en adoration devant.* A place of worship : *une église.*

5. go and call : to go and do sth : *aller faire qqch.*

6. called : to call : *appeler* ou *crier.* Attention : to call (to send) for s.o. : *faire venir qqn ;* to call at s.o.'s home : *rendre visite à qqn.*

7. close : close air : *atmosphère renfermée :* a close smell : *une odeur de renfermé.*

8. he : something : *une forme* (imprécise) est devenu ce que l'on pressentait : he, le botaniste amateur.

9. no longer = no more : *ne... plus,* au sens temporel.

Les briques du sol montaient et descendaient. Puis les fleurs blanches, les feuilles vertes en arrière-plan, l'ensemble de la serre semblèrent basculer brusquement par côté, puis s'élever en arc de cercle.

À quatre heures et demie, sa cousine fit le thé selon l'habitude invariable du ménage. Mais Wedderburn ne vint pas prendre le thé. « Il célèbre le culte de cette horrible orchidée », se dit la gouvernante, et elle attendit une dizaine de minutes. « Sa montre a dû s'arrêter. Je vais aller l'appeler. »

Elle se dirigea tout droit vers la serre, ouvrit la porte et cria le nom de son cousin. Il n'y eut pas de réponse. Elle remarqua que l'atmosphère était très confinée et chargée d'une odeur très forte. Puis elle vit une forme étendue sur les briques entre les conduites d'eau chaude.

Elle resta, une minute peut-être, figée sur place.

Wedderburn gisait, le visage tourné vers le haut, au pied de l'étrange orchidée. Semblables à des tentacules, les radicelles aériennes n'oscillaient plus librement dans l'espace, mais elles s'étaient rassemblées pour former un enchevêtrement de cordes grises, et se tendaient serrées en plaquant leurs extrémités contre son menton, son cou et ses mains.

Elle ne comprit pas. Puis, sous l'un des tentacules triomphants adhérant à la joue de Wedderburn, elle vit s'écouler goutte à goutte un petit filet de sang.

---

10. **a tangle** : *un fouillis*. **A traffic tangle** : *un embouteillage* (= **a traffic block**).

11. **tight** : *raide, tendu*. **To draw a cord tight** : *serrer un cordon*.

12. **closely** : *de près*.

13. **she saw from** : **she saw (that) from**.

14. **exultant** : noter l'anthropomorphisme horrifiant que suppose cet adjectif. La plante est vue comme un ennemi cruel, assoiffé de sang.

15. **trickled** : **to trickle** : *couler goutte à goutte*.

16. **a thread** : *un fil*. Ici, au sens figuré, *un filet* (de sang).

With an inarticulate cry she ran towards him, and tried to pull him away from the leech-like[1] suckers. She snapped[2] two of these tentacles, and their sap dripped red.

Then the overpowering scent of the blossom began to make her head reel[3]. How they clung to him! She tore at[4] the tough[5] ropes, and he and the white inflorescence swam about her. She felt she was fainting[6], knew she must not. She left him and hastily opened the nearest door, and, after she had panted for a moment in the fresh air, she had a brilliant[7] inspiration. She caught up a flower-pot and smashed in[8] the windows at the end of the greenhouse. Then she re-entered. She tugged[9] now with renewed strength at Wedderburn's motionless body, and brought the strange orchid crashing to the floor. It still clung with the grimmest tenacity to its victim. In a frenzy, she lugged[10] it and him into the open air.

Then she thought of tearing through the sucker rootlets one by one, and in another minute she had released him and was dragging him away from the horror.

He was white and bleeding[11] from a dozen circular patches.

The odd-job[12] man was coming up the garden, amazed at the smashing of glass, and saw her emerge, hauling[13] the inanimate body with red-stained hands. For a moment he thought impossible things[14].

---

1. **leech-like** : cette ressemblance avec des sangsues éclaire rétrospectivement la fausse interprétation de la mort de Batten.

2. **snapped : to snap** : *casser net,* aux sens transitif et intransitif.

3. **reel : a reel** : *une bobine.* **My head is reeling** : *la tête me tourne.*

4. **tore at : to tear at sth** : *arracher qqch. avec des doigts impatients, tirer de toutes ses forces sur qqch.*

5. **tough** : *coriace, robuste, résistant.* **A tough customer** (fam.) : *un dur à cuire.*

6. **fainting : to faint** : *défaillir* = to fall unconscious, to swoon.

7. **brilliant** : *brillant* en général au sens figuré. Mais on dira **a bright sun** : *un soleil brillant.*

8. **smashed in** : littéralement : *enfonça en fracassant.* La gouvernante est à l'extérieur.

En poussant un cri inarticulé, elle s'élança vers lui et essaya de l'arracher aux suçoirs pareils à des sangsues. Elle brisa net deux de ces tentacules, dont s'égoutta une sève rougie.

Alors, l'odeur suffocante de la fleur commença à lui donner le vertige. Comme ces radicelles s'accrochaient à lui ! Elle tira de toutes ses forces sur les cordes résistantes et l'homme et les fleurs blanches semblèrent tourner autour d'elle. Elle se sentit défaillir en sachant qu'il ne le fallait pas. Elle s'écarta de son cousin et s'empressa d'ouvrir la porte la plus proche puis, après avoir haleté un moment en plein air, elle eut une brillante inspiration. Elle souleva un pot à fleurs et fracassa le vitrage au fond de la serre. Puis elle rentra dans la pièce. Elle tirait à présent avec une vigueur renouvelée sur le corps inanimé de Wedderburn, et fit s'écraser au sol l'étrange orchidée. Celle-ci s'agrippait encore à sa victime avec une ténacité des plus féroces. La gouvernante entraîna frénétiquement la plante et l'homme jusqu'à l'air libre.

Puis elle s'avisa de briser les radicelles suceuses une par une, et une minute plus tard elle avait délivré son cousin et le tirait loin de l'horrible plante.

Wedderburn était livide et saignait par une douzaine de marbrures rondes.

L'homme à tout faire remontait l'allée du jardin, stupéfait d'avoir entendu fracasser la vitre, et il vit la gouvernante ressortir de la serre, les mains tachées de sang, traînant derrière elle le corps inerte. Il se figura un instant des choses invraisemblables.

---

9. **tugged** : to tug : *tirer avec effort.* A tug : *un remorqueur.*
10. **lugged** : to lug : *tirer, traîner qqch. de pesant.*
11. **bleeding** : to bleed : *saigner* (intransitif) ou *saigner qqn* (tr.).
12. **odd-job man** : odd jobs : *petits travaux, bricolage.* **An odd job man :** *un homme de peine, un homme à tout faire.*
13. **hauling** : to haul : *tirer, traîner.* Road haulage : *transports routiers.*
14. **things** : la scène donne l'impression d'un assassinat.

71

"Bring some water!" she cried, and her voice dispelled[1] his fancies. When with unnatural[2] alacrity, he returned with the water, he found her weeping with excitement, and with Wedderburn's head upon her knee, wiping the blood from[3] his face.

"What's the matter?" said Wedderburn, opening his eyes feebly, and closing them again at once.

"Go and tell Annie to come out[4] here to me, and then go for[5] Doctor Haddon at once," she said to the odd-job man so soon as he brought the water; and added, seeing he hesitated, "I will tell you all about it when you come back."

Presently Wedderburn opened his eyes again, and seeing that he was troubled by the puzzle of his position, she explained to him, "You fainted in the hot-house."

"And the orchid[6]?"

"I will see to that[7]," she said.

Wedderburn had lost a good deal of[8] blood, but beyond that he had suffered no very great injury[9]. They[10] gave him brandy mixed with some pink extract of meat, and carried him upstairs to bed. His housekeeper told her incredible story in fragments to Dr. Haddon. "Come to the orchid-house and see," she said.

The cold outer[11] air was blowing in through the open door, and the sickly[12] perfume was almost dispelled.

---

1. **dispelled**: to dispel: *chasser, dissiper.* **The wind dispelled the clouds:** *le vent chassa les nuages.*

2. **unnatural**: littéralement: *contre nature.* Wells ironise sur l'indolence habituelle du jardinier.

3. **from**: exprime l'éloignement. Il s'agit de *faire disparaître le sang* (qui recouvre le visage de Wedderburn).

4. **come out**: l'anglais spécifie que la bonne devra sortir de la maison pour rejoindre la gouvernante dans le jardin.

5. **to go for**: *aller chercher.*

6. **the orchid**: le botaniste, captif de sa marotte, n'a donc pas perdu son intérêt pour sa fleur favorite.

7. **see to that**: to see to: *s'occuper de qqn ou de qqch.* L'ambiguïté de la formule est faite pour rassurer la victime magnanime.

« Apportez de l'eau ! » cria-t-elle, et sa voix dissipa les idées fantaisistes du jardinier. Lorsqu'avec une promptitude inhabituelle il revint avec l'eau, il trouva la gouvernante en train de pleurer d'émotion : elle avait appuyé la tête de Wedderburn contre l'un de ses genoux et essuyait le sang qui couvrait son visage.

« Que se passe-t-il ? » demanda Wedderburn en ouvrant faiblement les yeux et en les refermant aussitôt.

« Allez dire à Annie de venir me rejoindre ici, et après vous irez tout de suite chercher le docteur Haddon », dit la gouvernante à l'homme à tout faire dès qu'il eut apporté l'eau, puis, voyant qu'il hésitait : « Je vous raconterai tout à votre retour. »

Bientôt, Wedderburn rouvrit les yeux et sa cousine, voyant qu'il se demandait avec inquiétude pourquoi il était là, expliqua : « Vous vous êtes trouvé mal dans la serre.

— Et l'orchidée ?

— Je vais m'en occuper. »

Wedderburn avait perdu beaucoup de sang, mais, à part ça, il n'avait subi aucune lésion grave. On lui donna à boire de l'eau-de-vie avec un concentré de viande de couleur rose, et on le monta jusqu'à son lit. Sa gouvernante raconta par bribes son incroyable histoire au profit du docteur Haddon : « Venez voir dans la serre aux orchidées », dit-elle.

L'air froid du dehors s'engouffrait par la porte ouverte et l'odeur nauséeuse s'était presque entièrement dissipée.

---

8. **a good deal of** : a great deal of : *une grand quantité de, beaucoup de*.

9. **injury** : *blessure, lésion* ou, figurativement, *préjudice*.

10. **they** : *on* (les personnes présentes).

11. **outer** : comparatif idiomatique de **out** : *extérieur, du dehors*. **The outer darkness** : *les ténèbres extérieures*.

12. **sickly** : adj. sur la racine de **sick** : *malade*. **A sickly smell** : *une odeur écœurante, nauséabonde*. **To be sick** signifie le plus souvent *avoir mal au cœur*. **Sea-sickness** : *le mal de mer*.

Most of the torn aërial rootlets lay already withered[1] amidst[2] a number of dark stains upon the bricks. The stem of the inflorescence was broken by the fall of the plant, and the flowers were growing[3] limp and brown at the edges of the petals. The doctor stooped[4] towards it, then saw that one of the aërial rootlets still stirred feebly, and hesitated[5].

The next morning the strange orchid still lay there, black now and putrescent. The door banged intermittently in the morning breeze, and all the array[6] of Wedderburn's orchids was shrivelled[7] and prostrate[8]. But Wedderburn himself was bright[9] and garrulous[10] upstairs[11] in the glory[12] of his strange adventure[13].

---

1. **withered** : *fanées, flétries*. **To wither up** : *sécher sur pied*.

2. **amidst** = **amid** : *entre, parmi*.

3. **growing** : **to grow** + adjectif = *devenir*. Cf. **to grow angry** : *se fâcher* ; **to grow rarer** : *se raréfier*.

4. **stooped** : **to stoop** : *se pencher, se baisser, se voûter, s'abaisser* (au sens fig.).

5. **hesitated** : l'auteur suggère que le médecin n'est pas rassuré. Aucun de ces personnages n'est héroïque.

6. **the array** : *l'alignement*. **In disarray** : *en désordre*.

7. **shrivelled** : *ratatiné, recroquevillé, désséché*. **A shrivelled face** : *un visage tout ridé*.

8. **prostrate** : a souvent le sens physique : *couché à terre, étendu, à plat ventre, prosterné*. En contexte : *affaissé, effondré*.

La plupart des radicelles aériennes arrachées gisaient, déjà flétries, sur le sol de brique entre plusieurs taches sombres. La tige qui portait les inflorescences s'était brisée dans la chute de la plante, et les fleurs devenaient flasques tandis que les bords de leurs pétales brunissaient. Le docteur se pencha au-dessus de l'orchidée puis fut pris d'une hésitation en voyant que l'une des radicelles remuait encore faiblement.

Le lendemain matin, l'étrange orchidée gisait toujours là, noire à présent et en putréfaction. La porte claquait par intermittence dans la brise du matin et toutes les orchidées alignées par Wedderburn s'étaient recroquevillées et affaissées. Mais Wedderburn lui-même, à l'étage, joyeux et volubile, se glorifiait de son étrange aventure.

---

9. **bright** : *animé, enjoué, joyeux ;* peut aussi vouloir dire : *éveillé, intelligent.*

10. **garrulous** : *loquace, bavard.* **Garrulity** : *la loquacité.*

11. **upstairs** : adv. *en haut ;* **downstairs** : *en bas.* **The upstairs** (fam.) : *l'étage.*

12. **glory** : *renommée, splendeur, éclat.* **To glory in sth** : *se glorifier de.*

13. **adventure** : Wells sera souvent, par la suite, le romancier des vies stériles. Wedderburn n'a vu *une aventure* venir à lui que dans sa petite serre métaphorique. La nouvelle s'achève sur le paradoxe de sa fierté, mi-ridicule, mi-pathétique.

# In the Avu Observatory

*Dans l'observatoire d'Avu*

The observatory at[1] Avu, in[1] Borneo, stands on the spur[2] of the mountain[3]. To the north rises the old crater, black at night against[4] the unfathomable blue of the sky. From the little circular building, with its mushroom dome, the slopes plunge steeply downward into the black mysteries[5] of the tropical forest beneath[6]. The little house in which the observer and his assistant live[7] is about fifty yards from the observatory, and beyond this are the huts of their native attendants[8].

Thaddy, the chief observer, was down with a slight fever[9]. His assistant, Woodhouse, paused for a moment in silent contemplation of the tropical night before commencing his solitary vigil. The night was very still. Now and then voices and laughter came from the native huts, or the cry of some strange animal was heard from the midst of the mystery of the forest. Nocturnal insects appeared in ghostly[10] fashion out of the darkness, and fluttered round his light. He thought, perhaps, of all the possibilities of discovery that still lay in the black tangle beneath him; for to the naturalist the virgin forests of Borneo are still a wonderland[11] full of strange questions and half-suspected discoveries. Woodhouse carried a small lantern in his hand, and its yellow glow[12] contrasted vividly with the infinite series of tints between lavender-blue and black in which the landscape was painted. His hands and face were smeared with ointment against the attacks of the mosquitoes[13].

---

1. **at, in :** at introduit un lieu précis ; **in** une région, ou une grande ville. **He lives in Birmingham and works at Stratford :** *il vit à Birmingham et travaille à Stratford* (petite ville).

2. **spur :** *éperon* ou *contrefort* (d'une montagne).

3. **mountain :** cette fois, Wells commence la nouvelle en plantant brièvement son décor exotique.

4. **against : to show up against a background :** *se détacher sur un fond, sur un arrière-plan.*

5. **black mysteries :** préparation dramatique.

6. **beneath :** *au-dessous* (style écrit).

7. **live :** l'emploi du présent authentifie l'anecdote.

L'observatoire d'Avu à Bornéo se dresse sur l'éperon de la montagne. Au nord s'élève l'ancien cratère qui, dans la nuit, se détache en noir sur l'azur infini du ciel. À partir du petit édifice sphérique, au toit en forme de champignon, les pentes s'enfoncent à pic dans les mystères ténébreux de la forêt tropicale en contrebas. La maisonnette qu'habitent l'astronome et son assistant est à une cinquantaine de pas de l'observatoire et, au-delà, se trouvent les huttes de leurs serviteurs indigènes.

Thaddy, l'astronome en chef, était alité, victime d'un petit accès de fièvre. Son assistant, Woodhouse, fit une courte halte pour contempler en silence la nuit tropicale, avant d'entamer sa veillée solitaire. La nuit était très calme. À intervalles, des voix et des rires provenaient des huttes des indigènes, ou bien le cri de quelque animal inconnu s'élevait des profondeurs de la forêt mystérieuse. Des insectes nocturnes fantomatiques émergèrent de l'obscurité et voletèrent autour de sa lampe. Peut-être songeait-il à toutes les virtualités de découvertes que recelait encore le ténébreux enchevêtrement de végétation au-dessous ; car, aux yeux des naturalistes, les forêts vierges de Bornéo constituent encore un pays des merveilles, riche en questions insolites et en mystères pressentis. Woodhouse portait une petite lanterne et sa lueur jaune formait un vif contraste avec la séquence infinie des teintes entre le bleu lavande et le noir qui coloraient le paysage. Il s'était barbouillé les mains et le visage de pommade pour se protéger de l'assaut des moustiques.

---

8. **attendants** : an attendant on s.o. : *qqn qui suit* ou *qui sert qqn.*

9. **fever** : *fièvre* (souvent contagieuse et tropicale). *Avoir de la fièvre* : to have a temperature. **Down with** : *alité* (à cause d'une maladie). **To be down with the flu** : *avoir la grippe.*

10. **ghostly** : *spectral, fantomatique.* **Ghastly** : *affreux, effroyable.*

11. **wonderland** : *pays enchanté, pays des merveilles.*

12. **glow** : *lumière chaude* (rouge ou jaune) par opposition à **a gleam** : *une lueur blanche.*

13. **mosquitoes** : détail naturaliste qui contribue à établir la vraisemblance de l'anecdote.

Even in these days of celestial photography, work done in a purely temporary erection, and with only the most primitive appliances[1] in addition to the telescope, still involves a very large amount of cramped[2] and motionless watching. He sighed as he thought of the physical fatigues before him, stretched himself, and entered the observatory.

The reader is probably familiar[3] with the structure of an ordinary astronomical observatory. The building is usually cylindrical in shape, with a very light hemispherical roof capable of being turned round from the interior. The telescope is supported upon a stone pillar in the centre, and a clockwork arrangement compensates for the earth's rotation, and allows a star once found to be continuously observed. Besides this, there is a compact tracery of wheels and screws about its point of support, by which the astronomer adjusts it. There is, of course, a slit in the movable roof which follows the eye of the telescope in its survey of the heavens[4]. The observer sits or lies on a sloping wooden arrangement, which he can wheel to[5] any part of the observatory as the position of the telescope may require. Within[6] it is advisable to have things as dark[7] as possible, in order to enhance the brilliance of the stars observed.

The lantern flared[8] as Woodhouse entered his circular den[9], and the general darkness fled[10] into black shadows behind the big machine,

---

1. **appliances**: *appareils, instruments,* de **to be applied to**: *s'appliquer à.* **Household appliances**: *appareils ménagers.*

2. **cramped**: de **to cramp**: *donner des crampes.* **Cramped**: *gêné, à l'étroit.*

3. **probably familiar**: **to be familiar with**: *(bien) connaître.* Wells, dans son souci de vraisemblance, semble prendre le lecteur à témoin. En fait, tout le paragraphe suivant établit pour le profane le cadre matériel de l'anecdote.

4. **the heavens**: *le ciel, les cieux* (style écrit) ≠ **Heaven**: *le paradis.*

5. **wheel to**: la préposition exprime le mouvement, le verbe, la manière: *sur des roulettes.* **A wheel-chair**: *un fauteuil roulant.*

Même à présent que l'on photographie le ciel, le travail effectué dans un édifice tout provisoire, avec, en complément du télescope, les instruments les plus rudimentaires, implique encore de longues périodes d'observation dans l'immobilité et à l'étroit. Il soupira à la pensée des fatigues physiques qui l'attendaient et s'étira avant d'entrer dans l'observatoire.

L'architecture d'un observatoire astronomique est, sans doute, familière au lecteur. L'édifice est généralement de forme cylindrique, recouvert d'un toit très léger, hémisphérique, que l'on peut faire tourner de l'intérieur. Le télescope repose sur un pilier en pierre au centre de la pièce, et un système d'horlogerie corrige les effets de la rotation de la terre, ce qui permet de prolonger l'observation d'une étoile une fois qu'on l'a découverte. En outre, un réseau compact de roues et de vis autour du point d'appui permet à l'astronome de régler la lunette. Bien entendu, il existe une fente dans le toit mobile, qui suit l'œil du télescope dans son examen du ciel. L'observateur est assis ou couché sur un dispositif en bois, monté sur des roulettes et incliné, qu'il peut amener n'importe où dans l'observatoire selon ce qu'exige de lui la position du télescope. À l'intérieur de la pièce, il est souhaitable de conserver un maximum d'obscurité ambiante pour rehausser l'éclat des étoiles observées.

La lanterne flamboya au moment où Woodhouse entrait dans son antre circulaire et l'obscurité qui l'emplissait se réfugia derrière le grand instrument pour former des ombres noires ;

---

6. **within** : **inside** : *à l'intérieur.* **Without** (adv.) : *au-dehors.*

7. **dark** : cette obscurité est importante pour la suite du récit.

8. **flared** : **to flare** : *donner une lumière inégale, flamboyer irrégulièrement.* **A flare bomb** : *une bombe éclairante.*

9. **den** : *tanière, antre* ou, au sens figuré, *cabinet de travail.*

10. **fled** : de **to flee** : *s'enfuir.*

from which it presently seemed to creep back[1] over the whole place again as the light waned[2]. The slit was a profound transparent blue, in which six stars shone with tropical brilliance, and their light lay, a pallid[3] gleam, along the black tube of the instrument. Woodhouse shifted[4] the roof, and then proceeding[5] to the telescope, turned first one wheel and then another, the great cylinder slowly swinging into a new position. Then he glanced through the finder[6], the little companion telescope, moved the roof a little more, made some further adjustments, and set the clockwork in motion. He took off his jacket, for the night was very hot[7], and pushed into position the uncomfortable seat to which he was condemned for the next four hours. Then with a sigh he resigned himself to his watch upon the mysteries of space.

There was no sound now in the observatory, and the lantern waned steadily[8]. Outside there was the occasional[9] cry of some animal in alarm or pain, or calling to its mate[10], and the intermittent sounds of the Malay and Dyak servants[11]. Presently one of the men began a queer chanting[12] song, in which the others joined at intervals. After this it would seem[13] that they turned in[14] for the night, for no further sound came from their direction, and the whispering stillness became more and more profound[15].

---

1. **creep back** : *revenir en rampant* ou *furtivement*. L'obscurité est personnifiée dans une note menaçante.
2. **waned** : **to wane** : *décroître, décliner,* au sens propre (pour la lumière, la lune...) ou figuré.
3. **pallid** : *pâle, décoloré, blafard.* **A pallid face** : *un visage blême.*
4. **shifted** : **to shift** : *déplacer.* Cf. **to shift the scenery** : *changer le décor.* **A scene-shifter** : un machiniste de théâtre.
5. **proceeding** : **to proceed to a place** : *aller, se rendre à un endroit.* *Procéder à :* **to carry out.**
6. **the finder** : ces précisions techniques ont un effet voulu de vraisemblance.
7. **hot** : a souvent le sens de *brûlant* ou *torride,* par opposition à **warm** (*chaud* ou *tiède*). **Hot water** : peut être de *l'eau bouillante.*
8. **steadily** : *régulièrement, sans cesse, progressivement.*

puis, bientôt, elle donna l'impression d'en revenir furtivement réoccuper la pièce quand la lumière baissa. La fente
était d'un bleu profond et transparent, au sein duquel six
étoiles brillaient d'un éclat tropical, et leur lumière
projetait sa lueur blême le long du tube noir de la lunette.
Woodhouse fit pivoter le toit, puis, en allant vers le
télescope, il tourna une roue puis une autre, et le grand
cylindre bascula lentement pour prendre une nouvelle
inclinaison. Ensuite, l'observateur jeta un coup d'œil dans
la lunette de repère, qui accompagnait en plus petit le
télescope, ouvrit le toit un peu plus grand, fit quelques
réglages supplémentaires et mit en route le système
d'horlogerie. Il enleva sa veste car la nuit était brûlante et
poussa vers le bon endroit le siège inconfortable auquel il
était condamné pour les quatre heures à venir. Puis, en
poussant un soupir, il se résigna à surveiller les mystères de
l'espace.

Il n'y avait à présent aucun bruit à l'intérieur de
l'observatoire et la lumière de la lanterne déclinait
progressivement. Au-dehors, on entendait de temps à autre
le cri d'effroi, de douleur, ou d'appel amoureux de quelque
animal et les bruits intermittents que faisaient les serviteurs
malais et dayaks. Bientôt, l'un des hommes entonna une
mélopée singulière et les autres y joignirent leur voix à
intervalles. Après cela, ils durent aller se coucher car plus
aucun bruit ne s'éleva de leur côté et le silence peuplé de
murmures se fit de plus en plus profond.

---

9. **occasional**: *par intermittence, de temps en temps, çà et là.*
**Occasional showers**: *des averses éparses.* **Occasionally**: *de temps à autre ;
occasionnel*: **casual**.

10. **mate**: pour un animal: *partenaire amoureux.* **The mating season**
(de **to mate**): *la saison des amours* (animales).

11. **servants**: ces indigènes, évoqués collectivement, font en quelque
sorte partie du décor exotique, comme la jungle bourdonnante.

12. **chanting**: **to chant**: *psalmodier.* **A chant**: *une mélopée.*

13. **would seem**: littéralement: *il semblerait que.*

14. **turned in**: **to turn in**: *se retirer pour dormir, aller se coucher.*

15. **profound**: classiquement, ce grand calme annonce son contraire.

The clockwork ticked steadily. The shrill[1] hum of a mosquito explored the place[2] and grew shriller in indignation at[3] Woodhouse's ointment. Then the lantern went out and all the observatory was black.

Woodhouse shifted his position presently, when the slow movement of the telescope had carried it beyond the limits[4] of his comfort.

He was watching a little group of stars in the Milky Way, in one of which[5] his chief had seen or fancied[6] a remarkable colour variability. It was not a part of the regular work for which the establishment existed, and for that reason[7] perhaps Woodhouse was deeply interested. He must have forgotten things terrestrial[8]. All his attention was concentrated upon the great blue circle of the telescope field—a circle powdered[9], so it seemed, with an innumerable multitude of stars, and all luminous against the blackness of its setting[10]. As he watched he seemed to himself to become incorporeal, as if he too were floating in the ether of space. Infinitely remote[11] was the faint red spot[12] he was observing.

Suddenly the stars were blotted out[13]. A flash[14] of blackness passed, and they were visible again.

"Queer," said Woodhouse. "Must have been a bird."

The thing happened again, and immediately after the great tube shivered as though it had been struck. Then the dome of the observatory resounded with a series of thundering[15] blows.

---

1. **shrill** : *strident, aigu*. A shrill voice : *une voix perçante*.
2. **the place** : ici : *la pièce*.
3. **indignation at** : to be indignant at sth : s'indigner de qqch.
4. **beyond the limits** : *au-delà des bornes*.
5. **in one of which** : littéralement : *sur l'une desquelles*.
6. **fancied** : to fancy : *imaginer, se figurer, croire voir*.
7. **for that reason** : ébauche d'un portrait psychologique. Woodhouse, qui n'aime pas la routine, va être servi.
8. **things terrestrial** : inversion littéraire ironique. Le jeune savant vit dans les étoiles : autant dire dans les nuages.

Le tic-tac de l'horloge résonnait régulièrement. Le bourdonnement aigu d'un moustique explora la pièce et sa stridence s'accrut dans l'exaspération de rencontrer l'odeur de la pommade de Woodhouse. Puis la lanterne s'éteignit et tout l'observatoire fut plongé dans le noir.

Woodhouse se déplaça bientôt, lorsque le lent basculement du télescope l'eut éloigné de lui au point de rendre sa position par trop inconfortable.

Il observait un petit groupe d'étoiles de la voie lactée car, sur l'une d'elles, son chef de poste avait vu, ou cru voir, une remarquable variabilité des couleurs. Cette recherche ne relevait pas des tâches courantes qui justifiaient l'existence de la station et, peut-être à cause de cela, Woodhouse y trouvait un vif intérêt. Sans doute oubliait-il les réalités terrestres. Toute son attention se fixait sur le grand cercle bleu que découpait le champ du télescope : un cercle saupoudré, semblait-il, d'une multitude innombrable d'étoiles, toutes lumineuses sur leur fond ténébreux. Au cours de son observation, il avait le sentiment de se désincarner, comme si, lui aussi, flottait dans l'éther de l'infini. La faible tache rouge qu'il examinait était infiniment lointaine.

Soudain, les étoiles s'effacèrent. Une masse noire passa dans un éclair, puis les étoiles reparurent.

« Bizarre, dit Woodhouse, un oiseau sans doute. »

La chose se reproduisit et, aussitôt après, le grand tube trembla comme si on l'avait heurté. Puis d'énormes coups retentirent l'un après l'autre sur le toit rond.

---

9. **powdered** : to powder : *saupoudrer, semer, poudrer* (un visage).

10. **setting** : *le décor.*

11. **remote** : *lointain(e).*

12. **spot** : *endroit* ou, comme ici, *point*, notamment lumineux.

13. **blotted out** : a blot : *une tache.* **To blot out** : *effacer.*

14. **flash** : *lueur soudaine, éclair.* **A flash of hope** : *un rayon d'espoir.* Ici, **a flash of blackness** est un oxymoron.

15. **thundering** : *retentissant(s),* ou sens intensif familier : **a thundering rage** : *une rage à tout casser ;* **a thundering lie** : *un gros mensonge.*

The stars seemed to sweep aside[1] as the telescope—which had been unclamped[2]—swung round and away from the slit in the roof.

"Great Scott!" cried Woodhouse. "What's this?"

Some huge vague black shape[3], with a flapping something like a wing, seemed to be struggling in the aperture of the roof. In another moment the slit was clear again, and the luminous haze of the Milky Way shone warm and bright[4].

The interior of the roof was perfectly black, and only a scraping sound marked the whereabouts of the unknown creature.

Woodhouse had scrambled[5] from the seat to his feet. He was trembling violently and in a perspiration with the suddenness of the occurrence. Was the thing[6], whatever it was, inside or out? It was big, whatever else it might be. Something shot across[7] the skylight[8], and the telescope swayed. He started[9] violently and put his arm up. It was in the observatory, then, with him. It was clinging to the roof, apparently. What the devil[10] was it? Could it see[11] him?

He stood for perhaps a minute in a state of stupefaction. The beast, whatever it was, clawed at[12] the interior of the dome, and then something flapped almost into his face, and he saw the momentary gleam of starlight on a skin like oiled leather.

---

1. **sweep aside**: to sweep: décrit un mouvement tournant brusque dont l'adverbe **aside** donne la direction : *par côté*.

2. **unclamped**: a clamp est *un crampon,* ou *un anneau de retenue.* Unclamped: *décroché, débloqué, sorti de sa fixation.*

3. **shape**: la séquence des trois adjectifs qui précèdent évoque les impressions successives du jeune astronome.

4. **bright**: noter les jeux de lumière tout au long du récit. Outre leur aspect réaliste, leur symbolisme dramatique est évident.

5. **scrambled**: to scramble: *monter* (ou *descendre*) *précipitamment.*

6. **the thing**: ici, comme souvent en anglais, *la créature.*

7. **shot across**: de **to shoot**: *passer comme un trait, filer comme une fusée, une flèche.* A **shooting star**: *une étoile filante.*

Les étoiles semblèrent basculer par côté au moment où le télescope — débloqué à la base — pivota en s'écartant de la fente du toit.

« Grand Dieu ! s'écria Woodhouse. Qu'est-ce que c'est que ça ? »

Une immense forme noire indistincte, dont une partie battait comme une aile, semblait se débattre dans l'ouverture du toit. L'instant d'après, la fente se dégagea à nouveau, et la brume lumineuse de la voie lactée brilla d'un éclat chaud.

L'intérieur du toit était entièrement dans le noir et seul un bruit de raclement indiquait l'endroit où se trouvait la créature inconnue.

Woodhouse s'était relevé en toute hâte. La soudaineté de l'événement le faisait trembler de tous ses membres et le couvrait de sueur. Cette créature, quelle qu'elle fût, se trouvait-elle dehors ou à l'intérieur ? En tout cas, elle était de grande taille. Quelque chose traversa en flèche l'ouverture du toit et le télescope oscilla. Woodhouse eut un violent sursaut et se protégea la figure du bras. La créature était donc dans l'observatoire, avec lui. Elle semblait s'accrocher au toit. Que pouvait-elle bien être ? Le voyait-elle ?

Il se figea sur place, peut-être une minute durant, en proie à la stupeur.

La bête mystérieuse griffait la paroi intérieure du toit, après quoi un battement d'ailes passa à deux doigts de son visage et il vit momentanément la lueur des étoiles se refléter sur une peau semblable à un cuir gras.

---

8. **skylight** : *jour* (dans un toit), *lucarne*.

9. **started** : **to start** : *tressaillir, sursauter*. **To startle** : *faire sursauter*.

10. **the devil** : **What the devil** : *Que diable... :* exprime une perplexité.

11. **could it see** : **could** est explétif avec un verbe de perception.

12. **clawed at** : **to claw** : *griffer* (**claws** : *griffes* ou *serres* d'oiseau de proie). At connote une tentative pour attraper ou une agression.

His water-bottle was knocked off[1] his little table with a smash.

The sense of some strange bird-creature hovering[2] a few yards from his face in the darkness was indescribably unpleasant to Woodhouse. As his thought returned he concluded that it must be some night-bird or large bat. At any risk he would see[3] what it was, and pulling a match from his pocket, he tried to strike it on the telescope seat. There was a smoking streak of phosphorescent light, the match flared for a moment, and he saw a vast wing sweeping[4] towards him, a gleam of grey-brown fur, and then he was struck in the face and the match knocked out of his hand. The blow was aimed at[5] his temple, and a claw tore sideways down to his cheek. He reeled and fell, and he heard the extinguished lantern smash. Another blow followed as he fell. He was partly stunned[6], he felt his own warm blood stream out[7] upon his face. Instinctively he felt his eyes had been struck at[8], and, turning over on his face to protect them, tried to crawl under the protection of the telescope.

He was struck again upon the back, and he heard his jacket rip[9], and then the thing hit the roof of the observatory. He edged[10] as far as he could between the wooden seat and the eyepiece of the instrument, and turned his body round so that it was chiefly his feet that were exposed. With these he could at least kick[11].

---

1. **knocked off**: *renversé(e)* (sous l'effet d'un coup : selon la spécification supérieure de l'anglais).

2. **hovering**: to **hover**: *planer, se balancer* en vol pour un oiseau (souvent de proie) ou un insecte. A **hoverplane**: *un hélicoptère*.

3. **would see**: prétérit de **to will** au sens d'une volonté.

4. **sweeping**: l'un des sens de **to sweep** est *foncer sur, s'abattre sur, fondre sur*. On dit aussi **to swoop** dans le même sens.

5. **aimed at**: *dirigé contre*. To **miss one's aim**: *manquer son but*.

6. **stunned**: *étourdi, assommé, abasourdi*.

7. **stream out**: *couler à flots, ruisseler*.

8. **struck at**: to **strike at**: *frapper en essayant d'atteindre*.

Sa bouteille d'eau fut renversée et tomba avec fracas de sa petite table.

L'impression qu'une créature ailée inconnue planait dans le noir à quelques mètres de son visage causait à Woodhouse un malaise indescriptible. Quand il retrouva la réflexion, il conclut que ce devait être quelque oiseau de nuit ou une chauve-souris géante. A tous risques, il voulait voir ce que c'était et, sortant une allumette de sa poche, il essaya de la gratter sur le support du télescope. Il y eut un trait de lumière phosphorescente enfumée, l'allumette flamboya un instant et il vit une aile immense fondre sur lui, dans l'éclat bref d'une fourrure d'un brun gris, après quoi il fut frappé au visage et à la main, d'où tomba l'allumette. Le coup visait sa tempe et une griffe le taillada par côté jusqu'à la joue. Il tituba, tomba, et entendit la lanterne éteinte s'écraser au sol. Pendant sa chute, un autre coup succéda au premier. A demi assommé, il sentit la tiédeur de son propre sang qui inondait son visage. Il devinait d'instinct que la bête avait essayé d'atteindre ses yeux et, plaquant son visage au sol pour les protéger, il s'efforça de ramper jusqu'à l'abri que lui offrait le télescope.

Il fut encore frappé sur le dos, et il entendit sa veste se fendre ; après quoi, la créature heurta le toit de l'observatoire. Woodhouse s'insinua aussi loin qu'il le put entre le siège en bois et l'oculaire du télescope, et il fit pivoter son corps de telle sorte que surtout ses pieds soient exposés. Il pourrait, du moins, s'en servir pour donner des coups.

---

9. **rip** : *se déchirer, se fendre.* Le verbe **to rip** peut être transitif. **To rip an envelope** : *déchirer une enveloppe.* **Jack the ripper** : *Jack l'éventreur.*

10. **edged** : **the edge** : *le bord, le rebord* (par exemple d'une table, d'une falaise). **To edge one's way** : *se faufiler, se glisser, s'insinuer.*

11. **kick** : Wells est très à l'aise dans ce récit d'un combat dont les étapes se succèdent avec rapidité. On aura remarqué la visualisation précise de la pièce et de son contenu.

He was still in a mystified[1] state. The strange beast banged about[2] in the darkness, and presently clung to the telescope, making it sway and the gear[3] rattle[4]. Once it flapped near him, and he kicked out madly and felt a soft body with his feet. He was horribly scared now. It must be a big thing to swing the telescope like that. He saw for a moment the outline of a head black against the starlight, with sharply-pointed upstanding ears and a crest between them. It seemed to him to be as big as a mastiff's. Then he began to bawl out as loudly as he could for help.

At that the thing came down upon him again. As it did so his hand touched something beside him on the floor. He kicked out, and the next moment his ankle was gripped and held by a row[5] of keen teeth. He yelled[6] again, and tried to free his leg by kicking with the other. Then he realised he had the broken water-bottle at his hand, and, snatching it, he struggled[7] into a sitting posture, and feeling in the darkness towards his foot, gripped a velvety ear, like the ear of a big cat. He had seized the water-bottle by its neck and brought it down with a shivering[8] crash upon the head of the strange beast. He repeated the blow, and then stabbed and jabbed with the jagged end of it, in the darkness, where he judged the face might be.

The small teeth relaxed their hold, and at once Woodhouse pulled his leg free[9] and kicked hard[10].

---

1. **mystified**: *désorienté, dérouté* ≠ *Mystifier qqn*: to take s.o. in, to **bamboozle s.o.** (fam.).

2. **banged about**: **to bang about**: *faire du fracas, du tapage*: littéralement *en se cognant bruyamment*.

3. **the gear**: *appareil, mécanisme*. **A gear box**: *une boîte de vitesses*.

4. **rattle**: **a rattle**: *un bruit de ferraille, un cliquetis*.

5. **a row**: (pron. [rou]) on attendrait: **a double row**: *une double rangée*.

6. **yelled**: **to yell**: *vociférer, crier à tue-tête*.

7. **struggled**: **to struggle into a position**: *prendre une position avec effort*.

8. **shivering**: **to shiver** (tr.): *fracasser*. **To break sth to shivers**: *briser qqch. en éclats, en petits morceaux*.

9. **pulled... free**: l'anglais précise la façon dont Woodburn libère sa

Il restait perplexe. La bête inconnue se déplaçait bruyamment dans l'obscurité et, bientôt, elle s'accrocha au télescope, le faisant osciller dans le cliquètement de ses mécanismes. À un moment, elle se rapprocha dans un battement d'ailes et il lança des coups de pied furieux dans le vide, et ses pieds s'enfoncèrent dans un corps mou. Il éprouvait, à présent, une peur atroce. Pour faire basculer ainsi le télescope, ce devait être un gros animal. L'espace d'un instant, il aperçut les contours d'une tête se détachant en noir sous la clarté des étoiles, avec des oreilles dressées très pointues et une crête au milieu. Cette tête lui parut aussi grosse que celle d'un molosse. Alors, il se mit à beugler à pleine gorge pour appeler au secours.

Sur quoi, la bête se jeta à nouveau sur lui. Au même moment, la main de Woodhouse toucha quelque chose près de lui sur le sol. Il donna un coup de pied devant lui et, aussitôt après, sa cheville fut saisie et retenue par une rangée de dents pointues. Il se remit à pousser de grands cris et essaya de libérer sa jambe en donnant des coups de pied avec l'autre. Puis il se rendit compte qu'il avait la bouteille cassée à portée de main et, après s'en être emparé d'un geste brusque, il reprit avec effort la position assise et, en tâtonnant dans le noir vers son pied, saisit une oreille veloutée, comme celle d'un gros chat. Il avait pris la bouteille par le goulot et l'abattit avec un fracas de verre brisé sur la tête de la bête inconnue. Il frappa à nouveau, puis se servit de l'extrémité déchiquetée de la bouteille comme d'un poignard ou d'un poinçon pour porter des coups dans le noir, vers l'endroit où pouvait, selon lui, se trouver le museau.

Les petites dents relâchèrent leur étreinte et, aussitôt, Woodhouse libéra sa jambe et donna un violent coup de pied.

---

jambe : en tirant sur elle.

10. **hard** : sens adverbial. **To strike hard, to work hard** : *frapper, travailler dur.* Ne pas confondre avec **hardly**, semi-négatif : **he hardly worked** : *il ne travaillait guère.*

91

He felt the sickening[1] feel of fur and bone giving under[2] his boot. There was a tearing[3] bite at his arm, and he struck over it at the face, as he judged, and hit damp fur.

There was a pause; then he heard the sound of claws and the dragging of a heavy body away from him over the observatory floor. Then there was silence, broken only by his own sobbing[4] breathing, and a sound like licking. Everything was black except the parallelogram of the blue skylight with the luminous dust of stars, against which the end of the telescope now appeared in silhouette. He waited, as it seemed, an interminable time.

Was the thing coming on again? He felt in his trouser-pocket for some matches, and found one remaining. He tried to strike this, but the floor was wet, and it spat[5] and went out. He cursed. He could not see where the door was situated. In his struggle he had quite lost his bearings[6]. The strange beast, disturbed by the splutter of the match, began to move again. "Time[7]!" called Woodhouse, with a sudden gleam of mirth[8], but the thing was not coming at[9] him again. He must have hurt it, he thought, with the broken bottle. He felt a dull[10] pain in his ankle. Probably he was bleeding there. He wondered if it would support him if he tried to stand up. The night outside was very still. There was no sound of anyone moving. The sleepy fools had not heard those wings battering[11] upon the dome, nor his shouts.

---

1. **sickening**: *écœurant, dégoûtant, révoltant.*
2. **giving under**: to give under (a weight): *céder sous un poids.*
3. **tearing**: *qui cherche à déchirer.*
4. **sobbing**: to sob: *sangloter.* A sobbing voice: *une voix brisée.*
5. **spat**: to spit: *cracher, crachoter.* A spitoon: *un crachoir.*
6. **lost his bearings**: expression d'origine nautique. **To take a ship's bearings**: *relever la position d'un navire.* Au sens figuré: **to lose one's bearings**: *se trouver désorienté, perdre le nord.*
7. **time!**: annonce d'un nouveau round dans un match de boxe.
8. **mirth**: *gaieté, hilarité.* **Mirthful**: *joyeux;* **mirthless**: *triste.*
9. **coming at**: at évoque l'hostilité. **To come at s.o.**: *marcher sur, se jeter sur qqn.*

92

Il sentit la masse de fourrure et d'os, répugnante au contact, céder sous sa chaussure. On lui mordit profondément le bras et il frappa au-dessus, au juger, vers le museau, atteignant une zone de fourrure humide.

Il y eut un temps d'arrêt ; puis il entendit un raclement de griffes et le son d'un corps lourd qui s'écartait de lui en se traînant sur le sol de l'observatoire. Puis un silence s'établit, interrompu seulement par sa respiration hoquetante et par un bruit qui ressemblait à celui de lèchements. Tout était noir sauf le parallélogramme de l'ouverture du toit, saupoudré d'étoiles lumineuses, et sur lequel se profilait à présent le bout du télescope. Woodhouse attendit pendant une période qui lui sembla interminable.

La bête allait-elle revenir à l'attaque ? Il fouilla dans les poches de son pantalon pour y chercher des allumettes et il en trouva une dernière. Il essaya de la gratter, mais le sol était humide, si bien que l'allumette crachota et s'éteignit. Il jura. Il ne voyait pas où se trouvait la porte. Dans sa lutte, il avait complètement perdu le nord. La bête inconnue, dérangée par le crachotement de l'allumette, se remit en mouvement. « Troisième round », s'écria Woodhouse dans un brusque éclair de malice, mais la bête ne se jetait pas à nouveau sur lui. Il se dit qu'il avait dû la blesser avec la bouteille cassée. Il ressentait une douleur sourde dans la cheville. Sans doute saignait-il à cet endroit. Il se demanda si cette jambe le porterait au cas où il tenterait de se lever. Au-dehors, la nuit était très silencieuse. On n'entendait personne se déplacer. Ces endormis stupides n'avaient pas entendu les coups d'aile répétés sur le toit rond, ni ses propres cris.

---

10. **dull** : *terne* (pour une couleur), *émoussé* (pour une pointe), *sourd(e)* (pour un son ou une douleur), *couvert* (pour le ciel).

11. **battering : to batter** : *battre, battre en brèche*. **A battering ram** : *un bélier* (au sens militaire).

It was no good[1] wasting strength in shouting. The monster flapped its wings and startled him into a defensive attitude. He hit his elbow against the seat, and it fell over with a crash. He cursed this, and then he cursed the darkness.

Suddenly the oblong patch of starlight seemed to sway to and fro[2]. Was he going to faint? It would never do to[3] faint. He clenched[4] his fists and set his teeth to hold himself together[5]. Where had the door got to? It occurred to him he could get his bearings by[6] the stars visible through the skylight. The patch of stars he saw was in Sagittarius and south-eastward; the door was north—or was it north by west? He tried to think. If he could get the door open he might retreat. It might be the thing was wounded. The suspense was beastly[7]. "Look here!" he said, "if you don't come on, I shall come at you."

Then the thing began clambering[8] up the side of the observatory, and he saw its black outline gradually blot out[9] the skylight. Was it in retreat? He forgot about the door, and watched as the dome shifted and creaked[10]. Somehow he did not feel very frightened or excited now. He felt a curious sinking[11] sensation inside him. The sharply-defined patch of light, with the black form moving across it, seemed to be growing[12] smaller and smaller. That was curious. He began to feel very thirsty[13], and yet he did not feel inclined to get anything to drink. He seemed to be sliding down a long funnel[14].

---

1. **it was no good** + forme en **ing** : *ça ne servait à rien de.*
2. **to and fro** : idée de va-et-vient. **To go to and fro** : *aller et venir.*
3. **it would never do to** (au présent, **it will never do to**) : *il n'était (n'est) pas question de* (faire qqch.).
4. **clenched** : **to clench** : *serrer les poings* ou *les dents.* Dans le second cas, on dit aussi, comme dans la suite, **to set one's teeth**.
5. **to hold himself together** : *se maîtriser, ne pas céder à la panique.*
6. **by** : *en se guidant sur.*
7. **beastly** : *terrible, atroce.* Ce vocabulaire participe du courant de pensée du jeune astronome.
8. **clambering** : **to clamber** : *grimper, escalader* (une pente difficile).

94

À quoi bon gaspiller des forces à crier. Un battement d'ailes du monstre le fit sursauter et se mettre sur la défensive. Il se cogna le coude contre le siège, qui culbuta bruyamment. Il maudit le siège, puis l'obscurité.

Soudain, la tache rectangulaire de lumière stellaire sembla osciller d'avant en arrière. Allait-il défaillir ? C'était hors de question. Il serra les poings et les dents pour ne pas se laisser aller. Où était passée la porte ? L'idée lui vint qu'il pourrait s'orienter à l'aide des étoiles qu'on voyait par le jour du toit. La tache étoilée qu'il apercevait appartenait au Sagittaire et indiquait le sud-ouest ; la porte était au nord : ou était-ce au nord-ouest ? Il essaya de réfléchir. S'il arrivait à ouvrir la porte, il pourrait battre en retraite. Peut-être, la créature était-elle blessée ? Le suspens était atroce. « Je te préviens ! dit-il, si tu ne m'attaques pas, c'est moi qui t'attaquerai. »

Alors la créature commença à grimper le long de la paroi de l'observatoire, et il vit sa forme noire masquer peu à peu le jour du toit. S'enfuyait-elle ? Il oublia la porte et regarda le toit rond se mouvoir en grinçant. Sans savoir pourquoi, il n'avait plus très peur à présent et se sentait plus calme. Il avait la sensation curieuse que son cœur lui manquait. La tache lumineuse aux contours distincts que traversait la forme noire semblait se rapetisser de plus en plus. C'était curieux. Il commençait à avoir très soif et pourtant il n'avait envie de rien boire. Il se sentait glisser dans un long entonnoir.

---

9. **blot out :** *effacer, masquer.*
10. **creaked : to creak :** *grincer, craquer.*
11. **sinking : to sink :** *s'enfoncer, s'affaisser, sombrer* (pour un navire).
12. **growing : to grow** + adj. : *devenir.* **To grow smaller :** *rapetisser.*
13. **thirsty :** l'auteur suggère que son personnage a perdu du sang.
14. **funnel :** *entonnoir* (ici). Ailleurs : *cheminée* (de locomotive ou de bateau à vapeur). **To funnel one's hands :** *mettre les mains en porte-voix.*

He felt a burning sensation[1] in his throat[2], and then he perceived it was broad[3] daylight, and that one of the Dyak servants was looking at him with a curious[4] expression. Then there was the top of Thaddy's face upside down[5]. Funny fellow[6], Thaddy, to go about[7] like that! Then he grasped[8] the situation better, and perceived that his head was on Thaddy's knee, and Thaddy was giving him brandy. And then he saw the eyepiece of the telescope with a lot of red smears[9] on it. He began to remember.

"You've made this observatory in a pretty mess[10]," said Thaddy.

The Dyak boy was beating up an egg in brandy. Woodhouse took this and sat up. He felt a sharp[11] twinge[12] of pain. His ankle was tied up[13], so were[14] his arm and the side of his face. The smashed glass, red-stained, lay about the floor, the telescope seat was overturned, and by the opposite wall was a dark pool. The door was open, and he saw the grey summit of the mountain against a brilliant background of blue sky.

"Pah!" said Woodhouse. "Who's been killing calves here? Take me out of it."

Then he remembered the Thing, and the fight he had had with it.

"What *was* it?" he said to Thaddy—"the Thing I fought with?"

---

1. **burning sensation**: littéralement, une *sensation brûlante*.

2. **his throat**: le possessif anglais devant une partie du corps correspond le plus souvent à un article défini en français et inversement.

3. **broad**: *large*, s'emploie dans cette expression (**broad daylight**) au sens de *grand jour*, de *plein midi*. **Daylight-saving time**: *l'heure d'été* (qui économise la lumière).

4. **curious**: peut avoir les deux sens de *curiosité* ou de *bizarrerie*.

5. **upside down**: *sens dessus-dessous, la tête en bas, renversé*.

6. **fellow** (fam.): *type*.

7. **to go about**: *se déplacer, se promener*.

8. **grasped**: to grasp: *saisir* (physiquement ou intellectuellement).

9. **smears**: *taches, souillures*; **to smear**, *barbouiller*.

Il est une sensation de brûlure dans la gorge et s'aperçut alors qu'il faisait grand jour et que l'un des serviteurs dayaks le regardait d'un air bizarre. Puis il vit renversé le haut du visage de Thaddy. Drôle de type, ce Thaddy, pour se promener la tête en bas ! Puis il comprit mieux la situation et se rendit compte que sa tête reposait sur le genou de Thaddy et que celui-ci lui faisait boire du cognac. Après quoi, il vit que l'oculaire du télescope était maculé de rouge. La mémoire commença à lui revenir.

« Vous avez mis le laboratoire dans un bel état », dit Thaddy.

Le boy dayak était en train de battre un œuf dans du cognac. Woodhouse prit le mélange et se mit sur son séant. Il sentit un vif élancement. Il avait un bandage autour de la cheville ainsi qu'autour du bras et sur une moitié du visage. Le verre brisé, taché de sang, gisait sur le sol, le siège du télescope était sens dessus dessous et, près du mur d'en face, il y avait une mare brune. Par la porte ouverte, il voyait le sommet gris de la montagne se détacher sur un fond brillant de ciel bleu.

« Pouah ! dit Woodhouse. Qui a tué des veaux dans cette pièce ? Sortez-moi d'ici. »

Alors, il se souvint de la créature et de son combat avec elle.

« Qu'est-ce que c'était ? demanda-t-il à Thaddy, cette créature avec laquelle je me suis battu ?

---

10. **pretty mess** : to **mess** : *salir, souiller*. A **mess** : *un fouillis, un désordre, un gâchis.*

11. **sharp** : *aigu*, au sens propre ou figuré.

12. **twinge** : *élancement de douleur*. A **twinge of conscience** : *un remords de conscience.*

13. **tied up** : to **tie up** : *attacher, ficeler, ligoter*, mais aussi *bander, panser* (un membre blessé).

14. **so were** : *de même que* + pl. Au singulier, selon le temps employé, **so is**, **so was**. He was **wounded so was the animal** : *il était blessé et l'animal aussi.*

"*You* know that best[1]," said Thaddy. "But, anyhow[2], don't worry yourself now about it. Have some more[3] to drink."

Thaddy, however, was curious enough, and it was a hard struggle between duty and inclination to keep Woodhouse quiet until he was decently put away in bed, and had slept upon[4] the copious dose of meat-extract Thaddy considered advisable[5]. They then talked it over together.

"It was," said Woodhouse, "more like a big bat than anything else in the world. It had sharp, short ears, and soft fur, and its wings were leathery. Its teeth were little, but devilish sharp[6], and its jaw could not have been very strong or else it would have bitten through my ankle."

"It has pretty[7] nearly," said Thaddy.

"It seemed to me to hit out[8] with its claws pretty freely. That is about as much as I know about the beast. Our conversation was intimate, so to speak, and yet not confidential."

"The Dyak chaps talk about a Big Colugo, a Klangut-ang—whatever that may be. It does not often attack man, but I suppose you made it nervous[9]. They say there is a Big Colugo and a Little Colugo, and a something else that sounds like[10] gobble. They all fly about at night. For my own part I know there are flying foxes[11] and flying lemurs about here, but they are none of them very big beasts[12]."

---

1. **best**: superlatif de **well**: **you know best**: *vous êtes le mieux placé pour en juger.* **He knows better**: *il n'est pas si bête* (pour se laisser faire).

2. **anyhow**: *en tout cas, de toute façon.*

3. **Have some more**: *reprenez-en* (nourriture ou boisson).

4. **slept upon**: **to sleep upon (on)**: *dormir après qqch.* (une médication ou une discussion). **Sleep on it**: *la nuit porte conseil.*

5. **advisable** (de **to advise**: *conseiller*): *judicieux, recommandable.*

6. **devilish sharp**: *rudement pointues.*

7. **pretty** (adv.): *assez, passablement.*

8. **to hit out (at s.o.)**: *décocher des coups à qqn.*

9. **nervous**: **to make s.o. (or an animal) nervous**: *effrayer* (une personne ou un animal). **It makes me nervous**: *ça m'intimide.*

— Vous le savez mieux que personne, répondit Thaddy. Mais, en tout cas, ne vous tourmentez plus à son sujet. Reprenez à boire. »

Cependant Thaddy ne manquait pas de curiosité, et ce fut pour lui un dur combat entre le naturel et le sens du devoir pour faire taire Woodhouse jusqu'au moment où on l'eut mis au lit comme il convenait, et qu'il eut dormi après avoir ingéré la dose copieuse d'extrait de viande que Thaddy avait jugée opportune. Alors, ils revinrent ensemble sur la question.

« Elle ressemblait, expliqua Woodhouse, plus à une grosse chauve-souris soyeuse qu'à aucun autre animal au monde. Elle avait des oreilles courtes et pointues, une fourrure soyeuse, et ses ailes avaient la texture du cuir. Ses dents étaient petites mais diablement pointues et sa mâchoire ne pouvait pas être très puissante, sans quoi la bête m'aurait percé la cheville.

— Elle y est presque arrivée, dit Thaddy.

— J'ai eu l'impression qu'elle se servait assez généreusement de ses griffes pour ses attaques. C'est à peu près tout ce que je sais de cet animal. Nous avons eu des rapports intimes, pour ainsi dire, mais sans échange de secrets.

— Les Dayaks parlent d'un gros Colugo, un Klang-Outang, pour ce que ça peut vouloir dire? Il s'attaque rarement à l'homme, mais sans doute lui avez-vous fait peur. Ils prétendent qu'il existe un gros Colugo et un petit Colugo, et un autre animal dont le nom ressemble à un glouglou. Tous les trois volent la nuit. Pour ma part, je sais qu'il y a des roussettes et des galéopithèques dans le secteur, mais ce ne sont jamais de très grosses bêtes.

---

10. **sounds like** : *ressemble* (à l'audition).

11. **flying foxes** ou **flying bats** : *des roussettes*.

12. **big beasts** : Wells fait appel ici à ses connaissances en zoologie pour imaginer un développement sensationnel : la survivance d'un animal préhistorique.

"There are more things in heaven and earth," said Woodhouse—and Thaddy groaned at the quotation[1]—"and more particularly in the forests of Borneo, than are dreamt of in our philosophies[2]. On the whole, if the Borneo fauna is going to disgorge[3] any more of its novelties[4] upon me, I should prefer that it did so[5] when I was[6] not occupied in the observatory at night[7] and alone[8]."

1. **groaned at the quotation**: to groan : *gémir*. La citation lui paraît, sans doute, d'une trop grande banalité.

2. **philosophies** : paroles de Hamlet à son ami Horatio en référence à l'apparition du spectre de son père (*Hamlet,* l. 5, 157). Le texte exact dit *philosophy* au singulier.

3. **to disgorge** : *dégorger, rendre, vomir.* L'emploi est ironique.

4. **novelties** : *choses nouvelles, innovations* ou *farces et attrapes.* La peur passée, le personnage adopte un ton badin.

5. **prefer that it did so** : ou bien, **prefer it to do so**.

6. **when I was** : après **when, as soon as,** la subordonnée anglaise prend le prétérite ou le présent en un sens français conditionnel.

— Il y a plus de choses sur la terre et dans le ciel », dit Woodhouse — Thaddy gémit en reconnaissant la citation — «et surtout dans les forêts de Bornéo, ''que nos philosophies n'en rêvent''. À tout prendre, si la faune de Bornéo doit lâcher sur moi d'autres de ses farces et attrapes, j'aimerais mieux qu'elle le fasse à un moment où je ne serais pas occupé dans l'observatoire, la nuit et seul. »

---

7. **at night :** *à la nuit* (tombée). On dit : **in the day, in the morning, in the evening :** *le jour, le matin, le soir.* **In the night** serait : *au cours de, au milieu de la nuit.*

8. **alone :** l'épreuve de cauchemar, quelque peu claustrophobique, du jeune astronome se termine, ainsi, sur une note détachée. Mais la cruauté antérieure du combat et ses détails sanguinaires prolongent l'inspiration un tantinet morbide des deux nouvelles précédentes.

# A Deal in Ostriches

*Une vente d'autruches*

"Talking[1] of the prices of birds, I've seen an ostrich that cost[2] three hundred[3] pounds," said the Taxidermist, recalling his youth of travel. "Three hundred pounds!"

He looked at me over his spectacles. "I've seen another that was refused at four."

"No[4]," he said, "it wasn't any fancy points[5]. They was[6] just plain ostriches. A little off colour[7], too—owing to dietary. And there wasn't any particular restriction of the demand[8] either. You'd[9] have thought five ostriches would have ruled cheap[10] on an East Indiaman[11]. But the point was, one of 'em had swallowed a diamond.

"The chap it got it off[12] was Sir Mohini Padishah, a tremendous[13] swell, a Piccadilly swell[14] you might say up to the neck of him, and then an ugly black head and a whopping[15] turban, with this diamond in it. The blessed bird pecked suddenly and had it, and when the chap made a fuss[16] it realised it had done wrong, I suppose, and went and mixed itself with the others to preserve its *incog*. It all happened in a minute. I was among the first to arrive, and there was this heathen going over his gods, and two sailors and the man who had charge of the birds laughing fit to split. It was a rummy way of losing a jewel, come to think of it. The man in charge hadn't been about just at the moment, so that he didn't know which bird it was.

---

1. **talking of** (fam.): *en parlant de, à propos de*.
2. **cost**: prétérite de **to cost**.
3. **three hundred**: invariable dans cet emploi adjectival.
4. **no**: le narrateur cité répond à une question implicite de l'auteur en coulisses.
5. **fancy points**: littéralement *des caractéristiques de fantaisie*.
6. **they was**: l'incorrection grammaticale, comme, tout au long, la langue familière, voire argotique, établit le point de vue d'un homme simple, rapportant sans fioritures une anecdote vécue.
7. **off colour** (fam.): *pas en forme, patraque*.
8. **the demand**: cf. **supply and demand**: *l'offre et la demande*.
9. **you'd**: you would.
10. **ruled cheap**: cf. **prices are ruling high**: *les prix restent élevés* (expression toute faite).

« À propos du prix des oiseaux, j'ai connu une autruche qu'a coûté trois cents livres sterling », dit l'empailleur, en se souvenant de sa jeunesse vagabonde. « Trois cents livres sterling ! »

Il me regarda par-dessus ses lunettes : « J'en ai connu une autre qu'on n'a pas voulu vendre pour quatre cents. »

« Non, expliqua-t-il, c'est pas qu'elles avaient quoi que ce soit d'remarquable. C'étaient qu'des autruches banales. Un peu patraques avec ça, à cause de leur régime. Et y avait pas non plus d'restrictions particulières par rapport à la d'mande. On aurait cru que cinq autruches sur un paquebot du service des Indes ç'aurait pas valu cher. Mais c'est que l'une d'entre elles avait avalé un diamant.

« Le type a qui elle l'a piqué était Sir Mohini Padishah, un sacré gandin, un gandin de Piccadilly à ce qu'on aurait pu dire, des pieds jusqu'au cou ; mais, à partir de là, y avait une affreuse face noiraude et un turban mahous avec ce diamant d'sus. Sans prévenir, c'fichu zozio a donné un coup de bec et l'a avalé et, quand l'type a poussé les hauts cris, l'autruche s'est sans doute rendu compte qu'elle avait fait quéqu'chose de mal et elle est allée s'mêler aux autres pour garder l'incognito. Tout ça s'est passé en une minute. J'étais parmi les premiers accourus et il y avait ce païen qui invoquait ses dieux l'un après l'autre, et deux matelots et le gardien des autruches qui riaient à s'faire péter la rate. Quand on y pense, c'était une drôle de façon d'paumer une pierre précieuse. Le gardien des autruches était pas dans les parages sur le moment, si bien qu'y savait pas laquelle c'était.

---

11. **an East Indiaman : (East) India :** *les Indes (Orientales).* Le suffixe **man** désigne *un navire.* **A man of war :** *un navire de guerre.*

12. **got it off : off :** traduit l'idée de *prendre, d'enlever, d'arracher.*

13. **tremendous :** *terrible, énorme.*

14. **swell** (fam.) : **to swell :** *enfler, s'enfler.* **A swell :** *une grosse légume.*

15. **whopping** (fam.) : *énorme, de taille.*

16. **made a fuss : to make a fuss :** *faire des histoires, des chichis.*

Clean[1] lost, you see. I didn't feel half sorry, to tell you the truth. The beggar[2] had been swaggering[3] over his blessed diamond ever since he came aboard.

"A thing like that goes from stem to stern[4] of a ship in no time. Everyone was talking about it. Padishah went below to hide his feelings. At dinner—he pigged[5] at a table by himself, him and two other Hindoos—the captain kind of[6] jeered at him about it, and he got very excited. He turned round and talked into my ear. He would[7] not buy the birds; he would have his diamond. He demanded[8] his rights as a British subject. His diamond must be found. He was firm upon that. He would appeal to the House of Lords. The man in charge of the birds was one of those wooden-headed chaps you can't get a new idea into anyhow. He refused any proposal to interfere with[9] the birds by way of medicine[10]. His instructions were to feed them so-and-so and treat them so-and-so, and it was as much as his place was worth not to feed them so-and-so and treat them so-and-so. Padishah had wanted a stomach-pump—though you can't do that to a bird, you know. This Padishah was full of bad law, like most of these blessed Bengalis[11], and talked of having a lien[12] on the birds, and so forth. But an old boy[13], who said his son was a London barrister, argued that what a bird swallowed became *ipso facto* part of the bird, and that Padishah's only remedy[14] lay in an action[15] for damages,

---

1. **clean** (adv., fam.) : *complètement*. **Clean mad** : *fou à lier*.
2. **beggar** : *mendiant :* mais aussi *individu* dans une connotation souvent péjorative. **Little beggar** : *petit coquin*.
3. **swaggering** : **to swagger** : *crâner, se pavaner, plastronner*.
4. **from stem to stern** : littéralement, *de l'étrave à l'arrière, à la poupe*.
5. **pigged** : **to pig** (fam.) : *manger comme un cochon, se goinfrer*.
6. **kind of** + verbe (fam.) : *en qq. sorte, plus ou moins*.
7. **would** : prét. de **to will** : *voulait*.
8. **demanded** : **to demand** : *exiger*.
9. **to interfere with** : *porter atteinte à, empiéter sur, toucher à*.
10. **medicine** : *médecine* ou *médicament*.

Bien perdu, voyez-vous. À vrai dire, j'en étais pas trop fâché. Ce zigoto avait pas cessé d'crâner à propos d'son fichu diam depuis qu'il était monté à bord.

« Une histoire pareille, ça court d'un bout à l'autre d'un navire en un rien de temps. Tout le monde en parlait. Padishah est descendu dans sa cabine cacher ses sentiments. Au dîner — y's goinfrait à une table à part, lui et deux autres hindous —, le capitaine l'a plus ou moins chiné à propos d'cette affaire et ça l'a mis hors de lui. Il s'est r'tourné pour m'parler à l'oreille. Y voulait pas acheter les oiseaux : y voulait récupérer son diam. Il exigeait ses droits en tant que sujet britannique. On devait retrouver son diam. Y transigeait pas sur ce point. Il en appellerait à la Chambre des Lords. Le gardien des oiseaux était l'un d'ces types à l'esprit obtus, à qui on peut pas faire entrer dans l'crâne une idée nouvelle quoi qu'on fasse. Il a rejeté toutes les propositions d'interventions médicamenteuses sur ses oiseaux. Ses instructions étaient d'les nourrir comme ci et comme ça, et d'les traiter comme ci et comme ça, et il aurait risqué de perdre sa place en changeant cette nourriture ou cette façon d'les traiter. Padishah voulait utiliser une pompe stomacale, mais on peut pas s'en servir pour les oiseaux, vous savez. Ce Padishah s'faisait un tas d'idées fausses sur le droit, comme la plupart de ces fichus Bengalais, et il parlait de son droit de gage sur ces oiseaux, etc. Mais un vieux type, qui disait que son fils était avocat à Londres, a fait valoir que ce qu'un oiseau avalait devenait *ipso facto* une partie de son individu et que l'seul recours de Padishah était d'intenter une action en dommages et intérêts,

---

11. **blessed Bengalis** : blessed : *béni*, employé au sens de *sacré, fichu*.

12. **a lien** : terme juridique emprunté au français : *un droit de gage*.

13. **an old boy** : en contexte, emploi familier : *un vieux bonhomme, un vieux type*. **Old boy!** : *Mon vieux*.

14. **remedy** : *remède*, mais aussi : *recours*.

15. **lay in an action (to)** : *intenter un procès, une action*.

and even then it might be possible to show contributory negligence[1]. He hadn't any right of way[2] about an ostrich that didn't belong to him. That upset[3] Padishah extremely, the more so as most of us expressed an opinion that that[4] was the reasonable view. There wasn't any lawyer aboard[5] to settle the matter, so we all talked pretty free[6]. At last, after Aden, it appears that he came round to the general opinion, and went privately to the man in charge and made an offer for all five ostriches.

"The next morning there was a fine shindy[7] at breakfast. The man hadn't any authority to deal with the birds, and nothing on earth would induce him to sell; but it seems he told Padishah that a Eurasian named Potter[8] had already made him an offer, and on that Padishah denounced[9] Potter before us all. But I think the most of us[10] thought it rather smart of Potter, and I know that when Potter said that he'd[11] wired[12] at Aden to London to buy the birds, and would have an answer at Suez, I cursed pretty richly at a lost opportunity[13].

"At Suez, Padishah gave way to[14] tears—actual[15] wet tears—when Potter became the owner of the birds, and offered him two hundred and fifty right off[16] for the five, being more than two hundred per cent. on what Potter had given.

---

1. **contributory negligence**: vocabulaire juridique : *manque de précautions, imprudence.*

2. **right of way**: *priorité.*

3. **upset**: *bouleverser.*

4. **an opinion that that**: Le premier **that** est un relatif, et le second un démonstratif.

5. **aboard**: emploi adverbial.

6. **free**: pour **freely** (fam.).

7. **shindy**: a shindy: *un tapage, un chahut.*

8. **Potter**: a potter: *un potier.* Le nom situe socialement le personnage, né d'un père anglais du bas peuple.

9. **denounced**: to denounce s.o. : *invectiver contre qqn, faire son procès.*

10. **the most of us**: l'article est un explétif de langue vulgaire.

et, même dans ce cas, on pourrait établir son imprudence. Il n'avait pas de droit prioritaire sur une autruche qui lui appartenait pas. Ça a mis Padishah dans tous ses états, d'autant plus que la plupart d'entre nous disions que c'était le point de vue raisonnable. Il n'y avait pas d'homme de loi à bord pour trancher le débat si bien que nous étions tous libres de dire à peu près n'importe quoi. Enfin, après l'escale d'Aden, Padishah semble s'être rangé à l'opinion générale, et il est allé discrètement voir le gardien et lui offrir une somme pour l'ensemble des cinq autruches.

« Le lendemain matin, y a eu un bel esclandre au petit déjeuner. Le gardien n'avait pas compétence pour conclure un marché au sujet de ses oiseaux et rien au monde ne pouvait l'amener à les vendre ; mais il semble avoir dit à Padishah qu'un Eurasien du nom de Potter lui avait déjà fait une offre et, là-dessus, Padishah a fulminé contre Potter devant nous tous. Mais la plupart d'entre nous, je crois, avons trouvé ça plutôt finaud d'la part de Potter, et je sais que, quand Potter a dit qu'il avait envoyé par câble d'Aden à Londres une proposition d'achat des oiseaux et qu'il attendait une réponse en arrivant à Suez, j'ai juré assez copieusement à l'idée d'avoir raté une occase.

« A Suez, Padishah a pas pu s'empêcher de pleurer — de pleurer de vraies larmes — lorsque Potter est devenu le proprio des oiseaux, et y lui a offert deux cent cinquante livres comptant pour les cinq autruches, c'qui était plus de deux cents pour cent de c'que Potter en avait donné.

---

11. **he'd** : he had.

12. **wired** : a wire : *un câble ; to wire : envoyer un câble, un télégramme.*

13. **opportunity** : *occasion* (favorable). **To lose (or miss) an opportunity** : *perdre une occasion.*

14. **gave way to** : to give way to : *céder à, s'abandonner à.*

15. **actual** : *réel(les), véritable(s).*

16. **right off** : *sur-le-champ.*

Potter said he'd be hanged[1] if he parted with[2] a feather of them—that he meant to kill them off one by one and find the diamond; but afterwards, thinking it over, he relented[3] a little. He was a gambling hound[4], was this Potter, a little queer[5] at cards, and this kind of prize-packet business must have suited him down to the ground[6]. Anyhow, he offered, for a lark[7], to sell the birds separately to separate people by auction at a starting price of £80 for a bird. But one of them, he said, he meant to keep for luck.

"You must understand this diamond was a valuable one—a little Jew chap[8], a diamond merchant, who was with us, had put it at[9] three or four thousand when Padishah had shown it to him—and this idea of an ostrich gamble caught on. Now it happened that I'd been having a few talks on general subjects with the man who looked after these ostriches, and quite incidentally he'd said one of the birds was ailing[10], and he fancied it had indigestion[11]. It had one feather in its tail almost all white, by which I knew it, and so when, next day, the auction started with it, I capped[12] Padishah's eighty-five by ninety. I fancy I was a bit too sure and eager with my bid, and some of the others spotted[13] the fact that I was in the know[14]. And Padishah went for that particular bird like an irresponsible lunatic. At last the Jew diamond merchant got it for £175,

---

1. **hanged** : p. p. régulier au sens de *pendaison*.

2. **parted with** : to part with : *se dessaisir de, se défaire de qqch.* **To part from s.o.** : *se séparer de qqn.*

3. **relented** : to relent : *se radoucir, se laisser attendrir.*

4. **gambling hound** : to gamble : *jouer de l'argent.* A gambler : *un joueur.* A gambling hound : même sens, avec un nuance plus péjorative.

5. **queer** : au sens de *suspect.*

6. **down to the ground** (fam.) : *parfaitement, de bout en bout.*

7. **for a lark** : to do sth for a lark : *faire qqch. pour s'amuser, pour rigoler.*

8. **Jew chap** : a chap : *un type.* Jew (substantif) pour Jewish (adj.).

9. **put it at** : to put sth at : *évaluer qqch. à un certain prix.*

10. **ailing** : to ail : *être indisposé, souffrir de qqch.* What ails you? : *de quoi souffrez-vous ? Qu'est-ce qui ne va pas ?*

Potter a répondu qu'y voulait bien être pendu s'il se séparait d'une seule plume de ces autruches et qu'il avait l'intention de les tuer une par une pour trouver le diamant; mais, plus tard, à la réflexion, il a mis un peu d'eau dans son vin. C'était un flambeur, ce Potter, pas très réglo aux cartes, et je suppose que cette affaire en forme de paquet-surprise lui allait comme un gant. En tout cas, histoire de rigoler, il a proposé de vendre les autruches séparément aux enchères, à des personnes différentes, avec une mise à prix de quatre-vingts livres par oiseau. Mais il avait l'intention, à ce qu'il a dit, d'en garder une pour avoir sa chance.

« Y faut vous dire que ce diamant avait du prix — un petit israélite, un diamantaire qui voyageait avec nous, l'avait évalué à trois ou quatre mille livres quand Padishah le lui avait montré — et c't'idée de spéculer sur les autruches a bien mordu. Or, il se trouvait que j'avais bavardé plusieurs fois avec leur gardien et, tout à fait incidemment, il avait dit que l'une d'elles était mal fichue et qu'il supposait qu'elle souffrait de l'estomac. L'une des plumes de sa queue était presque toute blanche ce qui me permettait d'la reconnaître, si bien que, l'endemain, quand la vente aux enchères a commencé par celle-là, j'ai renchéri sur les quatre-vingt-cinq livres de Padishah pour en offrir quatre-vingt-dix. J'pense que j'étais un peu trop sûr de moi et trop ardent dans mon enchère, et certains des autres ont pigé que j'avais un tuyau. Et Padishah a misé comme un vrai dingue sur c't'oiseau-là. Finalement, le diamantaire israélite l'a acquis pour cent soixante-quinze livres,

---

11. **indigestion** : *dyspepsie, mauvaise digestion, embarras gastrique.* *Une indigestion* : **an attack of indigestion.**

12. **capped** : to cap a bid : *surenchérir.* **That caps it all** : *c'est le bouquet, c'est un comble.*

13. **spotted** : to spot : *remarquer, repérer, reconnaître en tant que* **(as).**

14. **in the know** (fam.) : *au parfum, affranchi.*

and Padishah said £180 just after the hammer[1] came down—so Potter declared. At any rate the Jew merchant secured it[2], and there and then[3] he got a gun and shot it. Potter made a Hades of[4] a fuss because he said it would injure[5] the sale of the other three, and Padishah, of course, behaved like an idiot; but all of us were very much excited. I can tell you I was precious glad[6] when that dissection was over, and no diamond had turned up—precious glad. I'd gone to one-forty on that particular bird myself.

"The little Jew was like most Jews—he didn't make any great fuss over bad luck; but Potter declined to go on with the auction until it was understood that the goods[7] could not be delivered[8] until the sale was over. The little Jew wanted to argue that the case was exceptional, and as the discussion ran pretty even[9], the thing was postponed until the next morning. We had a lively dinner-table that evening, I can tell you, but in the end Potter got his way[10], since it would stand to reason[11] he would be safer if he stuck to[12] all the birds, and that we owed him some consideration for his sportsmanlike[13] behaviour. And the old gentleman whose son was a lawyer[14] said he'd been thinking the thing over and that it was very doubtful if, when a bird had been opened and the diamond recovered[15], it ought not to be handed back to the proper owner.

---

1. hammer: *marteau* (de commissaire-priseur). **To come under the hammer**: *être mis aux enchères.*

2. secured it: to secure sth: *acquérir qqch.*

3. there and then: *aussitôt, séance tenante.*

4. a Hades of = a devil of: *de tous les diables.*

5. injure: *nuire à, porter tort à.*

6. precious glad (fam.): **precious** (adv.): *rudement, fichtrement.* **It's precious cold**: *il fait rudement froid.*

7. the goods, toujours pl.: *les marchandises, la marchandise* (au sens collectif). *Une marchandise:* **a piece of goods, a commodity.**

8. delivered: to deliver: *livrer.* **Delivery**: *la livraison.*

9. even: to run even: *être à égalité.* **An even match**: *un match égal.*

10. got his way: to get one's way: *obtenir ce que l'on veut, imposer sa volonté.*

et Padishah en a offert cent quatre-vingts juste après que le marteau est tombé, à ce que Potter a dit. En tout cas, le diamantaire israélite en est devenu propriétaire et il a pris un fusil et l'a tué illico. Potter a fait un foin de tous les diables vu que, disait-il, ça ferait du tort à la vente des trois autres et Padishah, bien sûr, a réagi en idiot ; mais nous étions tous surexcités. J'peux vous dire que j'ai été bigrement content, à la fin de sa dissection, de voir qu'on avait pas trouvé d'diam., bigrement content. J'étais monté moi-même jusqu'à cent quarante livres pour c't'oiseau-là.

« Le petit israélite était comme la plupart de ses coreligionnaires : il a pas fait trop d'histoires à propos de sa malchance ; mais Potter a refusé de prolonger les enchères tant qu'il a pas été admis que la marchandise n'pouvait pas être livrée avant la fin de la vente. Le petit israélite a tenu à faire valoir que les circonstances étaient exception-nelles, et, comme les arguments de part et d'autre se valaient à peu près, on a tout repoussé au lendemain matin. Ce soir-là, à la table du dîner, il y a eu de l'animation, croyez-moi, mais Potter a fini par imposer son point de vue, puisqu'il sautait aux yeux qu'y prendrait moins de risques en gardant tous les oiseaux et que nous lui devions de la considération pour la sportivité de son comportement. Et le vieux monsieur dont le fils était avocat a dit qu'il avait réfléchi à cette affaire et qu'y se d'mandait bien si, une fois ouvert le ventre d'un oiseau et le diamant retrouvé, il ne faudrait pas rendre celui-ci à son juste propriétaire.

---

11. **(to) stand to reason** : *être évident.*

12. **stuck to : to stick to** (fam.) : *s'accrocher à, ne pas lâcher.*

13. **sportsmanlike** : *animé de l'esprit sportif.* **He's a real sportsman** : *c'est un beau joueur.*

14. **lawyer** : *avoué, notaire* ou *avocat.*

15. **recovered : to recover** : *recouvrer, retrouver, récupérer ;* **recovery** : *récupération, guérison.*

I remember I suggested it came under the laws of treasure-trove[1]—which was really the truth of the matter. There was a hot argument[2], and we settled[3] it was certainly foolish to kill the bird on board the ship. Then the old gentleman, going at large[4] through his legal talk, tried to make out[5] the sale was a lottery and illegal, and appealed to the captain; but Potter said he sold the birds *as* ostriches. He didn't want to sell any diamonds, he said, and didn't offer that as an inducement[6]. The three birds he put up[7], to the best of his knowledge and belief, did *not* contain a diamond. It was in the one he kept—so he hoped[8].

"Prices ruled high next day all the same. The fact that now there were four chances instead of five of course caused a rise. The blessed birds averaged[9] £227, and, oddly enough, this Padishah didn't secure one of 'em—not one. He made too much shindy, and when he ought to have been bidding he was talking about liens, and, besides, Potter was a bit down on him[10]. One fell to a quiet little officer chap, another to the little Jew, and the third was syndicated[11] by the engineers[12]. And then Potter seemed suddenly sorry for having sold them, and said he'd[13] flung away a clear thousand pounds, and that very likely he'd draw a blank and that he always had been a fool[14],

---

1. **treasure-trove** (jur.) : *trésor découvert par hasard.* Du mot français *trouver.*

2. **a hot argument** : *une discussion où on s'échauffe, un débat fiévreux.*

3. **we settled** : to settle : *décider* (d'une question), *trancher.*

4. **at large** : *tout au long, en détail* ; **to speak at large on** : *s'étendre sur* (un sujet).

5. **to make out** : *établir, prouver.* **That** *(que)* est sous-entendu.

6. **an inducement** : *une incitation* (à l'achat), *un motif, un mobile.*

7. **put up** : **to put up for sale** : *mettre en vente.*

8. **hoped** : ces dialogues sur le navire sont rapportés, on le notera, avec beaucoup de vivacité. Le vieux monsieur avec son juridisme obsessif de seconde main est un personnage de sketch de music-hall.

9. **averaged** : to average : *atteindre en moyenne* (un prix, une note, une vitesse).

J'me souviens d'avoir émis l'hypothèse que ce diam relevait des lois régissant la découverte d'un trésor, ce qui était bel et bien le fond des choses. Y a eu un débat fiévreux et on a conclu qu'il était à coup sûr stupide de tuer l'oiseau à bord. Puis le vieux monsieur, dans un long développement juridique, a essayé de démontrer que cette vente était une loterie illégale et en a appelé au capitaine ; mais Potter a dit qu'y vendait les oiseaux *en tant* qu'autruches. Il n'avait pas l'intention, selon lui, de vendre des diamants, et n'en faisait pas l'offre pour stimuler la vente. À ce qu'il en savait et le supposait, les trois oiseaux qu'y mettait aux enchères ne contenaient pas de diam. Le diam, espérait-il, était à l'intérieur de celui qu'il gardait.

« Malgré tout, les prix ont flambé le lendemain. Bien entendu, le fait qu'y avait, à présent, une chance sur quatre au lieu d'une sur cinq, poussait à la hausse. Ces fichus zozios ont fait deux cent vingt-sept livres en moyenne et, assez curieusement, ce Padishah n'en a pas acquis un seul, pas un seul. Y faisait trop d'potin et, au moment où il aurait dû renchérir, y parlait de droits de gage, et, en plus, Potter en avait un peu après lui. L'une des autruches est revenue à un petit officier discret, une autre au petit israélite, et la troisième a été acquise en commun par les mécaniciens.

« Après ça, Potter a, tout d'un coup, donné l'impression de regretter d'les avoir vendues et a dit qu'y venait d'jeter par la fenêtre pas moins de mille livres, qu'il allait très probablement faire chou blanc, et qu'il avait toujours été une poire ;

---

10. **down on him** : to be down on s.o. : *en vouloir à qqn, en avoir après qqn.*

11. **syndicated** : *acheté en association.* **The Trades-Unions** : *les syndicats britanniques.*

12. **engineers** : *les mécaniciens* (sur un navire). **The chief engineer** : *le chef mécanicien.*

13. **he'd** : he would.

14. **a fool** : *un naïf, une dupe.* **To fool s.o.** : *duper qqn.*

but when I went and had a bit of a talk to him, with the idea of getting him to hedge[1] on his last chance, I found he'd already sold the bird he'd reserved to a political chap that was on board, a chap who'd been studying Indian morals[2] and social questions in his vacation. That last was the three hundred pounds bird. Well, they landed[3] three of the blessed creatures at Brindisi—though the old gentleman said it was a breach[4] of the Customs[5] regulations— and Potter and Padishah landed too. The Hindoo seemed half mad as he saw his blessed diamond going this way and that, so to speak. He kept on[6] saying he'd get an injunction—he had injunction on the brain—and giving his name and address to the chaps who'd bought the birds, so that they'd know where to send the diamond. None of them wanted his name and address, and none of them would give their own. It was a fine row[7] I can tell you—on the platform[8]. They all went off by different trains. I came on to Southampton, and there I saw the last of the birds, as I came ashore[9]; it was the one the engineers bought[10], and it was standing up near the bridge[11], in a kind of crate, and looking as leggy[12] and silly a setting[13] for a valuable diamond as ever you saw—if it *was* a setting for a valuable diamond.

*"How did it end?* Oh! like that. Well—perhaps. Yes, there's one more thing that may throw light on it.

---

1. **to hedge**: *se couvrir (dans une opération financière à risque)*.

2. **morals**: *les mœurs. La morale*: **morality**.

3. **landed**: **to land**: *débarquer* au sens transitif et intransitif.

4. **a breach**: *une violation, une infraction*. **A breach of trust**: *un abus de confiance*.

5. **Customs**: *douane* (mot invariable). **Customs duties**: *les droits de douane*.

6. **kept on**: **to keep on doing**: *ne pas cesser de faire*.

7. **row**: *chahut* ou *chamaillerie*. Prononcer: [rau].

8. **platform**: *quai de gare*. Un quai (dans un port): **a quay** (pron.: [ki:]).

9. **ashore** (adv.): **to go (come) ashore**: *débarquer*.

mais, quand j'suis allé lui faire un brin de causette, dans l'idée de le convaincre d'me laisser venir en couverture de sa dernière chance, j'ai découvert qu'il avait déjà vendu l'oiseau qu'y s'était réservé à une espèce de politicien qui était à bord, un type qu'avait passé ses vacances aux Indes à y étudier les mœurs et les problèmes sociaux. C'est c'dernier oiseau qu'a atteint trois cents livres. Bref, on a débarqué trois de ces fichus volatiles à Brindisi — bien que le vieux monsieur ait fait remarquer que c'était contraire aux réglements douaniers — et Potter et Padishah ont débarqué eux aussi. L'Hindou semblait à moitié dingo d'voir son fichu diam partir, pour ainsi dire, dans toutes les directions. Il arrêtait pas d'dire qu'il allait obtenir une injonction de justice — cette injonction lui était montée aux méninges — et d'donner son nom et son adresse aux types qu'avaient acheté les oiseaux pour qu'y sachent où envoyer le diam. Aucun d'eux ne voulait connaître son nom et son adresse, ni lui donner les siens ; ça a fait un bel esclandre, croyez-moi, sur l'quai d'la gare. Y sont tous partis par des trains différents. J'ai continué sur le bateau jusqu'à à Southampton et là j'ai vu la dernière des autruches en débarquant : c'était celle que les mécaniciens avaient achetée et elle était debout près de la passerelle de commandement, dans une espèce de caisse à claire-voie, et jamais on a vu un diamant de prix sur une monture aussi longue sur pattes et à l'air aussi bête — à supposer qu'il se soit vraiment agi d'une monture de diamants.

« *Comment ça a fini ?* Oh, comme ça. A vrai dire, c'est pas sûr. Ouais, il y a aut'chose qui peut éclairer cette affaire.

---

10. **bought** : prétérite au sens d'un plus-que-parfait.
11. **the bridge** : (sur un bateau) : *la passerelle de commandement*.
12. **leggy** : *dégingandé, aux longues jambes*.
13. **setting** : *serte, monture* (de diamant).

A week or so after landing I was down Regent Street[1] doing a bit of shopping[2], and who should I see arm-in-arm and having a purple time[3] of it but Padishah and Potter. If you come to think of it ——

"Yes. *I've*[4] thought that[5]. Only, you see, there's no doubt the diamond was real. And Padishah was an eminent Hindoo. I've seen his name in the papers—often. But whether the bird swallowed the diamond certainly is another matter, as you say[6]."

---

1. **Regent Street**: rue londonienne connue pour ses magasins chics.
2. **a bit of shopping**: expression toute faite: **to do a bit of shopping**: *faire quelques emplettes.*
3. **a purple time** (fam.): **to be born in the purple**: *être né dans la pourpre.* **To have a purple time**: *s'amuser royalement, comme des princes.*
4. *I've*: italiques d'insistance.
5. **thought that**: l'hypothèse implicite de l'auteur était, à l'évidence, que le diamant était faux.

Environ une semaine après avoir débarqué, j'étais dans Regent Street à faire quelques achats et devinez qui j'ai vu bras d'sus, bras d'sous, à s'amuser en princes ? Padishah et Potter. Quand on y pense...

« Oui, ça m'est bien v'nu à l'esprit. Mais voyez-vous, y a aucun doute sur l'authenticité du diamant. Et Padishah était un Hindou du gratin. J'ai vu son nom dans les journaux, plus d'une fois. Mais, d'là à êt' sûr qu'l'oiseau a vraiment avalé le diam, c'est, comme vous dites, une aut'paire de manches. »

---

6. **say** : cette dernière phrase livre le pot aux roses, révèle la nature du coup monté par les deux compères : le vol du diamant était imaginaire. Mais les victimes de l'escroquerie ont payé pour leur cupidité, en sorte que le lecteur applaudit à l'arnaque, plutôt que de s'en indigner. Nous sommes en royaume de comédie.

# The Diamond Maker

*Le Fabricant de diamants*

Some business[1] had detained me in Chancery Lane[2] until nine in the evening, and thereafter[3], having some inkling[4] of a headache, I was disinclined[5] either for entertainment or further work. So much of the sky as the high cliffs of that narrow cañon of traffic[6] left visible spoke of a serene night, and I determined to make my way down to the Embankment[7], and rest my eyes and cool my head by watching the variegated lights upon the river. Beyond comparison the night is the best time for this place; a merciful darkness hides the dirt of the waters, and the lights of this transition age, red, glaring orange, gas-yellow, and electric white, are set in shadowy[8] outlines of every possible shade between grey and deep purple. Through the arches of Waterloo Bridge a hundred points of light mark the sweep[9] of the Embankment, and above its parapet rise the towers of Westminster[10], warm grey against the starlight. The black river goes by with only a rare ripple[11] breaking its silence, and disturbing the reflections[12] of the lights that swim upon its surface.

"A warm night," said a voice at my side.

I turned my head, and saw the profile of a man who was leaning over the parapet beside me. It was a refined[13] face, not unhandsome, though pinched[14] and pale enough, and the coat collar turned up and pinned round the throat marked his status in life as sharply as a uniform.

---

1. **business** : mot invariable, *les affaires*.
2. **Chancery Lane** : rue connue dans le quartier des hommes de loi.
3. **thereafter** = **after that** : *ensuite, après cela* (langue écrite).
4. **inkling** : **an inkling of** : *un soupçon de*.
5. **disinclined** : *peu disposé à*.
6. **cañon of traffic** : la métaphore marque une recherche de style.
7. **the Embankment** : avec la majuscule, **the Embankment** désigne, spécifiquement, le quai de la Tamise au centre de Londres.
8. **shadowy** (de **shadow** : *l'ombre portée*) : *ombragé* ou *indistinct*.
9. **sweep** : appliqué à une avenue, une route, etc. : *une (grande) courbe*.
10. **Westminster** : il s'agit du palais **(The House of Parliament)** qui abrite la Chambre des communes et la Chambre des lords.

Des affaires m'avaient retenu dans Chancery Lane jusqu'à neuf heures du soir et, après cela, sentant venir la migraine, je n'avais envie ni de me distraire ni de me remettre au travail. Le petit pan de ciel que laissaient voir les hautes falaises de cet étroit canyon de la circulation signalait une nuit sereine et je résolus de descendre jusqu'au quai de la Tamise pour me reposer les yeux et me rafraîchir l'esprit en contemplant le chatoiement des lumières sur le fleuve. Incomparablement, la nuit est la meilleure période pour admirer ce lieu : un obscurité indulgente cache la saleté des eaux, et les lumières de cet âge de transition — rouges ou d'un orange criard, d'un jaune de gaz ou d'un blanc d'électricité — s'inscrivent dans un cadre flou qui va du gris au violet foncé en passant par toutes les teintes intermédiaires possibles. Au-delà des arches du pont de Waterloo, cent taches lumineuses dessinent la grande courbe du quai et, au-dessus du parapet, s'élèvent les tours de Westminster, d'un gris chaud dans la clarté des étoiles. Le fleuve noir s'écoule dans un silence que de rares clapotis sont seuls à interrompre, comme à troubler les reflets de lumière nageant à la surface.

« Une nuit chaude », dit une voix près de moi.

Je tournai la tête et vis le profil d'un homme qui se penchait au-dessus du parapet à côté de moi. Son visage, distingué, ne manquait pas d'attrait, bien qu'amaigri et assez pâle ; le col de sa veste, relevé et fixé autour de sa gorge par une épingle, indiquait sa condition sociale aussi distinctement qu'un uniforme.

---

11. **ripple** : *ride* (sur l'eau), *ondulation, clapotis.*
12. **reflections** : *reflets, images réfléchies.*
13. **refined** : *a refined man* : *un homme distingué, raffiné.* Ce détail participe du portrait contrasté du personnage : celui d'un homme cultivé, réduit à la misère.
14. **pinched** : *hâve, amaigri* (pour un visage).

I felt I was committed to[1] the price of a bed and breakfast if I answered him[2].

I looked at him curiously. Would he have anything to tell me worth the money[3], or was he the common incapable[4]— incapable even of telling his own story? There was a quality of intelligence in his forehead and eyes, and a certain tremulousness in his nether[5] lip that decided me.

"Very warm," said I; "but not too warm for us here."

"No," he said, still looking across the water, "it is pleasant enough here...just now[6]."

"It is good," he continued after a pause, "to find anything so restful[7] as this in London. After one has been fretting[8] about business all day, about getting on[9], meeting[10] obligations, and parrying[11] dangers, I do not know what one would do if it were not for such pacific corners." He spoke with long pauses between the sentences. "You must know a little of the irksome labour[12] of the world, or you would not be here. But I doubt if you can be so brain-weary and footsore[13] as I am... Bah! Sometimes I doubt if the game is worth the candle. I feel inclined to throw the whole thing over[14]—name[15], wealth, and position—and take to[16] some modest trade. But I know if I abandoned my ambition—hardly as she uses me[17]—I should have nothing but remorse left for the rest of my days."

---

1. **committed to**: to commit oneself to: *s'engager à.*

2. **answered him**: l'homme d'affaires se révèle circonspect, sur la défensive, vis-à-vis d'un pauvre, quémandeur éventuel.

3. **worth the money**: *qui vaille cette dépense.*

4. **common incapable**: ce mépris pour les gens du peuple fait partie d'une critique implicite de la mentalité de « l'homme d'affaires ».

5. **nether**: *inférieur, du bas.* **The nether regions**: *l'enfer.*

6. **just now**: *pour l'instant.* Le personnage, qui couche à la belle étoile, connaît le froid de la nuit à venir.

7. **restful**: **rest**: *le repos;* **restful**: *reposant;* **restless**: *agité.*

8. **fret**: to fret: *se tourmenter, se faire du mauvais sang.*

9. **getting on**: to get on: *réussir, faire son chemin.*

10. **meeting**: to meet a danger: *affronter un risque.*

11. **to parry**: littéralement: *détourner un coup.*

J'eus l'impression que, si je répondais, je m'engageais à lui payer une chambre et un petit déjeuner.

Je le regardai avec curiosité. Aurait-il quelque chose à me raconter qui vaille cet argent, ou était-ce un bon à rien banal, pas même bon à raconter sa propre histoire ? Le don d'intelligence qu'on lisait sur son front et dans ses yeux, et le tremblement de sa lèvre inférieure me décidèrent.

« Très chaude, dis-je, mais pas trop pour nous ici.

— En effet, répondit-il, sans cesser de promener son regard sur l'eau, c'est assez agréable ici... dans l'immédiat. »

« C'est une bonne chose, reprit-il après un silence, de trouver à Londres un lieu aussi reposant. Après s'être tracassé tout le long du jour à propos d'affaires — des progrès à accomplir, des obligations à remplir, des risques à éviter —, je me demande ce qu'on ferait en l'absence de coins de ville aussi paisibles. » Il parlait en faisant de longues pauses entre ses phrases. « Vous devez être un peu au fait des tâches ingrates du monde, sinon vous ne seriez pas ici. Mais je doute que votre esprit puisse être aussi las et que vos pieds puissent être aussi endoloris que les miens... Bah ! Je doute parfois que le jeu en vaille la chandelle. J'éprouve la tentation de renoncer à tout — renommée, richesse, rang social — et à m'engager dans un métier modeste. Mais je sais que si j'abandonnais mon ambition — pour cruelle qu'elle soit à mon égard —, je ne vivrais plus que dans le remords le reste de mes jours. »

---

12. **irksome labour** : **irksome** : *ennuyeux, ingrat*, **labour** : *labeur, tâche*. La langue du personnage témoigne de son éducation.

13. **footsore** : **sore** : *douloureux* ; **to be footsore** : *avoir les pieds endoloris*.

14. **over** : **to throw an attempt over** : *renoncer à une tentative*.

15. **name** : au sens figuré, *réputation, renommée*.

16. **to take to** : *se mettre à*. **To take to literature** : *se mettre à écrire* (profession). Mais **to take to drink** : *se mettre à boire* (mauvaise habitude) ; **to take to s.o.** : *trouver qqn sympathique*.

17. **uses me** : **to use s.o.** : *traiter qqn*. **To be ill-used** : *être maltraité*.

He became silent. I looked at him in astonishment. If ever I saw a man hopelessly[1] hard-up[2] it was the man in front of me. He was ragged[3] and he was dirty, unshaven and unkempt[4]; he looked as though he had been left in a dust-bin for a week. And he was talking to *me*[5] of the irksome worries of a large business. I almost laughed outright[6]. Either he was mad or playing a sorry[7] jest on his own poverty.

"If high aims and high positions," said I, "have their drawbacks of hard work and anxiety, they have their compensations. Influence, the power of doing good[8], of assisting those weaker and poorer than ourselves; and there is even a certain gratification in display[9]..."

My banter[10] under the circumstances was in very vile taste. I spoke on the spur of[11] the contrast of his appearance and speech. I was sorry even while I was speaking.

He turned a haggard[12] but very composed[13] face upon me. Said he[14]: "I forget myself. Of course you would not understand."

He measured[15] me for a moment. "No doubt it is very absurd. You will not believe me even when I tell you, so that it is fairly[16] safe to tell you. And it will be a comfort to tell someone. I really have a big business in hand, a very big business. But there are troubles just now. The fact is...I make diamonds."

---

1. **hopelessly** : *irrémédiablement*.
2. **hard-up : to be hard-up (for money)** : *être à court d'argent*.
3. **ragged** : *en haillons*. **A rag** : *un chiffon, un lambeau*.
4. **unkempt** : *débraillé* ou *hirsute*.
5. **me** : italiques d'insistance. Noter la réaction arrogante de l'homme d'affaires wellsien.
6. **outright** : *franchement, carrément*.
7. **sorry** : piteux(se), pitoyable.
8. **doing good** : le personnage décrit des actions qu'il ne semble guère pratiquer lui-même.
9. **display : to display** : *étaler, afficher*. **To be fond of display** : *aimer l'ostentation*.

Il se tut. Je le regardai avec stupéfaction. Si j'avais jamais vu un homme dans une misère noire, c'était bien celui que j'avais en face de moi. Ses vêtements étaient en loques ; il était sale, non rasé et hirsute : il donnait l'impression d'avoir été abandonné dans une poubelle une semaine entière. Et c'est à moi qu'il parlait des soucis fastidieux d'une grande entreprise. Je faillis éclater de rire. Ou bien il était fou, ou bien il plaisantait lamentablement de sa propre misère.

« Si, répondis-je,. les grandes ambitions et les postes importants ont pour inconvénients une lourde tâche et des soucis, elles offrent des compensations. L'influence, la faculté de faire le bien, d'aider ceux qui sont plus faibles et plus pauvres que nous ; et s'y ajoute même un certain plaisir d'ostentation... »

Mes sarcasmes en de telles circonstances étaient de bien mauvais goût. Je parlais sous l'effet du contraste entre sa présentation et ses propos. Je regrettais mes paroles au moment même où je les prononçais.

Il tourna vers moi son visage défait mais très calme. Il déclara : « Ça m'a échappé. Bien sûr, vous ne pouvez pas comprendre. »

Il me jaugea quelques instants. « C'est sans doute très ridicule. Vous n'allez pas me croire, même si je vous mets au courant : je ne risque donc pas grand-chose à le faire. Et ça me soulagera de me confier à quelqu'un. J'ai bel et bien une grosse affaire en chantier, une très grosse affaire. Mais je rencontre des difficultés dans l'immédiat. C'est que... je fabrique des diamants. »

---

10. **banter** : *raillerie, persiflage*. **Bantering** : *goguenard*.
11. **on the spur of** : littéralement : *éperonné, stimulé par*.
12. **haggard** : *hâve, décharné, défait*.
13. **composed** : *tranquille, serein*.
14. **said he** : inversion littéraire.
15. **measured** : to measure s.o. : *toiser qqn, prendre la mesure de qqn*.
16. **fairly** : *assez, passablement*. **Fairly good** : *assez bien*.

"I suppose," said I, "you are out of work[1] just at present?"

"I am sick[2] of being disbelieved," he said impatiently, and suddenly unbuttoning his wretched coat he pulled out a little canvas bag that was hanging by a cord[3] round his neck. From this he produced a brown pebble[4]. "I wonder if you know enough to know what that is?" He handed it to me.

Now[5], a year or so ago, I had occupied my leisure in taking a London science degree[6], so that I have a smattering of[7] physics and mineralogy. The thing was not unlike[8] an uncut diamond of the darker[9] sort, though far too large, being almost as big as the top of my thumb. I took it, and saw it had the form of a regular octahedron, with the carved[10] faces peculiar to the most precious of minerals. I took out my penknife and tried to scratch it—vainly. Leaning forward towards the gas-lamp[11], I tried the thing on my watch-glass, and scored[12] a white line across that with the greatest ease.

I looked at my interlocutor with rising curiosity. "It certainly is rather like a diamond. But, if so, it is a Behemoth[13] of diamonds. Where did you get it?"

"I tell you I made it," he said. "Give it back to me."

He replaced it hastily and buttoned his jacket. "I will[14] sell it you for one hundred pounds," he suddenly whispered eagerly[15].

---

1. **out of work**: *en chômage.* L'homme d'affaires ironise.

2. **sick**: *malade* ou *las de, fatigué de.* **I am sick of it**: *j'en ai assez.*

3. **a cord**: *une corde mince, une cordelette. Une corde* serait: **a rope.**

4. **pebble**: *caillou, galet.* **A pebble beach**: *une plage de galets.*

5. **now**: signifie souvent *or* au sein d'une narration.

6. **degree**: **a degree**: *une licence;* **to take a degree**: *préparer une licence.*

7. **a smattering of**: *des rudiments, des notions de.*

8. **not unlike = like**: emploi idiomatique de la double négation.

9. **darker**: comparatif idiomatique que l'on ne traduit pas en français.

128

« Je présume, dis-je, que vous êtes momentanément en chômage ?

— Je suis las de ne pas être cru », dit-il d'un ton impatienté, et il déboutonna soudain sa veste misérable pour en tirer un petit sac en toile, suspendu par une cordelette autour de son cou. Il sortit du sac un caillou brun.

« Je me demande si vous en savez assez pour reconnaître ceci ? » Il me tendit le caillou.

Or, environ un an plus tôt, j'avais occupé mon temps libre à passer une licence de sciences à Londres, si bien que j'ai quelques notions de physique et de minéralogie. L'objet ressemblait à un diamant non taillé, de couleur foncée, bien qu'il fût bien trop grand, puisqu'il était presque de la grosseur du sommet de mon pouce. Je le pris dans la main et vis qu'il avait la forme d'un octaèdre régulier, avec les flancs coupés qui caractérisent le plus précieux des minéraux. Je sortis mon canif et j'essayai de l'érafler : en vain. En me penchant vers le réverbère, j'essayai l'objet sur le verre de ma montre et rayai celui-ci sans le moindre effort d'une ligne blanche de bout en bout.

Je regardai mon interlocuteur avec une curiosité grandissante. « À coup sûr, ça ressemble à un diamant. Mais, dans ce cas, c'est un diamant d'une taille monstrueuse. Où vous l'êtes-vous procuré ?

— Je vous dis que je l'ai fabriqué. Rendez-le-moi. »

Il le remit précipitamment à sa place et boutonna sa veste. « Je suis prêt à vous le vendre pour cent livres », murmura-t-il soudain avidement.

---

10. **carved**: to carve : *sculpter, tailler, couper.*
11. **gas-lamp**: la ville de Londres était encore éclairée au gaz.
12. **scored**: to score : *érafler, strier, rayer.*
13. **Behemoth**: animal biblique : *un monstre* (au sens figuré).
14. **I will**: I am willing to : *je veux bien, je consens à.*
15. **eager**: *ardent, passionné, impatient.*

With that my suspicions returned. The thing might, after all, be merely[1] a lump[2] of that almost equally hard substance, corundum, with an accidental resemblance in shape to the diamond. Or if it was a diamond, how came he[3] by it, and why should be offer it at a hundred pounds?

We looked into one another's eyes. He seemed eager, but honestly eager. At that moment I believed it was a diamond he was trying to sell. Yet I am a poor man[4], a hundred pounds would leave a visible gap[5] in my fortunes and no sane[6] man would buy a diamond by gaslight from a ragged tramp[7] on his personal warranty[8] only. Still, a diamond that size conjured up a vision of many thousands of pounds. Then, thought I, such a stone could scarcely exist without being mentioned in every book on gems, and again I called to mind the stories of contraband and light-fingered[9] Kaffirs at the Cape. I put the question of purchase on one side[10].

"How did you get it?" said I.

"I made it."

I had heard something of Moissan[11], but I knew his artificial diamonds were very small. I shook my head.

"You seem to know something of this kind of thing. I will tell you a little about myself. Perhaps then you may think better of[12] the purchase." He turned round with his back to the river, and put his hands in his pockets. He sighed. "I know you will not believe me."

---

1. **merely**: *simplement, seulement.*
2. **lump**: *gros morceau, bloc* (de pierre), *masse* (de plomb).
3. **how came he**: style littéraire = **how did he come. To come by**: *trouver, acquérir, se procurer.*
4. **a poor man**: pauvreté évidemment relative.
5. **a gap**: *une brèche, un trou.*
6. **sane**: *sain d'esprit, sensé.* **Insane**: *fou.*
7. **tramp**: *vagabond, clochard.*
8. **warranty**: *attestation, garantie.* **To warrant**: *garantir.*
9. **light-fingered**: *aux doigts agiles.* **He is light-fingered**: *c'est un*

Là-dessus, mes soupçons me revinrent. L'objet pourrait bien après tout n'être qu'un morceau de cette substance presque aussi dure, le corindon : un morceau dont la forme ressemblerait par hasard à celle du diamant. Ou, à supposer que ce fût un diamant, comment se l'était-il procuré ? et pourquoi l'offrirait-il pour cent livres ?

Nous nous regardâmes dans les yeux. Il semblait passionné, mais d'une passion honnête. À ce stade, j'avais la conviction que c'était bien un diamant qu'il essayait de vendre. Pourtant, je suis pauvre : cent livres feraient un trou visible dans mon avoir, et aucun homme sensé n'achèterait, à la lueur d'un réverbère, un diamant d'un clochard en haillons, sans autre garantie que la sienne. Tout de même, un diamant de cette taille évoquait la vision de plusieurs milliers de livres sterling. Après quoi, je me dis qu'une si grosse pierre ne saurait exister sans être citée dans tous les ouvrages traitant des joyaux et, en outre, je me rappelai les histoires de contrebande et les anecdotes sur les Cafres voleurs de la région du Cap. Je renonçai à l'idée de cet achat.

« Comment vous l'êtes-vous procuré ? demandai-je.

— Je l'ai fabriqué. »

J'avais entendu parler de Moissan, mais je savais que ses diamants artificiels étaient tout petits. Je secouai la tête.

« Vous avez l'air d'avoir quelques lumières sur ce genre de choses. Je vais vous parler un peu de moi. Peut-être alors serez-vous plus favorable à cet achat. » Il pivota sur lui-même en tournant le dos au fleuve et mit les mains dans ses poches. Il soupira : « Je sais que vous n'allez pas me croire. »

---

*voleur, un pickpocket.* Il s'agit, bien sûr, ici, des Cafres travaillant dans les mines de diamants sud-africaines.

10. **on one side : to put on one side :** *mettre de côté, renoncer à.*

11. **Moissan :** Henri Moissan (1852-1907) avait fait de nombreuses expériences de fusion de métaux à température élevée.

12. **think better of : to think better of :** *revenir sur une décision, changer d'avis* (au sujet de qqch.).

"Diamonds," he began—and as he spoke his voice lost its faint flavour[1] of the tramp and assumed something of[2] the easy tone of an educated man—"are to be made by throwing carbon out of combination in a suitable[3] flux[4] and under a suitable pressure; the carbon crystallises out, not as blacklead or charcoal-powder, but as small diamonds. So much has been known to chemists for years, but no one yet has hit upon[5] exactly the right flux in which to melt up[6] the carbon, or exactly the right pressure for the best results. Consequently the diamonds made by chemists are small and dark, and worthless[7] as jewels. Now I, you know, have given up my life to this problem—given my life to it.

"I began to work at the conditions of diamond making when I was seventeen, and now I am thirty-two. It seemed to me that it might take all the thought and energies of a man for ten years, or twenty years, but, even if it did, the game was still worth the candle. Suppose one to have at last just hit the right trick[8], before the secret got out and diamonds became as common as coal, one might realise millions. Millions[9]!"

He paused and looked for my sympathy[10]. His eyes shone hungrily[11]. "To think," said he, "that I am on the verge of[12] it all, and here!

"I had," he proceeded[13], "about a thousand pounds when I was twenty-one,

---

1. **flavour :** littéralement : *saveur = ce qui caractérise.*

2. **something of :** *qqch. de, plus ou moins de.*

3. **suitable :** *adapté, convenable,* de **to suit :** *convenir.*

4. **flux :** en métallurgie : *un fondant :* substance qui contribue à la fusion d'un métal.

5. **hit upon : to hit upon :** *découvrir par hasard, tomber sur.*

6. **to melt up :** *fondre* ou *faire fondre.* **A melting pot :** *un creuset.*

7. **worthless : worth :** *valeur.* **Worthless :** *sans valeur* ou *indigne.*

8. **the right trick : a trick :** *un procédé* (fam.). **The tricks of a trade :** *les astuces d'un métier.* **A trickster** (péj.): *un escroc.*

9. **millions!** Ce style exclamatif montre que ce personnage à idée fixe est mû par la cupidité.

« Les diamants, commença-t-il — et, à mesure qu'il parlait, sa voix perdait sa légère inflexion de mendicité et prenait plus ou moins le ton détaché d'un homme cultivé —, les diamants s'obtiennent en décomposant le carbone sous l'effet d'un fondant et d'une pression convenables ; le carbone se cristallise non pas sous forme de graphite ou de charbon de bois en poudre, mais sous l'aspect de petits diamants. Les chimistes savent tout cela depuis des années, mais aucun d'eux jusqu'à présent n'a trouvé le fondant idéal dans lequel liquéfier le carbone, ou la pression idéale pour obtenir les meilleurs résultats. Il s'ensuit que les diamants produits par les chimistes sont petits, opaques, et dépourvus de valeur en tant que joyaux. Or moi, sachez-le, j'ai voué mon existence à ce problème — je lui ai consacré ma vie.

« J'ai commencé à travailler sur les conditions de la fabrication des diamants à l'âge de dix-sept ans et j'en ai trente-deux aujourd'hui. Il me semblait que cela pourrait occuper toutes les pensées et toute l'énergie d'un homme pendant dix ou vingt ans, et que, même si tel était le cas, le jeu en valait malgré tout la chandelle. Celui qui, par hypothèse, aurait enfin trouvé précisément la recette voulue, avant que le secret ne se répande et que les diamants deviennent aussi banals que le charbon, celui-là pourrait gagner des millions de livres. Des millions ! »

Il se tut et me regarda en quête de compréhension. Ses yeux brillaient avidement. « Quand on pense, dit-il, que je suis sur le point d'aboutir, et que me voici ! »

« À vingt et un ans, poursuivit-il, je disposais de mille livres environ

---

10. **sympathy** : *sympathie, commisération* ou, au sens étymologique, *compréhension*. **To sympathize with s.o.** : *être de cœur avec qqn.*

11. **hungrily** : hungry : *affamé,* mais aussi : *avide.*

12. **on the verge of** : *au bord de, sur le seuil* (par ex. d'une découverte).

13. **he proceeded** : *continua-t-il, poursuivit-il.* On pourrait dire aussi : **he went on, he went on to say.**

and this, I thought, eked out[1] by a little teaching, would keep[2] my researches going. A year or two was spent[3] in study, at Berlin chiefly, and then I continued on my own account. The trouble was the secrecy. You see, if once I had let out[4] what I was doing, other men might have been spurred on[5] by my belief in the practicability of the idea; and I do not pretend to be such a genius as to have been sure of coming in first[6], in the case of a race for the discovery. And you see it was important that if I really meant to make a pile[7], people should not know it was an artificial process and capable of turning out diamonds by the ton[8]. So I had to work all alone. At first I had a little laboratory, but as my resources began to run out[9] I had to conduct my experiments in a wretched unfurnished[10] room in Kentish Town[11], where I slept at last on a straw mattress on the floor among all my apparatus[12]. The money simply flowed away. I grudged myself[13] everything except scientific appliances. I tried to keep things going by a little teaching, but I am not a very good teacher, and I have no university degree, nor very much education except in chemistry, and I found I had to give a lot of time and labour for precious[14] little money. But I got nearer and nearer the thing. Three years ago I settled[15] the problem of the composition of the flux, and got near the pressure by putting this flux of mine and a certain carbon composition into a closed-up gun-barrel,

----

1. **eked out : to eke out :** *suppléer à l'insuffisance de, augmenter* (ses revenus).

2. **keep :** idée de *continuer* ou de *maintenir*.

3. **spent : to spend money, time :** *dépenser* (de l'argent) ou *passer* (du temps).

4. **let out : to let out a secret :** *laisser échapper, révéler un secret.*

5. **spurred on :** *éperonné, stimulé.*

6. **coming in first : to come in first :** *gagner une course.*

7. **to make a pile** (fam.) : *faire sa pelote, faire fortune.*

8. **by the ton :** *à la tonne.* **To sell by the kilo :** *vendre au kilo.*

9. **to run out :** *s'épuiser, se tarir* (source, ressources, argent).

10. **unfurnished :** *non meublé(e).* **A furnished room :** *un meublé.*

et je me disais que cette somme, complétée par les revenus de quelques leçons particulières, me permettrait de poursuivre mes recherches. J'ai passé un ou deux ans à étudier, surtout à Berlin, après quoi, j'ai continué par moi-même. La difficulté c'était de garder le secret. Voyez-vous, si j'avais révélé un jour ce que je faisais, d'autres hommes auraient pu être stimulés par ma confiance dans la vertu pratique de mon idée ; et je ne prétends pas être assez génial pour avoir l'assurance d'arriver le premier, dans l'hypothèse d'une course à la découverte. Et, si j'avais vraiment l'intention de faire fortune, il était important, voyez-vous, que les gens ne sachent pas qu'il s'agissait d'un procédé de fabrication artificielle et, de plus, susceptible de produire des diamants à la tonne. Il m'a, donc, fallu travailler tout seul. Au début, je disposais d'un petit laboratoire mais, comme mes ressources commençaient à se tarir, j'ai dû procéder à mes expériences dans une pièce vide du quartier de Kentish Town : j'ai fini par y dormir sur une paillasse au milieu de tous mes appareils. L'argent me filait littéralement entre les doigts. Je me refusais tout, sauf le matériel scientifique. J'essayais de me maintenir à flot en donnant quelques leçons, mais je ne suis pas un très bon pédagogue et je n'ai pas de titre universitaire, non plus que de grandes connaissances sauf en chimie, et je me suis rendu compte que ça me demandait beaucoup de temps et d'efforts pour sacrément peu d'argent. Mais j'approchais de plus en plus de mon but. Il y a trois ans, j'ai résolu le problème de la composition du fondant et j'ai presque atteint la bonne pression en versant ce fondant que j'avais découvert, mêlé à un certain composé de carbone, dans un baril à poudre obturé :

---

11. **Kentish Town** : quartier du nord-ouest de Londres.
12. **apparatus** : mot à sens collectif, *appareils de laboratoire*.
13. **grudged myself** : to grudge oneself sth : *se refuser qqch*.
14. **precious** : sens adverbial intensif. **A precious liar** : *un joli menteur*.
15. **settled** : to settle : *régler, résoudre* (un problème, une question).

filling up with water, sealing tightly[1], and heating."

He paused.

"Rather risky," said I.

"Yes. It burst[2], and smashed all my windows and a lot of my apparatus; but I got a kind of diamond powder nevertheless. Following out[3] the problem of getting a big pressure upon the molten[4] mixture from which the things were to[5] crystallise, I hit upon some researches of Daubré's[6] at the Paris *Laboratorie[7] des Poudres et Salpêtres*. He exploded dynamite in a tightly screwed steel cylinder, too strong to burst, and I found he could crush rocks into a muck[8] not unlike the South African bed in which diamonds are found. It was a tremendous strain[9] on my resources, but I got a steel cylinder made[10] for my purpose after his pattern. I put in all my stuff[11] and my explosives, built up a fire in my furnace, put the whole concern[12] in, and—went out for a walk."

I could not help laughing at his matter-of-fact[13] manner. "Did you not think it would blow up the house? Were there other people in the place?"

"It was in the interest of science[14]," he said ultimately. "There was a costermonger family on the floor below, a begging-letter writer in the room behind mine, and two flower-women were upstairs.

---

1. **tightly : tight** : *serré ;* **tightly** : *étroitement, hermétiquement.*

2. **it burst : to burst** : *éclater, exploser.*

3. **following out : to follow out** : *poursuivre* (une recherche, une idée) *jusqu'à son terme.*

4. **molten** (p.p. de **to melt** : *fondre*) : *en fusion.*

5. **were to : to be to** : *devoir* annonçant un futur, une attente, un projet. **They were to come** : *il était prévu qu'ils viendraient.*

6. **Daubré** : Auguste Daubrée (1814-1896).

7. **Laboratorie** (sic) : pour *laboratoire.*

8. **muck** : *boue, gadoue, fumier.* **A mucky weather** : *un sale temps.*

9. **strain** : *tension.* **A strain on s.o.'s purse** : *une dépense qui grève le budget de qqn.*

10. **made : I got a cylinder made** = **I had a cylinder made** : *j'ai fait fabriquer un cylindre.*

136

j'ai fini de le remplir avec de l'eau, l'ai scellé hermétiquement et l'ai porté à haute température. »

Il marqua un temps.

« Plutôt dangereux, dis-je.

— Oui, ça a explosé en brisant toutes mes vitres et une bonne partie de mes appareils ; mais j'ai, néanmoins, obtenu une espèce de poudre de diamant. En continuant d'étudier ce problème de l'obtention d'une pression forte sur le mélange en fusion à partir duquel la cristallisation devait se faire, j'ai découvert certaines recherches auxquelles Daubré avait procédé au *Laboratoire des Poudres et Salpêtres* de Paris. Il avait fait exploser de la dynamite dans un cylindre en acier au couvercle hermétiquement vissé, trop solide pour éclater ; et je me suis aperçu qu'il était parvenu à écraser des roches pour obtenir une boue plus ou moins semblable aux gisements d'Afrique du Sud où l'on trouve des diamants. Quitte à grever sérieusement mon budget, j'ai fait fabriquer pour mon usage un cylindre en acier sur le même modèle. J'ai mis toute ma mixture à l'intérieur avec mes explosifs et, après avoir attisé le feu dans mon four, j'y ai déposé le tout et... je suis sorti faire un tour. »

Je ne pus m'empêcher de rire de sa façon de prendre la chose comme allant de soi. « Vous ne vous êtes pas dit que ça ferait sauter la maison ? Y avait-il d'autres locataires à l'intérieur ?

— C'était dans l'intérêt de la science, dit-il enfin. À l'étage au-dessous, habitait la famille d'un marchand des quatre-saisons ; dans la pièce de derrière, il y avait un mendiant par correspondance ; et, en haut, vivaient deux bouquetières.

---

11. **stuff** : mot de sens vague : *mon matériel, mon fourbi,* ici : *mon mélange.*

12. **the whole concern** : *tout ce dont il est question, le tout.*

13. **matter-of-fact** : *neutre, prosaïque.*

14. **science** : la science de ce chercheur se révèle sans conscience.

Perhaps it was a bit thoughtless[1]. But possibly some of them were out.

"When I came back the thing was just where I left it[2], among the white-hot[3] coals. The explosive hadn't burst[4] the case. And then I had a problem to face. You know time is an important element in crystallisation. If you hurry the process the crystals are small—it is only by prolonged standing that they grow to any size[5]. I resolved to let this apparatus cool for two years, letting the temperature go down slowly during that time. And I was now quite out of money; and with a big fire and the rent of my room, as well as my hunger to satisfy, I had scarcely a penny[6] in the world.

"I can hardly[7] tell you all the shifts[8] I was put to while I was making the diamonds. I have sold newspapers, held horses, opened cab-doors. For many weeks I addressed envelopes. I had a place as assistant[9] to a man who owned a barrow[10], and used to[11] call down one side of the road while he called down the other. Once for a week I had absolutely nothing to do, and I begged. What a week that was! One day the fire was going out and I had eaten nothing all day, and a little chap taking his girl out, gave me sixpence—to show-off[12]. Thank heaven for vanity! How the fish-shops smelt! But I went and spent it all on coals, and had the furnace bright red again, and then—— Well, hunger makes a fool of a man[13].

---

1. **thoughtless** : *irréfléchi, inconsidéré.*
2. **I felt it** : prétérite au sens d'un plus-que-parfait.
3. **white-hot** : *chauffés à blanc;* de même : **red-hot** : *chauffé au rouge.*
4. **burst** : emploi transitif : **to burst** : *faire éclater.*
5. **any size** : *une taille digne de considération.*
6. **a penny** : à l'époque, la 240ᵉ partie d'une livre, à présent, la 100ᵉ.
7. **hardly** : adv. semi-négatif : *guère.*
8. **shifts** : *expédients.* **Shiftless** : *indolent* ou *peu débrouillard.*
9. **assistant** : *aide, adjoint, auxiliaire.* **A (shop) assistant** : *un vendeur.*
10. **a barrow** : *une baladeuse, une voiture à bras.*
11. **used to** (fréquentatif) : imparfait de répétition.

C'était sans doute un peu irréfléchi. Mais peut-être qu'une partie d'entre eux étaient sortis.

« À mon retour, le cylindre était resté à l'endroit précis où je l'avais laissé : sur les charbons chauffés à blanc. L'explosif n'avait pas fait éclater son contenant. Alors je me suis trouvé devant un problème. Vous savez que le facteur temps joue beaucoup dans la cristallisation. Si l'on accélère le processus, les cristaux sont petits : ce n'est qu'en prolongeant la durée qu'ils peuvent sérieusement grandir. J'ai décidé de laisser l'appareil refroidir sur deux années, en permettant à la température de s'abaisser lentement tout au long de cette période. Et j'étais alors démuni de tout argent : pratiquement sans le sou pour entretenir un grand feu, faire face à mon loyer, et assouvir ma faim.

« Je ne saurais vous dire tous les expédients auxquels j'ai dû recourir pendant ma fabrication des diamants. J'ai vendu des journaux, tenu des chevaux en bride, ouvert des portières de fiacre. Pendant bien des semaines, j'ai écrit des adresses sur des enveloppes. J'ai servi de vendeur à un marchand ambulant, et je faisais à la criée les maisons sur un côté de la rue pendant qu'il faisait celles de l'autre. Une fois, je suis resté une semaine sans le moindre travail, et j'ai mendié. Quelle semaine que celle-là ! Un jour, le feu s'éteignait et je n'avais rien mangé de la journée, et un petit homme qui sortait sa bonne amie m'a donné six pence pour l'épater. Dieu merci, la vanité existe ! Comme l'odeur des poissonneries était forte ! Mais je suis allé dépenser tout ça pour acheter du charbon et j'ai fait à nouveau rougeoyer le four, après quoi... Ma foi, la faim nous fait faire des bêtises.

---

12. **to show off** : *faire de l'épate.*

13. **makes a fool of a man** : cf. **to make a fool of oneself** : *se rendre ridicule.* Le personnage ne nous dit pas quelle(s) bêtise(s) il a faite(s) pour se remplir l'estomac. Sans en venir à une telle indigence, Wells, jeune homme, avait lui aussi connu la pauvreté à une période récente : d'où une part d'identification au sein de cette nouvelle, un peu moins légère que les précédentes.

"At last, three weeks ago, I let the fire out. I took my cylinder and unscrewed it while it was still so hot that it punished[1] my hands, and I scraped out the crumbling[2] lava-like mass with a chisel[3], and hammered it into a powder upon an iron plate. And I found three big diamonds and five small ones. As I sat on the floor hammering, my door opened, and my neighbour, the begging-letter writer, came in. He was drunk—as he usually is. "Nerchist[4],' said he. 'You're drunk,' said I. "Structive[5] scoundrel[6],' said he. 'Go to your father,' said I, meaning the Father of Lies[7]. 'Never you mind,' said he, and gave me a cunning[8] wink, and hiccupped, and leaning up against the door, with his other eye against the door-post, began to babble[9] of how he had been prying[10] in my room, and how he had gone to the police that morning, and how they[11] had taken down[12] everything he had to say—"siffiwas[13] a ge'm', said he. Then I suddenly realised I was in a hole[14]. Either I should[15] have to tell these police my little secret, and get the whole thing blown upon, or be lagged[16] as an Anarchist. So I went up to my neighbour and took him by the collar, and rolled him about a bit, and then I gathered up my diamonds and cleared out[17]. The evening newspapers called my den the Kentish-Town Bomb Factory. And now I cannot part with[18] the things for love or money[19].

---

1. **punished :** to punish : peut signifier *malmener, faire mal.*
2. **crumbling :** (a crumb : *une miette*). To crumble : *s'émietter, s'effriter.*
3. **a chisel :** *un ciseau de maçon, un burin.*
4. **'nerchist** = **anarchist** (l'ivrogne avale une syllabe).
5. **'structive : destructive.**
6. **scoundrel :** *scélérat, chenapan, canaille.*
7. **the Father of Lies :** le chercheur envoie son voisin au diable.
8. **cunning :** *rusé, fourbe.*
9. **to babble :** *bavarder, jaser.*
10. **prying :** to pry : *fureter, fouiner, fourrer son nez partout.* A prying person : *une personne indiscrète ;* a prying look : *un regard inquisiteur.*
11. **they :** sens pluriel = *les policiers.*
12. **taken down :** to take down : *prendre en note.*
13. **'siffiwas :** as if it was.

140

« Enfin, il y a trois semaines, j'ai laissé le feu s'éteindre. J'ai pris mon cylindre et je l'ai dévissé, alors qu'il était encore si brûlant qu'il m'a écorché les mains ; ensuite, j'ai gratté à l'aide d'un burin pour dégager le magma en décomposition, qui ressemblait à de la lave, et je l'ai pulvérisé en le martelant sur un plat en fer. Et j'ai découvert trois gros diamants et cinq petits. Pendant que j'étais assis sur le sol, en train de donner des coups de marteau, ma porte s'est ouverte et mon voisin, le mendiant par correspondance, est entré. Il était ivre, à son habitude. "'Narchiste," a-t-il dit. "Vous êtes saoul" lui ai-je répondu. "Sale destructeur", a-t-il ajouté. "Allez voir votre père", ai-je répliqué, en faisant allusion au père des mensonges. "Vous en faites pas", a-t-il répondu, et il m'a fait un clin d'œil fourbe, suivi d'un hoquet : ensuite, il a pris appui contre la porte, un œil contre l'huisserie, et s'est mis à jaser sur ce qu'il avait fait : comment il avait fouiné dans ma chambre ; comment il était allé à la police ce matin-là ; et comment la police avait pris note de tout ce qu'il avait à dire, "comme si c'était une pierre précieuse", a-t-il commenté. Alors, je me suis brusquement rendu compte que j'étais dans une impasse. Ou bien il me faudrait révéler mon petit secret à ces policiers et laisser éventer la mèche ou bien me faire coffrer comme anarchiste. Alors, je suis allé prendre mon voisin au collet et je l'ai un peu bousculé ; après quoi, j'ai ramassé mes diamants et j'ai filé. Les journaux du soir ont appelé mon cabinet de travail la fabrique de bombes de Kentish Town. Et à présent, je n'arrive pas à placer ces diamants à quelque prix que ce soit.

---

14. **in a hole** : to find oneself in a hole : *se trouver dans le pétrin, dans un mauvais pas.*
15. **I should** : au sens de : *il faudrait que je...*
16. **lagged** (fam.) : **to get lagged** : *se faire mettre au bloc.*
17. **cleared out** : to clear out : *décamper, filer.*
18. **part with (to)** : *céder, se défaire de.*
19. **for love or money** : (locution) : *à quelque prix que ce soit.*

"If I go in to respectable jewellers they ask me to wait, and go and whisper to a clerk to fetch a policeman, and then I say I cannot wait. And I found out a receiver[1] of stolen goods, and he simply stuck to[2] the one I gave him and told me to prosecute[3] if I wanted it back. I am going about now with several hundred thousand pounds-worth of diamonds round my neck, and without either food or shelter. You are the first person I have taken into my confidence. But I like your face and I am hard-driven[4]."

He looked into my eyes.

"It would be madness," said I, "for me to buy a diamond under the circumstances. Besides, I do not carry hundreds of pounds about in my pocket. Yet I more than half believe your story. I will, if you like, do this: come to my office to-morrow..."

"You think I am a thief!" said he keenly[5]. "You will tell the police. I am not coming into a trap."

"Somehow I am assured you are no thief[6]. Here is my card. Take that, anyhow. You need not come[7] to any appointment. Come when you will."

He took the card, and an earnest[8] of my good-will.

"Think better of it and come," said I.

He shook his head doubtfully. "I will pay back your half-crown[9] with interest some day—such interest as will amaze[10] you," said he.

---

1. **a receiver**: *un recéleur*.

2. **stuck to** (fam.): *n'a pas voulu lâcher*.

3. **to prosecute**: *faire un procès, engager des poursuites*. **The public prosecutor**: *le procureur*.

4. **hard-driven**: *poussé dans mes retranchements, réduit aux abois* (**hard**: *cruellement*).

5. **keenly**: ici, sans doute, *avec âpreté* (de **keen**: *aigu*). Le plus souvent **keenly** = *avec enthousiasme*. **To be keen on**: *être passionné de, par*.

6. **no thief** = **not a thief**: négation d'insistance.

7. **need not come**: **to need**, *avoir besoin de*, se conjugue comme un auxiliaire. Il en va de même de **to dare**: *oser*. **He dared not come**: *il n'osait pas venir*.

« Si je vais voir des bijoutiers honorables, ils me prient d'attendre et vont chuchoter dans l'oreille d'un vendeur d'aller chercher un agent et je leur dis alors que je ne peux pas attendre. Et j'ai déniché un receleur d'objets volés et il a tout bonnement gardé pour lui le diamant que je lui avais remis en me disant que, si je voulais le récupérer, je n'avais qu'à lui faire un procès. À présent, je me promène avec, autour du cou, des diamants d'une valeur de plusieurs centaines de milliers de livres, sans avoir le gîte ou le couvert. Vous êtes la première personne à qui je me suis confié. Mais votre visage m'est sympathique et je suis aux abois. »

« Ce serait folie de ma part, répondis-je, d'acheter un diamant dans ces conditions. D'ailleurs, je ne me promène pas avec des centaines de livres sterling dans ma poche. Pourtant, je suis bien tenté de croire à votre histoire. Si vous voulez, voici ce que je vais faire : venez demain me voir à mon bureau...

— Vous me prenez pour un voleur ! s'écria-t-il âprement. Vous allez prévenir la police. Je ne donnerai pas dans le piège.

— Je ne sais pas pourquoi, mais j'ai la conviction que vous n'êtes pas un voleur. Voici ma carte. Et prenez ceci, en tout cas. Inutile de venir à un rendez-vous fixe. Venez quand vous voudrez. »

Il prit la carte de visite et un gage de mon bon vouloir.

« Ravisez-vous et venez », ajoutai-je.

Il secoua la tête d'un air de doute. « Un jour, dit-il, je vous rembourserai votre demi-couronne avec des intérêts : des intérêts qui vous stupéfieront.

---

8. **an earnest :** *un gage* (**earnest :** *sérieux*). **Earnest money :** *des arrhes.*

9. **half-crown : a half-crown** était une pièce de deux shillings et demi, soit le 1/8 d'une livre sterling.

10. **(to) amaze :** *confondre, stupéfier, éblouir.*

"Anyhow, you will keep the secret?... Don't follow me."

He crossed the road and went into the darkness towards the little steps under the archway[1] leading into Essex Street, and I let him go. And that was the last I ever saw of him.

Afterwards I had two letters from him asking me to send bank-notes—not cheques—to certain addresses. I weighed[2] the matter over, and took what I conceived to be the wisest course[3]. Once he called upon me when I was out. My urchin[4] described him as a very thin, dirty, and ragged man, with a dreadful[5] cough. He left no message. That was the finish of him so far as my story goes. I wonder sometimes what has become of him. Was he an ingenious monomaniac, or a fraudulent dealer in pebbles, or has he really made diamonds as he asserted? The latter[6] is just sufficiently credible to make me think at times that I have missed the most brilliant opportunity of my life[7]. He may of course be dead, and his diamonds carelessly thrown aside[8]—one, I repeat, was almost as big as my thumb. Or he may be still wandering about trying to sell the things. It is just possible he may yet emerge upon society[9], and, passing athwart[10] my heavens in the serene altitude sacred[11] to the wealthy[12] and the well-advertised[13], reproach me silently for my want of enterprise. I sometimes think I might at least have risked five pounds[15].

---

1. **archway** : *passage voûté, voûte.*
2. **weighed** : to weigh sth in one's mind : *méditer (sur) qqch.*
3. **course** : *la voie* (à suivre), *le parti* (à prendre).
4. **urchin** : *galopin, gamin.*
5. **dreadful** : *terrible, affreuse.*
6. **the latter** : comparatif. Dans le cas d'une alternative, **the former** désigne la première branche, **the latter,** la seconde : *celui-là, celui-ci.*
7. **my life** : l'homme d'affaires ne s'interroge pas sur son manque de charité mais sur la bonne affaire qu'il a pu manquer.
8. **thrown aside** : littéralement : *jeté de côté, rejeté, mis au rebut.*
9. **society** : *la bonne société, le beau monde.*
10. **athwart** : prép. ou adv., *en travers de, en travers.*
11. **sacred to** : *consacré à, dédié à, réservé à.*

En tout cas, vous garderez le secret ?... Ne me suivez pas. »

Il traversa la route et s'enfonça dans l'obscurité vers les petites marches sous la voûte qui mène à Essex Street, et je le laissai partir. Et jamais plus, je ne le revis.

Après cela, je reçus deux lettres de sa part, me demandant de lui envoyer des billets de banque — pas des chèques — à certaines adresses. Je pesai le pour et le contre, et optai pour ce que j'estimai être le parti le plus sage. Un jour, il vint me voir en mon absence. Mon jeune garçon de bureau me le décrivit comme un homme très maigre, sale et en haillons, qui toussait atrocement. Il ne me laissa pas de commission. Pour ce qui est de cette histoire, c'est la dernière chose que je sais de lui. Je me demande parfois ce qu'il est devenu. Était-ce un monomane ingénieux ou un vendeur frauduleux de cailloux, ou bien a-t-il vraiment fabriqué des diamants comme il l'affirmait ? Cette dernière hypothèse est juste assez plausible pour me donner à penser de temps à autre que j'ai manqué l'occasion la plus splendide de ma vie. Naturellement, il se peut qu'il soit mort et qu'on ait jeté ses diamants au rebut, dans l'indifférence : l'un d'eux, je le répète, avait presque la grosseur de mon pouce. Ou il se peut aussi qu'il continue d'errer en essayant de vendre ces objets. À la limite, il se peut qu'il fasse encore irruption dans le grand monde et, traversant mon firmament dans les hauteurs sereines réservées aux hommes riches et célèbres, me reproche en silence mon manque de hardiesse. Je me dis quelquefois que j'aurais pu au moins risquer cinq livres.

---

12. **the wealthy** : adjectif substantivé invariable.

13. **well-advertised** : **to advertise** : *faire de la publicité (à), faire connaître au public*. **Well-advertised persons** : *des personnes notoires*.

14. **five pounds** : environ *cinquante francs* actuels. La modicité de la somme souligne l'ironie aux dépens de l'homme d'affaires, victime peut-être de ses calculs égoïstes. La fin de la nouvelle est ouverte : en forme de point d'interrogation.

# The Land Ironclads

*Les Cuirassés terrestres*

# I

The young lieutenant lay beside the war correspondent and admired the idyllic calm of the enemy's lines through his field-glass[1].

"So far as I can see," he said at last, "one man".

"What's he doing?" asked the war correspondent.

"Field-glass at us," said the young lieutenant.

"And this is war!"

"No," said the young lieutenant; "it's Bloch[2]."

"The game's a draw[3]."

"No! They've got to win or else they lose. A draw's[4] a win for our side."

They had discussed the political situation fifty times or so[5], and the war correspondent was weary of it. He stretched out his limbs. "Aaai[6] s'pose it *is!*" he yawned[7].

*Flut!*

"What was that?"

"Shot[8] at us."

The war correspondent shifted to a slightly lower position. "No one shot at him," he complained[9].

"I wonder if they think we shall get so bored[10] we shall go home?"

The war correspondent made no reply[11].

"There's the harvest[12], of course...."

---

1. **field-glass** = **field-glasses** (plus courant) : *des jumelles de campagne.* **Opera-glasses** : *des jumelles de théâtre.*

2. **Bloch** : Jean de Bloch (voir la préface, note 2, p. 15). Le lieutenant veut dire un conflit sans issue.

3. **a draw** : *un match nul, une partie nulle* (jeu ou sport).

4. **a draw's** : **a draw is**.

5. **or so** : après un chiffre où une mesure de temps, introduit l'idée d'une approximation.

6. **Aaai** = **I**, prononcé dans un long bâillement.

7. La nouvelle commence, ainsi, en andante, par une période d'observation, d'inaction ennuyeuse, accalmie avant l'assaut meurtrier.

8. **shot** : **he shot** : noter la rapidité réaliste du dialogue.

## 1

Le jeune lieutenant, à plat ventre auprès du correspondant de guerre, admirait à travers ses jumelles le calme idyllique des lignes ennemies.

« Un seul homme, dit-il enfin, pour autant que je puisse voir.

— Que fait-il ? demanda le correspondant de guerre.

— Il nous observe à travers ses jumelles, dit le jeune lieutenant.

— Et on appelle ça une guerre !

— Non, répondit le jeune lieutenant c'est à la Jean de Bloch.

— Partie nulle.

— Non ! L'ennemi doit l'emporter, sinon il aura perdu. Une partie nulle serait une victoire pour notre camp. »

Ils avaient discuté de la situation politique une cinquantaine de fois et le correspondant de guerre était las d'en parler. Il s'étira de tout son long. « Sans doute vrai ! » dit-il dans un bâillement.

*Bzz !*

« Qu'est-ce que c'était ?

— Il nous a tiré d'sus. »

Le correspondant de guerre se déplaça pour prendre une position un peu plus basse. « Personne n'avait tiré sur lui », protesta-t-il.

« Je me demande s'ils se disent que nous allons nous ennuyer tellement que nous rentrerons chez nous ? »

Le correspondant de guerre ne répondit rien.

« Bien sûr, il y a la moisson... »

---

9. **complained**: to complain: *se plaindre, protester*. **What's your complaint ?** *De quoi vous plaignez-vous ?*

10. **bored**: to get (to be) bored: *s'ennuyer*. **Boredom**: *l'ennui*. **What a bore !** *Quel ennui* ou *Quel raseur !*

11. **reply**: a reply = an answer: *une réponse. Une réplique :* a retort, a rejoinder.

12. **the harvest**: première indication que ces soldats sont des paysans.

They had been there a month. Since the first brisk movements after the declaration of war things had gone slower and slower, until it seemed as though[1] the whole machine of events must have run down[2]. To begin with, they had had almost a scampering[3] time; the invader[4] had come across the frontier on the very dawn of the war in half-a-dozen parallel columns behind a cloud of cyclists and cavalry, with a general air of coming straight on the capital, and the defender horsemen had held him[5] up, and peppered[6] him and forced him to open out to outflank[7], and had then bolted[8] to the next position in the most approved[9] style, for a couple of days, until in the afternoon, bump! they had the invader against their prepared lines of defence. He did not suffer so much as had been hoped and expected: he was coming on, it seemed, with his eyes open, his scouts winded[10] the guns[11], and down he sat at once without the shadow of an attack and began grubbing[12] trenches for himself, as though he meant to sit down there to the very end of time. He was slow, but much more wary[13] than the world had been led to expect, and he kept convoys tucked[14] in and shielded[15] his slow-marching infantry sufficiently well to prevent any heavy adverse scoring[16].

"But he ought to attack," the young lieutenant had insisted.

---

1. **it seemed as though**: *on aurait dit que, cru que...*
2. **run down**: *s'arrêter* (pour une pendule), *se décharger* (pour un accumulateur). **The clock is run down**: *la pendule a besoin d'être remontée.*
3. **scampering**: **to scamper**: *courir allègrement, gambader;* **to scamper away**: *détaler.*
4. **the invader**: les adversaires de cette guerre future allégorique n'ont pas de nom: *l'envahisseur, le défenseur, l'armée des défenseurs.*
5. **him**: l'ennemi est personnifié au masculin.
6. **peppered**: **pepper**: *le poivre.* **To pepper** (mil.): *cribler de balles* ou *mitrailler.*
7. **to outflank**: *déborder, prendre à revers* (une armée adverse).
8. **bolted**: **to bolt**: *décamper, déguerpir* (fam.).
9. **approved**: *éprouvé, réglementaire, classique.*

Cela faisait un mois qu'ils étaient là. Depuis les premiers mouvements rapides de troupes qui avaient suivi la déclaration de guerre, les choses s'étaient de plus en plus ralenties, jusqu'au moment où on aurait cru que tout le mécanisme des événements avait dû s'arrêter. Pour commencer, ils avaient passé presque tout leur temps à détaler; l'envahisseur avait franchi la frontière à l'aube même du premier jour de guerre : il progressait en six colonnes parallèles, précédées par une nuée de cyclistes et de cavaliers, en donnant l'impression générale qu'ils marchaient droit sur la capitale; et la cavalerie des défenseurs avait contenu son avance, l'avait criblé de balles en l'obligeant à se déployer pour le prendre à revers; après quoi, par une manœuvre classique, les cavaliers avaient, deux jours durant, fui pour atteindre leur position de repli, jusqu'au moment où, dans l'après-midi, vlan ! ils avaient fait buter l'envahisseur contre leurs lignes de défense toutes prêtes. L'ennemi n'avait pas souffert autant qu'espéré et prévu : il avançait, semblait-il, les yeux ouverts : ses éclaireurs avaient flairé les canons, et il avait aussitôt établi son camp sans le moindre assaut, et avait commencé à fouir le sol pour se faire des tranchées comme s'il voulait s'installer là jusqu'à la fin des temps. Il était lent mais bien plus avisé qu'il avait donné lieu au monde entier de le prévoir, et il maintenait ses convois à couvert et protégeait les lents déplacements de son infanterie assez bien pour empêcher son adversaire de marquer trop de points contre lui.

« Mais il devrait attaquer, avait répété le jeune lieutenant.

---

10. **winded :** to wind, terme de chasse : *éventer, flairer* (le gibier).

11. **the guns :** parfois *les fusils,* ici : *les canons.*

12. **grubbing : to grub :** *creuser le sol comme un animal, fouir le sol.*

13. **wary :** *avisé, prudent, circonspect.* **Wariness :** *prudence.*

14. **tucked in :** littéralement, *replié* (pour une étoffe).

15. **shielded : a shield :** *un bouclier.* **To shield :** *protéger.*

16. **scoring : to score** (sports) : *marquer des points, des buts.* Ce retour en arrière occupe donc un simple paragraphe, très dense.

151

"He'll attack us at dawn, somewhere along the lines. You'll get the bayonets coming into the trenches just about when you can see," the war correspondent had held[1] until a week ago.

The young lieutenant winked when he said that.

When one early morning the men the defenders sent to lie out[2] five hundred yards before the trenches, with a view to[3] the unexpected emptying of magazines into any night attack, gave way to[4] causeless panic and blazed away[5] at nothing for ten minutes, the war correspondent understood the meaning of that wink.

"What would you do if you were the enemy?" said the war correspondent, suddenly.

"If I had men like I've got[6] now?"

"Yes."

"Take those trenches."

"How?"

"Oh—dodges[7]! Crawl out half-way at night before moon-rise and get into touch with the chaps we send out. Blaze at 'em if they tried to shift, and so bag[8] some of 'em in the daylight. Learn that patch of ground[9] by heart, lie all day in squatty holes[10], and come on nearer next night. There's a bit[11] over there, lumpy[12] ground, where they could get across to rushing distance—easy[13]. In a night or so.

---

1. **had held**: to hold (intr.): *maintenir, considérer, estimer, juger.*

2. **to lie out**: out: *à l'extérieur des lignes, des tranchées.*

3. **with a view to (doing sth)**: *dans le but de, avec l'idée de.* Attention: **in view of**: *eu égard à, compte tenu de.*

4. **gave way to**: to give way to: *céder à, s'abandonner à.*

5. **blazed away**: to blaze: *flamber, flamboyer*; **away**: *à n'en plus finir.* To blaze away (mil.): *maintenir un feu roulant, un feu nourri.*

6. **like I've got**: tour familier = **like those I have.**

7. **dodges**: to dodge: *esquiver.* **A dodge**: *une ruse, une astuce.*

8. **bag** (mil., fam.): **to bag**: *abattre, descendre* (un ennemi).

9. **patch of ground**: **a patch**: souvent *un morceau d'étoffe*; **a patch of ground**: *un lopin de terre, un coin de terre.*

10. **squatty holes**: to squat: *être accroupi*: **Squatty** pour **squatting**, adjectival: *où l'on peut tenir accroupi.*

— Il va le faire à l'aube, quelque part sur le front. Vous verrez les baïonnettes envahir les tranchées quand il fera à peine jour », estimait encore le correspondant de guerre jusqu'à la semaine précédente.

En l'entendant dire cela, le jeune lieutenant clignait de l'œil.

Lorsque, tôt un matin, les hommes envoyés par les défenseurs s'embusquer quelque cinq cents pas en avant des tranchées pour pouvoir vider leurs chargeurs par surprise sur d'éventuels assaillants de la nuit, s'abandonnèrent à une panique sans cause et maintinrent, dix minutes durant, un feu nourri dans le vide, le correspondant de guerre comprit le sens de ce clin d'œil.

« Que feriez-vous à la place de l'ennemi ? demanda-t-il soudain.

— Si j'avais sous mes ordres le même genre d'hommes qu'à présent ?

— Oui.

— Je prendrais ces tranchées.

— De quelle façon ?

— Oh ! par des ruses ! Je sortirais de mes tranchées le soir avant que la lune soit levée pour ramper jusqu'à mi-chemin et venir au contact de nos gars envoyés en avant-poste. Je les arroserais s'ils essayaient de décrocher, pour pouvoir, le jour venu, en descendre quelques-uns. J'apprendrais à connaître ce terrain par cœur, j'attendrais toute la journée accroupi dans des trous et, la nuit d'après, j'irais plus loin. Y a un petit secteur bosselé là-bas qu'ils pourraient traverser comme rien jusqu'à une distance d'assaut. Ça prendrait une nuit ou un peu plus.

---

11. **a bit** : *un morceau.* En contexte : *un petit secteur* (du champ de bataille).

12. **lumpy : a lump** : *un bloc* (de pierre), *une motte* (de terre), *une bosse.*

13. **easy** : forme ramassée familière = *(rien de plus) facile.*

It would be a mere game[1] for our fellows; it's what they're made for[2]....Guns? Shrapnel and stuff[3] wouldn't stop good men who meant business[4]."

"Why don't *they* do that?"

"Their men aren't brutes[5] enough; that's the trouble. They're a crowd of devitalised townsmen, and that's the truth of the matter. They're clerks[6], they're factory hands[7], they're students, they're civilised men. They can write, they can talk, they can make and do[8] all sorts of things, but they're poor[9] amateurs at war. They've got no physical staying power[10], and that's the whole thing. They've never slept in the open one night in their lives; they've never drunk anything but the purest water-company water; they've never gone short of[11] three meals a day since they left their feeding bottles[12]. Half their cavalry never cocked leg over horse till it enlisted[13] six months ago. They ride their horses as though they were bicycles—you[14] watch 'em! They're fools at the game, and they know it. Our boys of fourteen can give their grown[15] men points.... Very well—"

The war correspondent mused on his face with his nose between his knuckles.

"If a decent civilisation," he said, "cannot produce better men for war than——"

He stopped with belated politeness. "I mean——"

"Than our open-air life," said the young lieutenant.

---

1. **a mere game**: littéralement : *un simple jeu* = *un jeu d'enfant*.

2. **made for**: to be made for : *avoir une vocation naturelle à*.

3. **stuff**: *matière, matériaux*. Mais aussi mot à tout faire comme ici : **and stuff**: *et les autres choses, et tutti quanti, et le reste*.

4. **meant business**: to mean business : *ne pas plaisanter, en vouloir*.

5. **brutes**: a brute : *un animal*. Brutish : *bestial, abruti ≠ une brute*: a bully. *Brutaliser qqn* : to bully s.o. **Poor brute!** *Pauvre bête !*

6. **clerks**: *commis, employés de bureau*.

7. **factory hands**: *ouvriers, manœuvres*.

8. **make and do**: les deux verbes sont ici contrastés. **To make**: *faire* au sens de *fabriquer*... **To do**: *faire* au sens plus général *d'accomplir*.

9. **poor**: *médiocres, piètres*.

154

Ce serait un jeu d'enfant pour nos bonshommes : y sont faits pour ça... Les canons? Ce n'est pas le shrapnel et le reste qui arrêteraient de bons soldats qui en veulent.

— Pourquoi ne font-ils pas eux ce que vous dites?

— Leurs hommes ne sont pas assez frustes ; c'est ça le problème. C'est une foule de citadins qui ont perdu leur vitalité, voilà le fond des choses. Ce sont des employés de bureau, des ouvriers d'usine, des étudiants, des hommes évolués. Ils savent écrire, ils savent parler, ils savent fabriquer et accomplir toutes sortes de choses, mais, pour la guerre, ce ne sont que de piètres amateurs. Ils n'ont pas d'endurance physique et tout s'ramène à ça. Ils n'ont jamais de leur vie dormi à la belle étoile ; ils n'ont jamais bu que l'eau la plus pure du service des eaux ; ils n'ont jamais manqué leurs trois repas par jour depuis qu'ils ont renoncé au biberon. La moitié de leurs cavaliers n'avaient jamais enfourché un cheval avant leur enrôlement, il y a six mois. Ils montent leurs chevaux comme si c'étaient des bicyclettes : regardez-les donc. Ils ne sont pas doués pour ce jeu-là, et ils le savent. Nos adolescents de quatorze ans pourraient rendre des points à leurs adultes... Alors bon... »

Le correspondant de guerre réfléchissait, le visage au sol, le nez entre ses phalanges.

« Si, dit-il, une civilisation correcte est incapable d'engendrer de meilleurs combattants que... »

Il s'interrompit dans un sursaut tardif de politesse. « Je veux dire...

— Que notre vie en plein air, compléta le jeune lieutenant.

---

10. **staying power** (de **to stay** : *rester*) : *endurance*.
11. **gone short of** : **to go short of a meal** : *sauter un repas*.
12. **feeding bottles** (de **to feed** : *nourrir*) : *biberons* (de bébés).
13. **enlisted** : **to enlist** : *enrôler, engager* (mil.) ou *s'enrôler, s'engager*. Le substantif est **enlistment**.
14. **you** : vocatif dans cette locution.
15. **grown** = **grown up** : *adulte(s)*.

"Exactly," said the war correspondent. "Then civilisation has to stop[1]."

"Its looks like it," the young lieutenant admitted.

"Civilisation has science, you know," said the war correspondent. "It invented and it made the rifles and guns and things you use."

"Which our nice healthy hunters and stockmen[2] and so on, rowdy-dowdy[3] cowpunchers[4] and nigger-whackers[5], can use ten times better than—— *What's that[6]*?"

"What?" said the war correspondent, and then seeing his companion busy with his field-glass he produced[7] his own: "Where?" said the war correspondent, sweeping[8] the enemy's lines.

"It's nothing," said the young lieutenant, still looking.

"What's nothing?"

The young lieutenant put down his glass and pointed[9]. "I thought I saw something there, behind the stems[10] of those trees. Something black. What it was I don't know."

The war correspondent tried to get even[11] by intense scrutiny[12].

"It wasn't anything," said the young lieutenant, rolling over to regard[13] the darkling[14] evening sky, and generalised: "There never will be anything any more for ever. Unless——"

---

1. **to stop**: comme le journaliste, Wells est par formation du côté du progrès scientifique.

2. **stockmen**: **stock**: *le bétail.* A **stockman** (am.): *un éleveur de bestiaux.*

3. **rowdy-dowdy**: *tapageur.*

4. **cowpuncher** (am.): *cow-boy, conducteur de bestiaux.*

5. **nigger-whackers**: **nigger**: mot péj. au lieu de **negro**; **to whack**: *donner une fessée* (à un enfant); *rosser* (un adulte). Les emprunts à l'américain et cette référence à une main-d'œuvre noire donnent à penser que Wells a conçu le conflit futur sur le modèle, évidemment transposé, de la guerre de Sécession.

6. **What's that?**: première note du nouveau mouvement de cette action symphonique.

7. **produced**: to produce sth (out of one's pocket): *sortir qqch. de sa poche.* To produce a rabbit out of a hat: *faire sortir un lapin d'un chapeau.*

— Précisément, dit le correspondant. Alors, la marche de la civilisation doit s'arrêter.

— On dirait, concéda le jeune lieutenant.

— La civilisation dispose de la science, vous savez, reprit le correspondant de guerre. Elle a inventé et fabriqué les fusils et les canons et le matériel dont vous vous servez.

— Dont savent se servir nos robustes et gentils chasseurs et éleveurs de bestiaux, etc., nos cowboys d'une turbulence vulgaire et rosseurs de négros, dix fois mieux que... *Qu'est-ce que c'est que ça ?*

— Quoi donc ? » demanda le correspondant de guerre, après quoi, voyant que son compagnon était occupé à regarder à travers ses jumelles il sortit les siennes. « Où ça ? » demanda-t-il en explorant du regard les lignes ennemies.

« Ce n'est rien, dit le jeune lieutenant sans cesser de regarder.

— Qu'est-ce qui n'est rien ? »

Le jeune lieutenant reposa ses jumelles et désigna du doigt. « J'ai cru voir quelque chose là-bas, derrière ces troncs d'arbres. Quelque chose de noir. Je ne sais pas ce que ça pouvait être. »

Le correspondant de guerre s'efforça de ne pas être en reste en scrutant de plus près.

« Ce n'était rien d'important », dit le jeune lieutenant en se retournant sur le dos pour contempler le ciel crépusculaire et il généralisa : « Plus jamais rien ne se passera. À moins que... »

---

8. **sweeping** : to sweep (tr.) : *promener son regard sur, embrasser.*
9. **pointed** : to point at : *montrer du doigt.* To point the way.
10. **stems** : *tiges de plantes,* mais **a tree-stem** : *un tronc d'arbre.*
11. **get even** : to get even with s.o. : *ne pas être en reste.*
12. **scrutiny** : *examen minutieux, investigation.*
13. **to regard** : *considérer, contempler.*
14. **darkling** (lit.) : *sombre, obscur.*

The war correspondent looked inquiry.

"They may get their stomachs[1] wrong, or something—living without proper drains."

A sound of bugles[2] came from the tents behind. The war correspondent slid[3] backward down the sand and stood up. "Boom!" came from somewhere far away to the left. "Halloa!" he said, hesitated, and crawled back to peer again. "Firing at this time is jolly[4] bad manners."

The young lieutenant was uncommunicative for a space[5].

Then he pointed to the distant clump of trees again. "One of our big guns. They were firing at that," he said.

"The thing that wasn't anything?"

"Something over there, anyhow."

Both men were silent, peering through their glasses for a space. "Just when it's twilight[6]," the lieutenant complained. He stood up.

"I might stay[7] here a bit[8]," said the war correspondent.

The lieutenant shook his head. "There's nothing to see," he apologised[9], and then went down to where his little squad[10] of sun-brown, loose-limbed[11] men had been yarning[12] in the trench. The war correspondent stood up also, glanced for a moment at the businesslike[13] bustle below[14] him, gave perhaps twenty seconds to those enigmatical trees again, then turned his face toward the camp.

---

1. **their stomachs**: pl. idiomatique.
2. **bugles**: a bugle: *un cor de chasse* ou *un clairon.*
3. **slid**: de **to slide.**
4. **jolly** (adv., fam.): *rudement, fameusement.*
5. **for a space**: sens temporel: *pour un petit moment.*
6. **twilight**: *l'aurore.* In the evening twilight: *à la brune.*
7. **I might stay**: hypothèse plus incertaine que **I may.**
8. **a bit**: *quelque temps, un peu.*
9. **apologized**: to apologize, to offer one's apologies: *s'excuser.* Ces excuses du lieutenant vont devenir rétrospectivement ironiques.
10. **squad**: *escouade, peloton, petite troupe.* A **squadron**: *un escadron, un groupe de combat, une escadre.* A **squadron leader**: *un commandant* (d'escadron de chasse).

158

Le correspondant de guerre le regarda d'un air interrogateur.

« Ils vont peut-être se détraquer l'estomac ou autre chose à vivre sans de vrais égouts. »

La sonnerie de plusieurs clairons s'éleva des tentes qui étaient derrière eux. Le correspondant se laissa glisser en arrière sur la pente sableuse et se releva. Un « Boum ! » retentit quelque part au loin, sur leur gauche. « Ohé ! » s'écria-t-il et, après une hésitation, il remonta en rampant scruter à nouveau l'horizon. « C'est rudement mal élevé de tirer à c't'heure-ci », dit-il.

Le jeune lieutenant se referma un moment sur lui-même. Puis il désigna à nouveau du doigt le bouquet d'arbres éloigné. « C'était l'une de nos grosses pièces. Ils tiraient sur ça, ajouta-t-il.

— Sur cette chose qui n'était rien d'important ?

— Sur quelque chose par là-bas, en tout cas. »

Les deux hommes se turent, occupés quelque temps à scruter l'horizon à travers leurs jumelles. « Juste entre chien et loup », protesta le lieutenant. Il se releva.

« Je vais peut-être rester un peu ici », dit le correspondant de guerre.

Le lieutenant secoua la tête. « Il n'y a rien à voir », dit-il d'un ton d'excuse, après quoi il descendit le long de la tranchée jusqu'à l'endroit où sa petite troupe d'hommes basanés et dégingandés bavardaient entre eux. Le correspondant se releva à son tour, jeta un bref coup d'œil sur l'animation efficace qui régnait plus bas, accorda de nouveau quelque vingt secondes d'examen à ces arbres énigmatiques, puis se tourna vers le camp.

---

11. **loose-limbed** : limbs : *les membres ;* loose : *délié(s), dénoué(s).* **Loose-limbed, loose-jointed** : *démanché(s), dégingandé(s).*

12. **yarning** : to yarn (fam.) : *débiter des histoires, bavarder.* **To spin a yarn** : *raconter* (littéralement : *dévider une histoire*).

13. **businesslike** : *méthodique, pratique ;* a businesslike person : *une personne capable, à l'esprit pratique.*

14. **below** (prép. ou adv.) : *au-dessous de, au-dessous.*

He found himself wondering whether[1] his editor[2] would consider the story of how somebody thought he saw something black behind a clump of trees, and how a gun was fired at this illusion by somebody else, too trivial[3] for public consumption[4].

"It's the only gleam of a shadow of[5] interest," said the war correspondent, "for ten whole days".

"No," he said presently; "I'll write that other article, 'Is War Played Out[6]?' "

He surveyed the darkling lines in perspective, the tangle[7] of trenches one behind another, one commanding[8] another, which the defender had made ready. The shadows and mists swallowed up[9] their receding[10] contours, and here and there a lantern gleamed, and here and there knots[11] of men were busy[12] about small fires. "No troops on earth could do it," he said....

He was depressed. He believed that there were other things in life better worth having than proficiency[13] in war; he believed that in the heart of civilisation, for all[14] its stresses[15], its crushing[16] concentrations of forces, its injustice and suffering, there lay something that might be the hope of the world; and the idea that any people, by living in the open air, hunting perpetually, losing touch with books and art and all the things that intensify life, might hope to resist and break that great development to the end of time, jarred[17] on his civilised soul.

---

1. **wondering whether** = if.
2. **editor**: a newspaper **editor**: *un rédacteur en chef;* **a sub-editor**: *un rédacteur de journal; un éditeur*: **a publisher.**
3. **trivial**: *insignifiant, sans importance.* **Trivialities**: *des banalités.*
4. **consumption**: *la consommation.* **A consumer**: *un consommateur.*
5. **gleam of a shadow of**: redondance: *la lueur d'un soupçon.*
6. **played out**: to play out a theatrical play: *jouer une pièce jusqu'au bout.* **To be played out** (pers.): *être éreinté, vanné* (fam.).
7. **tangle**: *emmêlement, enchevêtrement, fouillis.*
8. **commanding**: to command (mil.): *couvrir* (de son tir).
9. **swallowed up**: to swallow up: *dévorer, engloutir.*

160

Il se surprit en train de se demander si son rédacteur en chef allait considérer que cette histoire — comment quelqu'un avait cru voir quelque chose de noir derrière un bosquet d'arbres et comment un canon avait tiré sur cette illusion d'un autre — était trop mince pour la consommation du grand public.

« C'est la seule lueur d'un soupçon d'intérêt, se dit le correspondant de guerre, depuis dix jours pleins. »

« Non, se dit-il bientôt, je vais écrire cet autre article : *"La guerre a-t-elle fait son temps ?"* »

Il balaya d'un regard panoramique le front au jour tombant : l'enchevêtrement des tranchées, ménagées par les défenseurs pour qu'elles se couvrent mutuellement. Les ombres et les brumes engloutissaient leurs contours fuyants ; çà et là, luisait une lanterne ; çà et là, des groupes de soldats s'activaient autour d'un petit feu. « Aucune armée au monde n'en serait capable », se dit-il...

Il broyait du noir. Il estimait que, dans la vie, d'autres choses étaient plus précieuses à acquérir que l'art de la guerre ; il estimait qu'au cœur de la civilisation, en dépit de toutes ses contraintes, de l'oppression de ses forces combinées, de son inéquité et de ses souffrances, résidait virtuellement l'espoir du monde ; et l'idée que quelque nation en vivant en plein air, en chassant du matin au soir, en perdant tout contact avec les livres et l'art et tout ce qui rend la vie plus intense, pût espérer s'opposer à cette grande évolution et l'interrompre jusqu'à la fin des temps, choquait son âme civilisée.

---

10. **receding** : *qui s'éloigne(nt), qui recule(nt).*
11. **knots** : littéralement : *nœud.* **A knot of people** : *un groupe, une troupe.* **A knot of trees** : *un bouquet d'arbres.*
12. **were busy** : **to be busy** = **to busy oneself** : *s'activer, s'affairer.*
13. **proficiency** : *capacité, compétence, savoir-faire.*
14. **for all** : *malgré.* **For all that** : *malgré tout cela, malgré tout.*
15. **stresses** : *tensions, contraintes.* **To stress** : *insister, mettre l'accent sur.* **To stress a point** : *faire valoir.*
16. **crushing** : *écrasante, oppressante.*
17. **jarred on** : **a jar** : *un son discordant.*

Apt to[1] his thought came a file of the defender soldiers, and passed him in the gleam of a swinging[2] lamp that marked the way.

He glanced at their red-lit[3] faces, and one shone out for a moment, a common type of face in the defender's ranks: ill-shaped[4] nose, sensuous lips, bright clear eyes full of alert cunning, slouch hat[5] cocked[6] on one side and adorned with the peacock's plume of the rustic Don Juan turned[7] soldier, a hard brown skin, a sinewy frame[8], an open, tireless stride[9], and a master's grip[10] on the rifle.

The war correspondent returned their salutations and went on his way.

"Louts[11]," he whispered. "Cunning, elementary louts. And they are going to beat the townsmen[12] at the game of war!"

From the red glow among the nearer[13] tents came first one and then half-a-dozen hearty[14] voices, bawling in a drawling[15] unison the words of a particularly slab[16] and sentimental patriotic song.

"Oh, *go* it[17]!" muttered the war correspondent, bitterly.

---

1. **apt to**: *qui convient à*. **Apt to do sth**: *porté à, sujet à faire qqch*. I am apt to think (that): *j'incline à croire (que)*.

2. **swinging**: to swing: *osciller, se balancer*. The swing of a pendulum: *un mouvement de balancier*.

3. **red-lit**: lit, p. p. de to light: *éclairer*.

4. **ill-shaped**: *laid, ingrat*.

5. **slouch hat**: *chapeau mou*. Slouch: *mollesse*. To walk with a slouch: *traîner le pas*.

6. **cocked**: to cock one's hat: *mettre son chapeau de travers*.

7. **turned**: *devenu, transformé en*.

8. **a sinewy frame**: frame: *ossature, stature, taille;* a sinew: *un tendon;* sinewy: *musclé, nerveux, vigoureux*. The sinews of war: *le nerf de la guerre*.

9. **tireless stride**: stride: *un grand pas, une enjambée;* tireless: *inlassable, infatigable,* tirelessly: *inlassablement, obstinément*.

10. **grip**: *prise, étreinte*. To have a good grip of a subject: *bien connaître un sujet*.

11. **louts**: a lout: *un lourdaud, un rustre, un maladroit*. Loutish: *rustaud*.

En accord avec cette pensée, une file de soldats de l'armée des défenseurs approcha et le dépassa à la lueur d'une lanterne ballottée qui indiquait leur route.

Il jeta un coup d'œil sur leurs visages rougis par la lumière, dont l'un se détacha brièvement, un visage d'un type courant dans les rangs des défenseurs : au nez ingrat, aux lèvres sensuelles, aux yeux clairs et luisants, plein d'une ruse aux aguets ; il portait sur l'oreille un chapeau à larges bords orné de la plume de paon d'un Don Juan de village promu soldat ; il avait une peau brune et rugueuse et un corps musclé ; il allait d'un grand pas détendu, infatigable, et serrait son fusil dans une poigne magistrale.

Le correspondant de guerre leur rendit leur bonjour et continua sa route.

« Des lourdauds, murmura-t-il, des lourdauds rusés et primaires. Et ils vont battre les citadins au jeu de la guerre ! »

De la zone rougeoyante entre les tentes les plus proches s'éleva une première voix joyeuse, suivie par une demi-douzaine d'autres : elles beuglaient à l'unisson dans un accent traînant, les paroles d'un chant patriotique singulièrement sentimental et larmoyant.

« Et allez-y ! » grommela amèrement le correspondant de guerre.

---

12. **townsman** (a) : *un citadin ;* **a countryman :** *un homme de la campagne.*

13. **nearer :** comparatif, par opposition à un deuxième groupe de tentes plus éloignées.

14. **hearty :** *cordial, jovial, vigoureux, chaleureux.*

15. **drawling : to drawl :** *traîner la voix.* **To speak with a drawl :** *parler d'une voix traînante.*

16. **slab** (adj.) : mot peu fréquent = **sloppy :** *larmoyant.*

17. **go it! :** encouragement (ici ironique) à des joueurs dans un match : *allez-y !*

# II

It was opposite the trenches called after[1] Hackbone's Hut[2] that the battle began. There the ground stretched broad and level[3] between the lines[4], with scarcely shelter for a lizard, and it seemed to the startled[5], just-awakened men who came crowding into the trenches that this was one more proof of that inexperience of the enemy of which they had heard[6] so much. The war correspondent would not believe his ears at first, and swore[7] that he and the war artist, who, still imperfectly roused[8], was trying to put on his boots[9] by the light of a match held in his hand, were the victims of a common illusion. Then, after putting his head in a bucket[10] of cold water, his intelligence came back as he towelled. He listened. "Gollys[11]!" he said; "that's something more than scare firing, this time. It's like ten thousand carts on a bridge of tin."

There came a sort of enrichment to that steady uproar. "Machine-guns!"

Then, "Guns!"

The artist, with one boot on, thought to look at his watch, and went to it hopping[12].

"Half an hour from dawn," he said. "You were right about their attacking, after all...."

The war correspondent came out of the tent, verifying the presence of chocolate in his pocket as he did so.

---

1. **called after : to be called after :** *porter le nom de* (par référence à ce qui suit). **Trafalgar Square is called after the place of Nelson's victory.**
2. **hut** (mil.) : *baraquement.* **An Alpine hut :** *un chalet-refuge.*
3. **level :** *horizontal, plat.* **To be on a level with :** *être au niveau de.*
4. **the lines = the front lines :** *le front ;* **the rear lines :** *l'arrière.*
5. **startled :** *effrayés* ou *ahuris.*
6. **heard : to hear of :** *entendre parler de.*
7. **swore :** de **to swear :** *jurer.* **A swear-word :** *un juron.*
8. **roused : to rouse s.o. (from sleep) :** *réveiller qqn.*

164

## 2

C'est face aux tranchées auxquelles le baraquement de Hackstone avait donné son nom que débuta la bataille. Une large bande de terrain plat s'y étendait entre les deux fronts, offrant à peine de quoi abriter un lézard, et les hommes ahuris, qu'on venait d'arracher au sommeil et qui s'entassaient dans les tranchées, crurent voir là une nouvelle preuve de cette inexpérience de l'ennemi dont ils avaient tellement entendu parler. D'abord, le correspondant de guerre ne voulut pas en croire ses oreilles et jura que lui-même et le dessinateur de scènes de batailles qui, encore mal réveillé, essayait d'enfiler ses brodequins à la lumière de l'allumette qu'il tenait dans le creux de la main, étaient victimes d'une hallucination commune. Puis, quand il eut plongé la tête dans un seau d'eau froide, l'intelligence lui revint en s'essuyant. Il écouta. « Fichtre ! s'écria-t-il, ce ne sont plus seulement des tirs d'intimidation. On dirait dix mille charrettes sur un pont en tôle ondulée ! »

Un nouveau bruit vint enrichir en quelque sorte ce vacarme continu. « Des mitrailleuses ! »

Puis : « Des canons ! »

Le dessinateur, chaussé d'un seul brodequin, s'avisa de regarder sa montre et s'en approcha à cloche-pied.

« Une demi-heure avant l'aube, dit-il. Finalement vous aviez raison en pensant qu'ils attaqueraient... »

Le correspondant sortit de la tente, tout en vérifiant qu'il avait bien du chocolat dans la poche.

---

9. **boots** : *bottes, bottines, chaussures montantes.*

10. **a bucket : a pail** : *un seau*. **To kick the bucket** (fam.) : *passer l'arme à gauche. Un baquet* : **a tub.**

11. **Gollys!** = **Golly**, interjection : *mince, fichtre !*

12. **hopping : to hop** : *sautiller*. **To hop on one leg** : *sauter à cloche-pied.*

He had to halt for a moment or so until his eyes were toned down[1] to the night a little. "Pitch[2]"! he said. He stood for a space to season[3] his eyes before he felt justified in striking out for[4] a black gap among the adjacent tents. The artist coming out behind him fell over a tent-rope. It was half-past two o'clock in the morning of the darkest night in time, and against a sky of dull[5] black silk the enemy was talking search-lights[6], a wild jabber[7] of search-lights. "He's trying to blind our riflemen[8]," said the war correspondent with a flash, and waited for the artist and then set off with a sort of discreet haste[9] again. "Whoa!" he said, presently. "Ditches!"

They stopped.

"It's the confounded[10] search-lights," said the war correspondent.

They saw lanterns going to and fro, near by[11], and men falling in[12] to march down[13] to the trenches. They were for[14] following them, and then the artist began to get his night eyes[15]. "If we scramble[16] this," he said, "and it's only a drain, there's a clear run[17] up to the ridge." And that way they took. Lights came and went in the tents behind, as the men turned out[18], and ever and again[19] they came to broken ground and staggered and stumbled. But in a little while they drew near the crest.

---

1. **toned down**: to tone down: *adoucir, atténuer*. Ici: *adapter* (à une lumière faible).
2. **pitch**: *la poix*. It is pitch dark (loc.): *il fait nuit noire*.
3. **to season**: *acclimater, accommoder*.
4. **striking out for**: to strike out for: *se diriger* (d'un pas décidé) *vers*.
5. **dull (silk)**: *soie terne, mate*; image évocatrice.
6. **talking search-lights**: tour imagé: *parlait au moyen des projecteurs*.
7. **jabber**: *un bavardage, une jacasserie*.
8. **riflemen**: *tirailleurs* ou *fantassins* (porteurs de fusils).
9. **discreet haste**: le journaliste n'est pas présenté comme un héros.
10. **confounded**: *maudit(s), sacré(s)*.
11. **near by** (adv.): *tout près*.
12. **falling in**: to fall in: *s'aligner, se mettre en rangs*.

166

Il dut faire une pause d'une ou deux secondes en attendant que ses yeux s'habituent un peu à l'obscurité. « Noir comme dans un four ! » dit-il. Il resta un moment immobile pour adapter sa vue avant de s'estimer en droit de s'élancer vers une trouée noire entre les tentes voisines. Le dessinateur, qui sortait derrière lui, culbuta au-dessus d'une corde de tente. Il était deux heures trente du matin dans la nuit la plus sombre qui fût et, sur un fond de ciel pareil à une soie noire et mate, l'ennemi donnait la parole aux projecteurs, les faisait bavarder furieusement. « Il essaye d'aveugler nos fantassins, dit le correspondant rejoint par un éclair et il attendit le dessinateur avant de repartir en se hâtant prudemment en quelque sorte. « Ohé ! s'écria-t-il bientôt. Des fossés ! »

Ils s'arrêtèrent.

« S'il n'y avait pas ces fichus projecteurs ! » dit le correspondant.

Ils virent des lanternes aller et venir à proximité, et des hommes s'aligner pour descendre au pas jusqu'aux tranchées. Ils étaient d'avis de les suivre lorsque les yeux du dessinateur commencèrent à se faire à l'obscurité. « Si nous passons ça tant bien que mal, dit-il, et ce n'est qu'un fossé d'assainissement, la voie est libre pour courir jusqu'à la crête. » Et c'est le chemin qu'ils suivirent. Derrière eux, il y avait un va-et-vient de lampes à l'intérieur des tentes, à mesure que les soldats en sortaient, et, de temps en temps, aux endroits où le sol était défoncé, les deux hommes titubaient et trébuchaient. Mais bientôt ils approchèrent du sommet de la colline.

---

13. **march down** : to march : *marcher au pas*.
14. **were for** : to be for doing sth : *être en faveur d'une action*.
15. **night eyes** : to get one's night eyes : *s'habituer au noir*.
16. **scramble** (tr.) : *franchir* (avec difficulté).
17. **a clear run** : l'expression anglaise est très dense : *la route est dégagée* (clear) *pour courir* (a run).
18. **turned out** : to turn out : *sortir*.
19. **ever and again** = now and then : *de temps à autre*.

Something that sounded like the impact[1] of a tremendous[2] railway accident happened in the air above them, and the shrapnel bullets seethed[3] about them like a sudden handful of hail. "Right-oh!" said the war correspondent, and soon they judged they had come to the crest and stood in the midst of a world of great darkness and frantic[4] glares, whose principal fact was sound.

Right and left of them and all about them was the uproar, an army-full of magazine fire, at first chaotic and monstrous, and then, eked out by[5] little flashes and gleams and suggestions, taking the beginnings of a shape. It looked to the war correspondent as though the enemy must have attacked in line and with his whole force—in which case he was either being or was already annihilated.

"Dawn and the dead[6]," he said, with his instinct for[7] headlines[8]. He said this to himself, but afterwards by means of shouting he conveyed[9] an idea to the artist. "They must have meant it for a surprise," he said.

It was remarkable how the firing kept on[10]. After a time he began to perceive a sort of rhythm in this inferno of noise. It would decline—decline perceptibly, droop[11] towards something that was comparatively a pause— a pause of inquiry. "Aren't you all dead yet?" this pause seemed to say. The flickering[12] fringe of rifle-flashes would become attenuated[13] and broken, and the whack-bang of the enemy's big guns two miles away there would come up out of the deeps[14].

---

1. **the impact** : *le choc, la collision.*
2. **tremendous** : *terrible* ou *énorme.*
3. **seethed : to seethe** : *bouillonner* (pour un liquide); *grouiller, foisonner.*
4. **frantic** : *affolé(e), éperdu(e).*
5. **eked out by** : *complétés par.*
6. **dawn and the dead** : littéralement, *l'aube et les morts.*
7. **instinct for (to have an)** : *avoir l'instinct de, un sens naturel, inné de.*
8. **headlines** : *titres, manchettes.* L'auteur s'attache aux déformations professionnelles de son journaliste.

Un bruit de collision comme dans un terrible accident de chemin de fer retentit dans le ciel au-dessus de leur tête et les balles de shrapnel plurent dru autour d'eux comme une poignée subite de grêlons. « Compris ! » s'écria le correspondant de guerre et, peu après, ils estimèrent qu'ils avaient atteint le sommet et restèrent debout au milieu d'un univers aux ténèbres épaisses traversées furieusement par des éclats de lumière, et où prédominait le bruit.

À droite, à gauche, tout autour d'eux régnait ce vacarme fait des décharges de fusils d'une armée entière : un vacarme d'abord chaotique et monstrueux, puis enrichi d'éclairs fugaces, de lueurs pâles, de silhouettes qui ébauchaient une forme. Le correspondant eut l'impression que l'ennemi avait dû attaquer de front en lançant toutes ses forces, auquel cas il était soit en cours d'anéantissement, soit déjà anéanti.

« Les morts de l'aube », dit-il avec son sens inné pour les manchettes de journaux. Il se parlait à lui-même mais ensuite, en criant, il fit part d'une idée au dessinateur : « Ils ont dû vouloir nous prendre par surprise », suggéra-t-il.

Il était étonnant que la fusillade se prolongeât. Au bout d'un moment, il commença à percevoir une sorte de rythme dans ce bruit infernal. Le son décroissait, décroissait nettement, s'abaissait vers une pause relative, une pause dubitative : « N'êtes-vous pas encore tous morts ? » semblait-elle demander. La frange tremblotante des éclairs de fusils s'amenuisait puis se brisait et les déflagrations des obus des gros canons ennemis distants par là-bas de trois kilomètres montaient des profondeurs.

---

9. **conveyed : to convey (an idea) :** *communiquer, transmettre (une idée).*

10. **kept on : to keep on :** *ne pas cesser, se prolonger.*

11. **droop :** *décliner, s'affaiblir.* **Drooping :** *penché, languissant.*

12. **flickering : to flicker :** *trembloter, vaciller.*

13. **attenuated : to attenuate :** *atténuer, amincir, raréfier (un gaz).*

14. **the deeps :** *les abîmes, les profondeurs* (image marine).

Then suddenly, east or west of them, something would startle the rifles to a frantic outbreak[1] again.

The war correspondent taxed his brain[2] for some theory of conflict that would account for this, and was suddenly aware[3] that the artist and he were vividly illuminated[4]. He could see the ridge on which they stood, and before them in black outline[5] a file of riflemen hurrying down towards the nearer[6] trenches. It became visible that a light rain was falling, and farther away towards the enemy was a clear space with men—"our men?"—running across it in disorder. He saw one of those men throw up his hands and drop. And something else black and shining loomed up[7] on the edge of the beam-coruscating[8] flashes; and behind it and far away a calm, white eye[9] regarded the world. "Whit, whit, whit," sang something in the air, and then the artist was running for cover, with the war correspondent behind him. Bang came shrapnel, bursting close at hand[10] as it seemed, and our two men were lying flat in a dip[11] in the ground, and the light and everything had gone again, leaving a vast note of interrogation upon the light.

The war correspondent came within bawling range[12]. "What the deuce[13] was it? Shooting our men down!"

"Black," said the artist, "and like a fort[14]. Not two hundred yards from the first trench."

---

1. **outbreak**: *éruption* (volcanique, p. ex.).
2. **taxed his brain**: to tax: *pousser à bout, mettre à l'épreuve*.
3. **aware**: to become aware: *prendre conscience, se rendre compte*. Awareness: *vigilance, (prise de) conscience*.
4. **illuminated**: *éclairé, illuminé* = **brightly-lit**.
5. **outline**: *contour, configuration, silhouette*.
6. **nearer**: comparatif idiomatique (sous-entendu en français).
7. **loomed up**: to loom: *émerger* (de l'obscurité).
8. **beam-coruscating**: to coruscate: *scintiller ;* a beam of light: *un faisceau* (de lumière). Littéralement: *scintillant en faisceaux*.
9. **white eye**: première allusion omnisciente au regard d'un capitaine de « cuirassé terrestre ».
10. **close at hand**: *tout près*.
11. **a dip**: *un creux* (de terrain), *une déclivité*.

Puis, subitement, à l'est ou à l'ouest de l'endroit où ils étaient, quelque chose déclenchait à nouveau l'éruption furieuse des fusils.

Le correspondant se torturait l'esprit en quête d'une théorie de combat propre à expliquer ce qui se passait, et se rendit compte tout à coup que le dessinateur et lui étaient vivement éclairés. Il voyait la crête sur laquelle ils étaient debout et, devant eux, silhouettés en noir, un rang de fantassins qui se hâtaient de descendre dans les tranchées proches. Il devint évident qu'une pluie légère tombait et, plus loin, en direction de l'ennemi, s'étendait un espace découvert que des hommes — « nos hommes » ? — traversaient en courant et en désordre. Il vit l'un de ces hommes lever brusquement les bras avant de s'écrouler. Et une autre forme, noire et luisante, surgit à la périphérie des éclairs de lumière moirée des faisceaux de projecteurs ; et, derrière cette forme, au loin, un œil serein et clair considérait le monde. Un objet dans le ciel modula un sifflement et voilà que le dessinateur courait se mettre à couvert suivi par le correspondant. Le shrapnel détona, éclatant tout près d'eux, semblait-il, et nos deux amis gisaient à plat ventre dans un creux de terrain, et la lumière avait à nouveau disparu comme tout le reste, laissant planer sur son origine un vaste point d'interrogation.

Le correspondant s'approcha à portée d'un braillement. « Qu'est-ce que ça pouvait bien être ? Ce qui tuait nos hommes !

— C'était noir, dit le dessinateur, et ça ressemblait à une forteresse à moins de deux cents pas de la première tranchée. »

12. **range** : within range : *à portée*.
13. **deuce** : what the deuce (the devil) : *que diable... ?*
14. **like a fort** : première d'une longue série de comparaisons qui évoquent l'aspect ou accusent la menace des nouveaux engins mystérieux.

He sought for[1] comparisons in his mind. "Something between a big blockhouse and a giant's dish-cover," he said.

"And they were running!" said the war correspondent.

"*You'd* run if a thing like that, with a search-light to help it, turned up like a prowling[2] nightmare in the middle of the night."

They crawled to what they judged the edge of the dip and lay regarding the unfathomable[3] dark. For a space they could distinguish nothing, and then a sudden convergence of the search-lights of both sides brought the strange thing out[4] again.

In that flickering pallor it had the effect of a large and clumsy black insect, an insect the size of an iron-clad[5] cruiser, crawling obliquely to the first line of trenches and firing shots out of port-holes[6] in its side. And on its carcass the bullets[7] must have been battering[8] with more than the passionate violence of hail on a roof of tin.

Then in the twinkling of an eye the curtain of the dark had fallen again and the monster had vanished, but the crescendo of musketry marked its approach to the trenches.

They were beginning to talk about the thing to each other, when a flying bullet kicked dirt into the artist's face, and they decided abruptly[9] to crawl down into the cover of the trenches. They had got down with an unobtrusive[10] persistence into the second line, before the dawn had grown clear enough for anything to be seen.

---

1. **sought for**: de **to seek**: *chercher, rechercher*.
2. **prowling**: **to prowl**: *rôder en quête de proie* (bête féroce). La comparaison du « cuirassé » à un animal dangereux est implicite à ce stade.
3. **unfathomable**: **to fathom**: *sonder*. **Unfathomable**: *insondable, impénétrable*. **A fathom**: *une brasse* (mesure).
4. **brought (out)**: **to bring out**: *faire ressortir* ou *mettre en valeur*.
5. **iron-clad**: **clad** p. p. irrégulier de **to clothe**: *habiller*. **Iron-clad**: *enveloppé de fer, cuirassé* (adj.). **An ironclad**: *un cuirassé*.

Il chercha des analogies dans sa tête.

« Quelque chose à mi-chemin d'un grand blockhaus et d'un dessus-de-plat de géant, suggéra-t-il.

— Et ils fuyaient ! dit le correspondant de guerre.

— Vous fuiriez vous-même si une forme semblable, assistée par un projecteur, surgissait en pleine nuit, en quête de proie, comme dans un cauchemar. »

Ils rampèrent jusqu'au sommet présumé de la déclivité et restèrent à plat ventre à contempler les ténèbres insondables. Pendant un intervalle, ils ne purent rien distinguer, puis une soudaine convergence des projecteurs des deux camps fit réapparaître l'étrange objet.

Dans cette lumière pâle clignotante, elle ressemblait à un grand insecte noir et pataud, à un insecte de la taille d'un croiseur-cuirassé, qui rampait de biais vers les tranchées de première ligne et qui crachait le feu par les hublots sur son flanc. Et les balles avaient dû marteler sa carcasse avec une violence plus furieuse qu'une pluie de grêlons sur un toit en tôle ondulée.

Ensuite, en un clin d'œil, le rideau des ténèbres était retombé et le monstre avait disparu, mais le crescendo de la fusillade signalait son approche des tranchées.

Les deux hommes commençaient à parler de cette chose lorsqu'une balle égarée fit jaillir de la boue sur le visage du dessinateur et ils prirent la décision précipitée de descendre en rampant jusqu'à l'abri des tranchées. Et ils s'étaient glissés à force de ténacité discrète jusqu'à la seconde ligne avant que le petit jour soit devenu assez clair pour permettre d'y voir quoi que ce fût.

---

6. **port-holes** : *des hublots.* Cela prolonge l'image d'un navire.

7. **bullets** : *les balles. Les boulets :* **(cannon)-balls.**

8. **battering** : **to batter :** *marteler.*

9. **abruptly** : *subitement, précipitamment.*

10. **unobtrusive** : *qui ne se fait pas remarquer, discret(e).* Cet adjectif prolonge l'idée implicite dans l'adverbe précédent : les deux hommes s'esquivent dans un sursaut de prudence calculée.

They found themselves in a crowd of expectant[1] riflemen, all noisily arguing about what would happen next. The enemy's contrivance[2] had done execution[3] upon the outlying[4] men, it seemed, but they did not believe it would do any more. "Come[5] the day and we'll capture the lot of them," said a burly soldier.

"Them?" said the war correspondent.

"They say there's a regular string[6] of 'em, crawling along the front of our lines.... Who cares?"

The darkness filtered away so imperceptibly that at no moment could one declare decisively that one could see. The search-lights ceased to sweep hither and thither[7]. The enemy's monsters were dubious patches of darkness upon the dark, and then no longer dubious[8], and so they crept out into distinctness. The war correspondent, munching chocolate absent-mindedly[9], beheld at last a spacious picture of battle under the cheerless[10] sky, whose central focus[11] was an array of fourteen or fifteen huge clumsy shapes lying in perspective on the very edge of the first line of trenches, at intervals of perhaps three hundred yards, and evidently firing down upon the crowded riflemen. They were so close in[12] that the defender's guns had ceased, and only the first line of trenches was in action[13].

The second line commanded[14] the first, and as the light grew, the war correspondent could make out[15] the riflemen who were fighting these monsters,

---

1. **expectant** : *en attente, dans l'expectative.*
2. **contrivance** : **to contrive** : *inventer, concevoir.*
3. **execution** : **to do execution** : *causer des ravages.*
4. **outlying** : *éloigné(s), écarté(s).*
5. **come** : subjonctif : *que vienne* (le jour).
6. **a regular string** : **a string** : *un chapelet, une procession, une kyrielle.* **Regular** (fam.) sens intensif : *vrai, véritable, en règle.*
7. **hither and thither** :acc. de **here and there** : *çà et là.*
8. **dubious** : *douteux* ou *hésitant.*
9. **absent-mindedly** : **absent-minded** : *distrait, préoccupé* ≠ **distracted** : le plus souvent, *affolé.*

174

Ils se retrouvèrent au milieu d'une foule de fantassins dans l'expectative, qui discutaient tous bruyamment de ce qui allait suivre. L'invention de l'ennemi avait décimé, semblait-il, les hommes en position avancée, mais ces fantassins ne croyaient pas qu'elle pût faire d'autres dégâts. « Il suffira que le jour se lève, dit un robuste soldat, pour que nous les fassions tous prisonniers.

— Qui ça? demanda le correspondant de guerre.

— Il paraît qu'il y en a toute une kyrielle en train de ramper le long de nos lignes... Ça fait peur à qui?

L'obscurité se dissipa de façon si insensible qu'à aucun moment on ne put affirmer avec certitude qu'on y voyait. Les projecteurs cessèrent de balayer le secteur de long en large. Les monstres de l'ennemi, taches sombres incertaines sur un fond ténébreux, perdirent leur aspect incertain pour émerger ainsi lentement en pleine lumière. Le correspondant, qui mâchait distraitement du chocolat, contempla enfin un vaste tableau de bataille sous le ciel morne; au centre de ce tableau, le regard se portait sur un alignement de quatorze ou quinze formes gigantesques et pataudes qui, en perspective, semblaient s'être posées tout au bord des tranchées de première ligne, à trois cents pas peut-être les unes des autres, et déversaient manifestement leur feu sur les fantassins entassés. Elles s'étaient infiltrées si près que les canons des défenseurs s'étaient tus et que seules les tranchées de première ligne maintenaient le combat.

Des tranchées de seconde ligne, on avait vue sur les premières et, quand le jour grandit, le correspondant put distinguer les fantassins affrontés à ces monstres:

---

10. **cheerless**: to cheer: *égayer;* **cheerful**: *joyeux;* **cheerless**: *triste.*

11. **focus**: *foyer* (de lentille), *centre d'un tableau.*

12. **close in**: **in**: *à l'intérieur des lignes.*

13. **in action** (mil.): *combat.* **A naval action**: *un engagement naval;* **to come into action**: *engager le combat.*

14. **commanded**: ici, *dominait, avait vue sur.*

15. **make out**: *distinguer* (dans une confusion, dans le lointain ou dans le noir).

crouched in knots and crowds behind the transverse banks that crossed the trenches against the eventuality of an enfilade[1]. The trenches close to the big machines were empty save for the crumpled[2] suggestions[3] of dead and wounded men; the defenders had been driven[4] right and left as soon as the prow[5] of a land ironclad had loomed up over the front of the trench. The war correspondent produced his field-glass, and was immediately a centre of inquiry from the soldiers about him.

They wanted to look, they asked questions, and after he had announced that the men across the traverses seemed unable to advance or retreat, and were crouching under cover rather than fighting, he found it advisable[6] to loan[7] his glasses to a burly and incredulous corporal. He heard a strident voice, and found a lean and sallow[8] soldier at his back talking to the artist.

"There's[9] chaps down there caught," the man was saying. "If they retreat they got[10] to expose themselves, and the fire's too straight...."

"They aren't firing much, but every shot's a hit[11]."

"Who?"

"The chaps in that thing. The men who're coming up——"

"Coming up where?"

"We're evacuating them[12] trenches where we can. Our chaps are coming back up the zigzags[13]....

---

1. **an enfilade**: *un tir en enfilade.* **To enfilade**: *prendre en enfilade (une tranchée).*

2. **crumpled**: **to crumple**: *friper, froisser, recroqueviller.*

3. **suggestions**: ce qui suggère: *des formes vagues.*

4. **driven**: **to drive s.o. in one direction**: *pousser, bousculer qqn dans une direction.*

5. **the prow** (pron.: [prau]): *la proue d'un navire. La poupe:* **the stern.**

6. **found it advisable to**: **advisable**: *judicieux.* Dans cette construction très courante, it annonce ce qui va suivre. **He thought it right to retreat**: *il jugea bon de se replier.*

7. **to loan** = **to lend**: *prêter. Emprunter:* **to borrow.**

8. **sallow**: *olivâtre, cireux (visage, teint).*

ils étaient accroupis par grappes ou en masse derrière les remblais transversaux qui barraient la tranchée dans l'éventualité d'un tir en enfilade. Les tranchées proches des gros engins étaient vides, exception faite des formes vagues recroquevillées des morts et des blessés ; les défenseurs avaient été forcés de fuir à droite et à gauche dès que la proue d'un cuirassé terrestre avait surgi en surplomb à l'avant de la tranchée. Le correspondant de guerre sortit ses jumelles et fut aussitôt assailli de questions par les soldats qui l'entouraient.

Ils voulaient regarder, l'interrogeaient et, après avoir annoncé que les hommes le long des remblais transversaux semblaient incapables d'avancer ou de se replier et restaient accroupis à couvert plutôt que de combattre, il trouva judicieux de prêter ses jumelles à un grand gaillard de caporal resté incrédule. Il entendit une voix stridente et vit derrière lui un soldat maigre au teint cireux qui parlait au dessinateur.

« Il y a des gars au fond là-bas qui sont pris au piège, disait l'homme. S'ils se replient y faudra qu'y s'exposent et le feu est trop direct... »

« Ils ne tirent pas tellement, mais tous les coups portent.

— Qui ça ?

— Les gars dans cet engin. Les hommes qui r'montent...

— Qui remontent vers où ?

— Nous évacuons ces tranchées, là où c'est possible. Nos gars se replient le long des boyaux...

9. there's : there is (incorrect pour there are).
10. they got (fam.) : they have got to, they have to : *ils doivent,* au sens d'inévitabilité.
11. a hit : *un coup au but.*
12. them : (vulgaire) : *those.*
13. zigzags : *boyaux de tranchées.* On notera la façon dont Wells ponctue cette bataille de commentaires individuels, expliquant ce qui se passe et donnant des avis, démentis par la suite.

No end of[1] 'em hit.... But when we get clear our turn'll come. Rather[2]! Those things won't be able to cross a trench or get into it; and before they can get back our guns'll smash 'em up. Smash 'em right[3] up. See?" A brightness came into his eyes. "Then we'll have a go[4] at the beggars inside," he said....

The war correspondent thought for a moment, trying to realise the idea. Then he set himself[5] to recover his field-glasses from the burly corporal....

The daylight was getting clearer now. The clouds were lifting, and a gleam of lemon-yellow amidst the level masses to the east portended[6] sunrise. He looked again at the land ironclad. As he saw it in the bleak[7], grey dawn, lying obliquely upon the slope and on the very lip of the foremost[8] trench, the suggestion of a stranded[9] vessel was very strong indeed. It might have been from eighty to a hundred feet[10] long—it was about two hundred and fifty yards away—its vertical side was ten feet high or so, smooth for that height, and then with a complex patterning[11] under the eaves[12] of its flattish[13] turtle[14] cover. This patterning was a close interlacing[15] of port-holes, rifle barrels[16], and telescope tubes—sham[17] and real—indistinguishable one from the other. The thing had come into such a position as to enfilade the trench, which was empty now, so far as he could see, except for two or three crouching knots of men and the tumbled[18] dead.

---

1. **no end of** (fam.): *à n'en plus finir* ou *une infinité de.*
2. **rather!** (fam.): *pour sûr ! et comment !*
3. **right** (adv.): *complètement.*
4. **have a go (to):** *s'essayer à qqch. ; se faire la main sur.*
5. **set himself: to set oneself to :** *se mettre en demeure de.*
6. **portended:** *présager, augurer, faire pressentir.* A **portent:** *un présage de malheur.* **Portentous:** *de mauvais augure.*
7. **bleak:** *triste* (temps), *froid* (vent).
8. **foremost:** superlatif de **fore:** littéralement, *la plus avancée.*
9. **stranded: a strand** (lit.): *une plage, une grève.* **Stranded:** *échoué* (navire). **To have s.o. stranded:** *abandonner qqn, le laisser en plan.*

178

Avec des blessés en pagaille... Mais une fois que nous nous serons dégagés, ce sera à nous d'jouer. Et comment! Ces engins ne pourront pas traverser une tranchée ou y entrer; et, avant qu'ils puissent reculer, nos canons vont les démolir. Les mettre en miettes, vous pigez?» Un éclair joyeux passa dans son regard: «Alors, dit-il, on se f'ra la main sur ces gaziers à l'intérieur... »

Le correspondant de guerre réfléchit un moment en essayant de se représenter cette hypothèse. Puis il s'appliqua à reprendre ses jumelles au robuste caporal...

Le jour se faisait plus distinct à présent. Les nuages se dissipaient et, à l'est, une lueur jaune citron annonçait le lever du soleil. Il regarda à nouveau le cuirassé terrestre. Vu dans la grisaille de cette aube morne, sur la pente où il reposait de biais, juste au bord de la première tranchée, sa forme évoquait très fortement, en effet, celle d'un navire échoué. Il pouvait avoir de vingt-cinq à trente mètres de long — à quelque deux cent cinquante pas de là — et son flanc, haut de trois mètres environ, était lisse jusqu'à ce niveau, avant de prendre un relief tourmenté sous l'avancée d'un toit assez plat, en carapace de tortue. Ce relief consistait en un enchevêtrement serré et confus de hublots, de canons de fusils et de tubes de télescopes, réels ou factices. L'engin s'était placé de façon à prendre en enfilade la tranchée, vide à présent, pour autant qu'il pût voir, à l'exception de deux ou trois grappes de soldats accroupis et des morts pêle-mêle.

---

10. **feet: a foot:** 30, 48 cm.
11. **patterning: a pattern:** *un dessin, un motif.*
12. **the eaves:** *avance du toit, avant-toi, gouttière.*
13. **flattish:** le suffixe *ish* signifie *assez, relativement.*
14. **turtle:** *tortue de mer, grosse tortue.*
15. **interlacing:** *entrelacs, fouillis.*
16. **rifle barrels:** *canons de fusil. Une crosse de fusil:* **the butt of a rifle.**
17. **sham:** *faux, truqué, simulé, en trompe-l'œil.*
18. **tumbled: to tumble s.o. down:** *culbuter, jeter à bas, renverser* (gén.: *en désordre*).

Behind it, across the plain, it had scored[1] the grass with a train[2] of linked[3] impressions[4], like the dotted tracings[5] sea-things leave in sand. Left and right of that track dead men and wounded men were scattered—men it had picked off[6] as they fled back from their advanced positions in the search-light glare from the invader's lines. And now it lay with its head projecting a little over the trench it had won, as if it were a single sentient[7] thing planning the next phase of its attack....

He lowered his glasses and took a more comprehensive[8] view of the situation. These creatures of the night had evidently won the first line of trenches and the fight had come to a pause. In the increasing light he could make out by a stray[9] shot or a chance exposure[10] that the defender's marksmen[11] were lying thick in the second and third line of trenches up towards the low crest of the position, and in such of the zigzags as[12] gave them a chance of a converging fire. The men about him were talking of guns. "We're in the line of the big guns at the crest, but they'll soon shift one to pepper them," the lean man said, reassuringly.

"Whup," said the corporal.

"Bang! bang! bang! Whir-r-r-r-r-!" it was a sort of nervous jump, and all the rifles were going off[13] by themselves. The war correspondent found himself and the artist,

---

1. **scored**: *rayé, strié.*

2. **a train**: *une traîne, un cortège, une série.*

3. **linked**: a link: *un maillon, un chaînon.* **Linked**: *relié(s) l'un(e) à l'autre.*

4. **impressions**: au sens matériel, **an impression**: *une empreinte.*

5. **tracings**: *dessins, tracés.*

6. **picked off**: to pick: *choisir.* To pick off a soldier: *abattre un soldat.*

7. **sentient**: *sentant, sensible.* L'engin est à présent personnifié dans son intention malveillante.

8. **comprehensive**: to comprehend: *embrasser, comprendre.* **Comprehensive**: *d'ensemble, général, complet.*

9. **stray**: *égaré, isolé.* To go astray: *se perdre.*

Derrière l'engin, en travers de la plaine, son passage avait strié l'herbe d'une série d'empreintes entrelacées, semblables aux dessins en pointillés que les créatures marines laissent sur le sable. De part et d'autre de ce sillon étaient disséminés des morts et des blessés : des soldats qu'il avait abattus tandis qu'ils s'enfuyaient de leurs positions avancées, sous l'éclat des faisceaux de lumière provenant du front de l'envahisseur. Et, à présent, cet engin reposait, le nez un peu en avant au-dessus de la tranchée conquise, comme une créature singulière douée de sensation en train de prévoir l'étape suivante de son attaque...

Il baissa ses jumelles et dressa un bilan plus complet de la situation. Ces créatures de la nuit avaient manifestement conquis les tranchées de première ligne et le combat s'était interrompu. Dans le jour croissant, il pouvait se rendre compte, à l'occasion d'un coup de feu isolé ou quand un soldat venait à se découvrir, que les tireurs d'élite de l'armée des défenseurs étaient plaqués au sol en rangs serrés dans les tranchées de seconde et de troisième lignes, visant en contrebas la crête de cette position ; ainsi que dans ceux des boyaux qui leur donnaient la possibilité de faire converger leur feu. Les hommes qui l'entouraient parlaient de canons. « Nous sommes dans la ligne de mire des grosses pièces du haut de la colline, mais ils auront vite fait de déplacer un canon pour les arroser », dit l'homme maigre d'un ton rassurant.

« Vlan ! » dit le caporal.

— Pif ! Paf ! Boum ! Bzz ! » Comme dans un sursaut de peur, tous les fusils se déchargeaient spontanément. Le correspondant se retrouva en compagnie du dessinateur,

---

10. **chance exposure : to expose oneself :** *se découvrir.* **Chance :** *accidentel, de hasard. La chance :* **good luck. A chance :** *une occasion.*

11. **marksmen : a marksman :** *un tireur d'élite.* **To hit the mark :** *frapper juste,* au sens propre ou figuré.

12. **such of... as =** those that : *ceux qui.*

13. **going off : to go off :** *partir* (pour une arme), *se décharger.*

two idle men crouching behind a line of preoccupied backs, of industrious[1] men discharging magazines[2]. The monster[3] had moved. It continued to move regardless[4] of the hail that splashed its skin[5] with bright new specks[6] of lead. It was singing a mechanical little ditty[7] to itself "Tuf-tuf, tuf-tuf, tuf-tuf," and squirting out little jets of steam behind. It had humped itself[8] up, as a limpet does before it crawls; it had lifted its skirt[9] and displayed along the length of it— *feet!* They were thick, stumpy[10] feet, between knobs[11] and buttons in shape—flat, broad things, reminding one of the feet of elephants or the legs of caterpillars; and then, as the skirt rose higher, the war correspondent, scrutinising the thing through his glasses again, saw that these feet hung, as it were[12], on the rims[13] of wheels. His thoughts whirled back[14] to Victoria Street, Westminster, and he saw himself in the piping times of peace[15], seeking matter for an interview.

"Mr.—Mr. Diplock," he said; "and he called them Pedrails.... Fancy[16] meeting them here!"

The marksman beside him raised his head and shoulders in a speculative mood to fire more certainly—it seemed so natural to assume the attention of the monster must be distracted by this trench before it—and was suddenly knocked backwards by a bullet through his neck. His feet flew up, and he vanished out of the margin of the watcher's field of vision.

---

1. **industrious** : *assidu(s), appliqué(s).*

2. **magazines** : *chargeurs.* **A magazine rifle** : *un fusil à répétition.*

3. **monster** : l'engin est à présent subjectivement perçu comme un monstre, dans une gradation dramatique ascendante.

4. **regardless** : to regard : *considérer.* **Regardless** : *insoucieux de.*

5. **skin** : prolonge la métaphore du monstre.

6. **specks** : *petites taches, mouchetures.* **Specked** : *tacheté, tavelé.*

7. **ditty** : a ditty : *une chansonnette, un refrain.*

8. **humped itself** : a hump : *une bosse;* a humpback : *un bossu.* To hump one's back : *faire le gros dos.*

9. **its skirt** : littéralement : *sa jupe.*

10. **stumpy** : a stump : *une souche, un chicot* (d'arbre). **Stumpy** : *trapu,*

seuls tous deux à ne rien faire, accroupis derrière une rangée de dos attentifs : ceux des soldats qui s'appliquaient à vider leurs chargeurs. Le monstre avait bougé. Il continuait d'avancer, indifférent à la grêle de plomb qui éclaboussait son cuir de nouvelles petites taches brillantes. Il fredonnait tout seul un petit refrain de machine, « Teuf-teuf, teuf-teuf, teuf-teuf », et crachait des petits jets de vapeur. Il s'était ramassé sur lui-même comme une arapède sur le point de ramper ; et il avait relevé son tablier, révélant sur toute la longueur... *des pieds* ! Ceux-ci étaient mastocs et courts, d'une forme intermédiaire entre celle d'un bouton de porte et d'un bouton de vêtement : ils ressemblaient aux pieds plats et épais d'un éléphant ou à des pattes de chenille ; après quoi, quand le tablier s'éleva plus haut, le correspondant de guerre, qui scrutait à nouveau l'engin à l'aide de ses jumelles, s'aperçut que ces pieds s'accrochaient en quelque sorte aux jantes des roues. Ses pensées revinrent en tourbillon à la rue Victoria dans le quartier de Westminster, et il se revit « en ce roucouleur temps de paix », en quête d'un sujet d'interview.

« M... M. Diplock, se rappela-t-il, et il appelait ça des Pédirails... Qui aurait cru en voir ici ! »

Le tireur près de lui souleva méditativement la tête et les épaules pour mieux viser — il semblait tellement naturel de supposer que l'attention du monstre devait être distraite par la présence de cette tranchée devant lui — et fut brusquement renversé en arrière par une balle qui lui perça le cou. Ses pieds jaillirent du sol et il disparut de la marge du champ de vision de l'observateur.

---

*ramassé* (pour une personne).
   11. **knobs** : *protubérances, pommes de canne, boutons de porte.*
   12. **as it were** (subjonctif) : *en quelque sorte, pour ainsi dire.*
   13. **rims** : *pourtours, bords, jantes de roue.*
   14. **whirled back : a whirl** : *un tourbillon, un tournoiement.*
   15. Citation de Shakespeare, *Richard III*, 1, 1, 24, traduction de Pierre Leyris.
   16. **fancy** + nom verbal : *je ne m'attendais pas à, qui aurait cru.*

The war correspondent grovelled tighter[1], but after a glance behind him at a painful little confusion, he resumed[2] his field-glass, for the thing was putting down its feet one after the other, and hoisting itself farther and farther over the trench. Only a bullet in the head could have stopped him looking[3] just then.

The lean man with the strident voice ceased firing to turn and reiterate his point. "They can't possibly cross," he bawled. "They—"

"Bang! Bang! Bang! Bang!" drowned[4] everything.

The lean man continued speaking for a word or so, then gave it up, shook his head to enforce the impossibility of anything crossing a trench like the one below, and resumed business[5] once more.

And all the while that great bulk[6] was crossing. When the war correspondent turned his glass on it again it had bridged[7] the trench, and its queer[8] feet were rasping away[9] at the farther[10] bank, in the attempt to get a hold there. It got its hold. It continued to crawl until the greater bulk of it was over the trench—until it was all over. Then it paused for a moment, adjusted its skirt a little nearer the ground, gave an unnerving[11] "toot, toot," and came on abruptly at a pace[12] of, perhaps, six miles an hour straight up the gentle slope towards our observer.

---

1. **grovelled tighter**: to grovel: *ramper, s'aplatir* (au sens propre et fig.). **Tighter**: littéralement, *plus serré*.
2. **resumed**: to resume = to reassume: *reprendre*.
3. **stopped him looking** = **prevented him from looking**: *aurait pu l'empêcher de regarder*. Comme à plusieurs autres stades du récit, la curiosité professionnelle du journaliste l'emporte momentanément sur la peur, à notre profit.
4. **drowned**: to drown: *noyer* (sens propre et fig.).
5. **business**: *son activité, son occupation*.
6. **bulk**: *masse*. **Bulky**: *volumineux, encombrant*.
7. **bridged**: to bridge a stream: *jeter un pont sur un cours d'eau*.
8. **queer**: *bizarre(s), baroque(s)*.
9. **rasping away**: to rasp: *crisser, grincer ;* **away** exprime l'insistance, l'obstination. A **rasping voice**: *une voix grinçante*.

Le correspondant s'aplatit encore plus mais, après avoir jeté un coup d'œil derrière lui, là où se déroulait une petite scène de confusion poignante, il reprit ses jumelles car l'engin abaissait les pieds l'un après l'autre et se hissait de plus en plus loin en surplomb de la tranchée. À ce moment précis, seule une balle dans la tête aurait pu l'empêcher de regarder.

L'homme maigre à la voix stridente interrompit son tir pour se retourner et répéter son argument. « Ils ne pourront pas traverser, c'est exclu, brailla-t-il. Ils... »

« Pif ! Paf ! Boum ! Boum ! » les détonations couvrirent tout autre son.

L'homme maigre dit encore un ou deux mots puis renonça, secoua la tête pour souligner l'impossibilité pour un engin quelconque de franchir une tranchée comme celle qui se trouvait plus bas, et revint une fois de plus à son occupation.

Et, pendant tout ce temps, cette grande masse franchissait l'obstacle. Quand le correspondant tourna à nouveau ses jumelles dans sa direction, elle avait relié les deux bords de la tranchée, et ses pieds baroques s'agrippaient obstinément en grinçant à la pente opposée pour essayer d'y trouver prise. Elle y parvint et continua de ramper jusqu'au moment où l'essentiel de sa masse surplomba la tranchée... jusqu'au moment où elle l'eut entièrement franchie. Elle fit alors une courte halte, rabaissa un peu son tablier, lança un « tut, tut » alarmant et reprit brusquement sa progression, à une vitesse d'une dizaine de kilomètres à l'heure, le long de la pente douce, droit vers notre observateur.

10. **farther** : comparatif : *la plus éloignée des deux* (par rapport à l'engin).

11. **unnerving** : *déconcertant, déroutant, effrayant.* **To lose one's nerves** : *perdre courage, se démoraliser.*

12. **a pace** = **a speed** : *une vitesse, une allure.* **At the pace you are going** : *au train où vous allez... .* **Un pas** : **a step.**

The war correspondent raised himself on his elbow and looked a natural inquiry at the artist.

For a moment the men about him stuck to[1] their position and fired furiously. Then the lean man in a mood[2] of precipitancy slid backwards, and the war correspondent said "Come along" to the artist, and led the movement along the trench.

As they dropped down, the vision of a hillside of trench being rushed[3] by a dozen vast cockroaches[4] disappeared for a space, and instead was one of[5] a narrow passage, crowded with men, for the most part receding, though one or two turned[6] or halted. He never turned back to see the nose[7] of the monster creep[8] over the brow[9] of the trench; he never even troubled to keep in touch[10] with the artist. He heard the "whit" of bullets about him soon enough, and saw a man before him stumble and drop, and then he was one of a furious crowd fighting to get into a transverse zigzag ditch that enabled the defenders to get under cover up and down the hill. It was like a theatre panic. He gathered from[11] signs and fragmentary words that on ahead[12] another of these monsters had also won to[13] the second trench.

He lost his interest in the general course of the battle for a space altogether[14]; he became simply a modest egotist, in a mood of hasty circumspection[15],

---

1. **stuck to**: **to stick to** (fam.): *s'accrocher à;* **to stick to one's post**: *rester à son poste.*

2. **a mood**: *une humeur, une disposition.* **To be in a good (bad) mood**: *être bien (mal) luné.*

3. **rushed**: **to rush a position** (mil.): *prendre d'assaut une position.*

4. **cockroaches**: *blattes, cancrelas.* L'auteur a changé d'image mais reste dans un registre peu engageant.

5. **one of** = **one vision of.**

6. **turned** = **turned round** en contexte.

7. **nose**: *museau* ou *mufle* pour un animal (ici: un « monstre »).

8. **creep**: *se glisser, ramper,* avec une connotation menaçante.

9. **the brow**: *le front* (d'une personne). **The brow of a hill**: *le haut d'une côte.*

10. **keep in touch**: *garder le contact.*

Le correspondant se souleva sur un coude et regarda le dessinateur d'un air naturellement dubitatif.

Pendant quelques instants, les hommes qui l'entouraient restèrent à leur poste en tirant furieusement. Puis l'homme maigre, pris de hâte, se laissa glisser en arrière, et le correspondant dit au dessinateur : « Allons-nous-en ! », avant de prendre la tête du mouvement de repli le long de la tranchée.

En descendant, le spectacle d'un flanc de colline sillonné de tranchées, pris d'assaut par une douzaine d'énormes cancrelats leur échappa un temps pour être remplacé par celui d'un couloir étroit bondé de soldats dont la plupart se repliaient, bien qu'un ou deux d'entre eux fissent demi-tour ou halte. Jamais il ne se retourna pour voir le mufle du monstre dépasser lentement le haut de la tranchée, il ne prit même pas une seule fois la peine de garder le contact avec le dessinateur. Le moment où il entendit des balles siffler autour de lui ne vint que trop vite et il vit un homme qui le précédait trébucher et tomber ; après quoi, il se fondit dans une foule déchaînée qui se battait pour avoir accès à un boyau transversal permettant aux défenseurs de se mettre à couvert vers le haut ou le bas de la colline. On aurait dit une panique dans une salle de théâtre. Il crut comprendre à partir de gestes et de bribes de phrases que, plus loin devant eux, un autre de ces monstres avait également réussi à atteindre la seconde tranchée.

Il perdit pour un temps tout intérêt dans le déroulement d'ensemble de la bataille et ne fut plus modestement qu'un égotiste soucieux d'une célérité prudente,

11. **gathered from** : to gather from : *inférer, déduire.*
12. **ahead** (adj.) : *en avant.*
13. **won to** : to win to : *se frayer un chemin (en combattant) jusqu'à, parvenir à.*
14. **altogether** : *complètement.*
15. **hasty circumspection** : le français intervertit le nom et l'adjectif. Le journaliste s'empresse de battre discrètement en retraite.

seeking the farthest rear[1], amidst a dispersed multitude of disconcerted riflemen similarly employed. He scrambled down through[2] trenches, he took his courage in both hands and sprinted across the open[3], he had moments of panic when it seemed madness not to be quadrupedal, and moments of shame when he stood up and faced about[4] to see how the fight was going. And he was one of many thousand[5] very similar men that morning. On the ridge he halted in a knot of scrub[6], and was for a few minutes almost minded[7] to stop and see[8] things out[9].

The day was now fully come. The grey sky had changed to blue, and of all the cloudy masses of the dawn there remained only a few patches of dissolving fleeciness[10]. The world below was bright and singularly clear. The ridge was not, perhaps, more than a hundred feet or so above the general plain, but in this flat region it sufficed to give the effect of extensive[11] view. Away on the north side of the ridge, little and far, were the camps, the ordered wagons[12], all the gear[13] of a big army; with officers galloping about and men doing aimless things[14]. Here and there men were falling in, however, and the cavalry was forming up on the plain beyond the tents. The bulk[15] of men who had been in the trenches were still on the move[16] to the rear, scattered like sheep[17] without a shepherd over the farther slopes.

---

1. **rear**: *l'arrière* (mil.). **The rear guard**: *l'arrière-garde*.
2. **down through**: les deux actions se succèdent : il descend dans des tranchées pour les traverser.
3. **the open**: *l'espace découvert*.
4. **faced about**: **to face about**: *faire volte-face* (mil.).
5. **many thousand**: emploi adjectival invariable.
6. **scrub**: *arbuste rabougri, broussaille*.
7. **minded**: **I am minded to, I have a mind to**: *j'ai envie de*.
8. **to stop and see**: *s'arrêter pour voir*.
9. **out**: **to see things out, through**: *voir les choses jusqu'au bout* ≠ **to see through things**: *comprendre les choses, y voir clair*.
10. **fleeciness**: **fleece**: *la toison, la laine* (d'un mouton).
11. **extensive**: *vaste, ample*.
12. **wagons**: *chariots, charrettes, fourgons*.

cherchant à se replier aussi loin que possible, au milieu d'une nuée de fantassins désorientés qui s'employaient à faire de même. Il descendit tant bien que mal dans des tranchées à franchir, prit son courage à deux mains pour traverser en courant des espaces découverts ; il connut des moments de panique où ç'eût été pure folie à ses yeux de ne pas avancer à quatre pattes, et des moments de honte où il se relevait et faisait demi-tour pour voir comment évoluait la bataille. Et il se comportait ce matin-là tout comme des milliers d'autres. Parvenu à la crête, il s'arrêta sous un bouquet d'arbustes rabougris et, pendant quelques minutes, fut tenté de faire halte pour voir comment tout cela allait finir.

Il faisait grand jour à présent. Le ciel était passé du gris au bleu et, de toutes les nuées de l'aube, ne restaient plus que quelques taches floconneuses en train de se dissoudre. Au-dessous, le monde était lumineux et ses contours étaient singulièrement distincts. La crête n'était peut-être pas à plus de trente mètres au-dessus de la plaine principale, mais, dans cette région plate, cela suffisait à donner l'impression d'une ample perspective. Au loin, vers le nord, se trouvaient rapetissés par la distance les campements, les fourgons en bon ordre, toute l'infrastructure d'une grosse armée ; avec des officiers à cheval qui circulaient au galop et des soldats occupés à des travaux futiles. Néanmoins, çà et là, des hommes s'alignaient et, dans la partie de la plaine qui s'étendait au-delà des tentes, la cavalerie se formait. La majorité des soldats qui avaient occupé les tranchées continuaient de refluer vers l'arrière, s'éparpillaient sur les pentes plus lointaines comme des moutons sans berger.

---

13. **the gear :** *l'équipement, l'attirail.*
14. **aimless things :** littéralement, *des choses sans objet, sans but.*
15. **bulk : the bulk of :** *la masse des, la majorité.*
16. **on the move :** *en mouvement.*
17. **sheep :** invariable. L'image des moutons sans berger évoque une débandade.

Here and there were little rallies[1] and attempts to wait and do—something vague; but the general drift[2] was away from any concentration. There on the southern side was the elaborate lacework[3] of trenches and defences, across which these iron turtles, fourteen of them spread out over a line of perhaps three miles, were now advancing as fast as a man could trot, and methodically shooting down and breaking up any persistent knots of resistance. Here and there stood little clumps of men, outflanked and unable to get away, showing the white flag, and the invader's cyclist infantry was advancing now across the open, in open order, but unmolested[4], to complete the work of the machines[5]. Surveyed at large, the defenders already looked a beaten army. A mechanism that was effectually[6] ironclad against bullets, that could at a pinch[7] cross a thirty-foot trench, and that seemed able to shoot out rifle-bullets with unerring[8] precision, was clearly an inevitable victor[9] against anything but rivers, precipices[10], and guns.

He looked at his watch. "Half-past four! Lord! What things can happen in two hours. Here's the whole blessed army being walked over[11], and at half-past two——

"And even now our blessed louts haven't done a thing[12] with their guns!"

He scanned[13] the ridge right and left of him with his glasses.

---

1. **rallies**: a rally : *un ralliement, un rassemblement.* A rallying point : *un point de ralliement.*

2. **drift**: au sens fig. : *but, tendance, sens général,* I see your drift : *je vois où vous voulez en venir.*

3. **lacework**: lace : *la dentelle* (sens propre); **lacework**: *une dentelle* (sens figuré).

4. **unmolested**: to molest : *importuner, inquiéter.* Unmolested : *sans être inquiété, en toute impunité.*

5. **machines**: ce rôle d'une infanterie cycliste suivant des chars d'assaut est singulièrement prémonitoire.

6. **effectually**: effectual : *efficace,* **effectually** : *efficacement.*

7. **at a pinch**: *à la rigueur, à la limite, si besoin était.*

190

Çà et là se formaient de petits regroupements et avaient lieu des tentatives de pause en attente d'on ne savait trop quoi ; mais la tendance générale était d'éviter toute concentration. De ce côté sud, s'étendait la dentelle complexe des tranchées et ouvrages de défense que traversaient ces tortues de fer, au nombre de quatorze, déployées sur un front de quelque cinq kilomètres, progressant, à présent, à l'allure d'un homme au trot, en détruisant et en dispersant de façon systématique tous les nœuds de résistance qui persistaient. Çà et là, se dressaient des petits groupes de soldats pris à revers et qui, dans l'incapacité de fuir, hissaient le drapeau blanc ; et l'infanterie cycliste de l'envahisseur avançait à présent à découvert, en ordre déployé, mais sans subir de pertes, pour parachever le travail des engins. En vue panoramique, les défenseurs présentaient déjà l'aspect d'une armée vaincue. Une machine efficacement cuirassée contre les balles, susceptible, au besoin, de franchir une tranchée de neuf mètres de large, et qui semblait capable de décharger des balles de fusil avec une précision infaillible, était, à l'évidence, sûre de triompher de tout, sauf de rivières, d'escarpements et de canons.

Il regarda sa montre. « Quatre heures et demie ! Seigneur ! Il s'en passe des choses en deux heures de temps. Voici que toute cette fichue armée est en train de se faire écraser, alors qu'à deux heures et demie... »

« Et, même à présent, nos fichus lourdauds n'ont rien fait de leurs canons ! »

Il scruta la crête à droite et à gauche à travers ses jumelles.

---

8. **unerring** : *infaillible, sûr.* S'applique à un *jugement* **(judgment)** comme à une *visée* **(aim)**.

9. **victor** = **winner** : *vainqueur* (nom).

10. **precipices** : *escarpements, à-pics. Un précipice* : a chasm.

11. **walked over** : cf. a walkover : *une victoire facile.*

12. **a thing** : not a thing = *rien du tout.*

13. **scanned** : to scan : *sonder du regard, scruter.*

He turned again to the nearest land ironclad, advancing now obliquely to him and not three hundred yards away, and then scanned the ground over which he must retreat if he was not to[1] be captured.

"They'll do nothing," he said, and glanced again at the enemy.

And then from far away to the left came the thud[2] of a gun, followed very rapidly by a rolling[3] gun-fire.

He hesitated and decided to stay.

## III

The defender had relied chiefly upon his rifles in the event of an assault[4]. His guns he kept concealed at various points upon and behind the ridge, ready to bring them into action[5] against any artillery preparations for an attack on the part of his antagonist. The situation had rushed upon[6] him with the dawn[7], and by the time the gunners[8] had their guns ready for motion, the land ironclads were already in among the foremost trenches. There is a natural reluctance[9] to fire into one's own broken men[10], and many of the guns, being intended simply to fight an advance of the enemy's artillery, were not in positions to hit[11] anything in the second line of trenches.

---

1. **if he was not to**: *s'il ne devait pas* (perspective).
2. **thud**: *bruit sourd* ou *mat*.
3. **rolling**: **a rolling noise**: *un bruit qui se répercute* (ex.: le tonnerre).
4. **assault**: nouveau retour en arrière explicatif.
5. **action**: **to bring a battery into action**: *mettre une batterie en action*.
6. **had rushed upon him**: littéralement, *lui était tombée dessus*.
7. **with the dawn**: *en même temps que l'aube* = *à l'aube*.
8. **gunners**: *canonniers, artilleurs*.
9. **reluctance**: **to be reluctant to**: *répugner à*; **to do sth reluctantly**: *faire qqch. à contrecœur*.

Puis il se tourna à nouveau vers le cuirassé terrestre le plus proche qui, à présent, avançait de biais vers lui, à moins de trois cents pas ; puis il inspecta le terrain le long duquel il devait se replier pour éviter d'être fait prisonnier.

« Ils ne vont rien faire », se dit-il en jetant à nouveau un coup d'œil vers l'ennemi.

C'est alors que, provenant de la gauche, au loin, retentit le bruit sourd d'un canon, très rapidement suivi par un feu d'artillerie retentissant.

Il hésita, puis décida de rester.

— 3 —

L'armée des défenseurs avait principalement compté sur le feu de ses fusils dans l'éventualité d'un assaut. Elle avait gardé ses canons dissimulés en divers points, sur la crête ou en retrait de celle-ci, prête à les mettre en action pour contrer toute préparation d'artillerie de l'adversaire en vue d'une attaque. La situation l'avait prise de court à l'aube et, quand les artilleurs eurent fini de préparer les pièces pour leur transport, les cuirassés terrestres s'étaient déjà infiltrés au milieu des tranchées les plus avancées. L'on répugne naturellement à tirer sur ses propres hommes en débandade, et une grande partie des canons, censés simplement s'opposer à une avance de l'artillerie adverse, étaient mal placés pour atteindre une cible quelconque au niveau des tranchées de seconde ligne.

---

10. **broken men : to break** (mil.) : *se débander* (troupe). Dans un autre contexte, **a broken man** : *un homme ruiné*.

11. **to hit** : *atteindre*. Ne pas confondre avec **to hurt** : *blesser*.

After that the advance of the land ironclads was swift[1]. The defender-general found himself suddenly called upon[2] to invent a new sort of warfare[3], in which guns were to fight alone amidst broken and retreating infantry. He had scarcely[4] thirty minutes in which to think it out[5]. He did not respond to the call[6], and what happened that morning was that the advance of the land ironclads forced the fight, and each gun and battery made what play[7] its circumstances dictated. For the most part it was poor play.

Some of the guns got in[8] two or three shots, some one or two, and the percentage of misses[9] was unusually high. The howitzers, of course, did nothing. The land ironclads in each case followed much the same tactics. As soon as a gun came into play the monster turned itself almost end-on[10], so as to minimise the chances of a square hit[11], and made not for[12] the gun, but for the nearest point on its flank from which the gunners could be shot down. Few of the hits scored[13] were very effectual; only one of the things was disabled[14], and that was the one that fought the three batteries attached to the brigade on the left wing. Three that were hit when close upon the guns were clean shot through[15] without being put out of action. Our war correspondent did not see that one momentary arrest of the tide of victory on the left; he saw only the very ineffectual fight of half-battery 96B close at hand upon his right. This he watched some time beyond the margin of safety.

---

1. **swift**: *rapide*. As swift as an arrow: *vif comme l'éclair*.
2. **called upon (on)**: to call on s.o. to do sth: *sommer qqn de, mettre qqn en demeure de faire qqch*.
3. **warfare**: *guerre* (au sens de mode de combat).
4. **scarcely**: *à peine*.
5. **think it out**: to think sth out: *méditer sur qqch*.
6. **respond to the call**: a call: *une exigence, un appel*.
7. **what play...** = the play that. Ici, play: *façon d'agir*.
8. **got in**: to get in a shot: *atteindre une cible, placer un tir*.
9. **misses**: a miss: *un coup manqué*.
10. **end-on**: *de face*.
11. **a square hit**: *un coup au but* (loc.).

Après cela, la progression des cuirassés terrestres avait été rapide. Le général de l'armée des défenseurs se vit soudain requis d'inventer un nouveau genre de guerre, dans laquelle les canons devaient combattre seuls au sein d'une infanterie défaite, en repli. Il disposa de moins d'une demi-heure pour y réfléchir et ne répondit pas à l'appel du destin. Et ce qui se passa ce matin-là fut que la progression des cuirassés terrestres commanda le déroulement de la bataille, et chacun des canons, comme chacune des batteries, se comporta selon la dictée des circonstances. Dans la plupart des cas, piètrement.

Certaines des pièces placèrent deux ou trois obus, d'autres un ou deux, et la proportion des tirs manqués fut exceptionnellement élevée. Bien entendu, les obusiers ne servirent à rien. Chaque fois, les cuirassés terrestres pratiquèrent en gros la même tactique. Dès qu'une pièce entrait en action, le monstre se tournait pratiquement de face pour diminuer les risques d'un tir dans le mille, et se dirigeait non pas vers le canon mais vers le point le plus proche sur son flanc d'où les canonniers pouvaient être abattus. Peu des coups portés furent très efficaces : seul l'un des engins fut mis hors d'action, et c'était celui d'entre eux qui avait affronté les trois batteries qui dépendaient de la brigade sur l'aile gauche. Trois cuirassés atteints en approchant des canons furent percés de part en part sans être mis hors de service. Notre correspondant ne vit pas le coup d'arrêt provisoire infligé sur la gauche à la marée des vainqueurs ; il n'assista qu'au combat très inefficace de la demi-batterie 96 B, toute proche sur sa droite. Il l'observa quelque temps, au-delà de sa marge de sécurité.

---

12. **made for** : to make for : *se diriger vers, aller droit sur*.
13. **hits scored** : to score a hit : *marquer un coup au but*.
14. **disabled** : to disable : *mettre hors de combat*.
15. **clean shot through** : shot through : *traversé par un boulet, transpercé*. **Clean** (adv. fam.) : *absolument*.

Just after he heard the three batteries opening up[1] upon his left he became aware of the thud of horse's hoofs from the sheltered[2] side of the slope, and presently saw first one and then two other guns galloping[3] into position along the north side of the ridge, well out of sight of[4] the great bulk that was now creeping obliquely towards the crest and cutting up[5] the lingering[6] infantry beside it and below, as it came.

The half-battery swung round into line—each gun describing its curve—halted, unlimbered[7], and prepared for action....

"Bang!"

The land ironclad had become visible over the brow of the hill, and just visible as a long black back to the gunners. It halted, as though[8] it hesitated.

The two remaining guns fired, and then their big antagonist had swung round and was in full view, end-on, against the sky, coming at a rush[9].

The gunners became frantic in their haste to fire again.

They were so near the war correspondent could see the expression of their excited faces through his field-glass[10]. As he looked he saw a man drop, and realised for the first time that the ironclad was shooting[11].

For a moment the big black monster crawled with an accelerated pace towards the furiously active gunners.

---

1. **opening up** = opening fire.
2. **sheltered** : *abrité, à couvert*. A **shelter** : *un abri*. To **take shelter** : *s'abriter*.
3. **galloping** : formulation ramassée. Les canons sont tirés par des chevaux au galop.
4. **out of sight of** : *invisible(s) à*. In **sight** : *en vue*.
5. **cutting up** : to cut up an army : *décimer une armée, la tailler en pièces*.
6. **lingering** : to linger : *s'attarder*. A **lingerer** : *un traînard, un retardataire*.
7. **unlimbered** : a **limber** : *un avant-train* (d'affût de canon).

Juste après avoir entendu les trois batteries ouvrir le feu à gauche, il avait pris conscience du martèlement sourd de sabots de chevaux provenant du versant à couvert de la colline, et avait vu bientôt un canon, puis deux autres, amenés au galop pour prendre position le long de la partie nord de la crête, bien cachés à la vue de la grande masse d'acier qui rampait en biais vers le sommet et qui, au passage, décimait sur ses flancs et en contrebas les fantassins attardés.

La demi-batterie pivota pour se mettre en ligne — chaque canon décrivant sa propre courbe —, s'immobilisa, décrocha ses avant-trains et se prépara à l'engagement...

« Boum ! »

Le cuirassé terrestre était apparu dans le champ visuel sur le haut de la colline ne découvrant aux artilleurs qu'un long dos noir. Il s'arrêta comme s'il hésitait.

Les deux canons restants lâchèrent leur coup, et voilà que leur gros adversaire avait pivoté sur lui-même et apparaissait tout entier de face, se détachant sur le ciel, en train de foncer sur eux.

Les artilleurs furent pris d'une hâte frénétique de tirer à nouveau.

Ils étaient si près que le correspondant pouvait voir l'expression surexcitée de leur visage à travers ses jumelles. En les regardant, il vit un homme tomber et comprit pour la première fois que le cuirassé terrestre s'était mis à tirer.

Pendant quelques instants, le gros monstre noir accéléra l'allure de son glissement en direction des artilleurs qui s'affairaient furieusement.

8. **as though** = as if.

9. **at a rush :** *à toute vitesse.*

10. **field-glass :** Wells nous offre ici un gros plan cinématographique avant la lettre sur les visages des artilleurs.

11. **shooting :** la scène prend vie et s'interprète à travers la perception du témoin attentif. L'explication de la méthode de l'ennemi viendra plus tard.

Then, as if moved[1] by a generous impulse, it turned its full broadside[2] to their attack, and scarcely forty yards away from them. The war correspondent turned his field-glass back to the gunners and perceived it was now shooting down the men about the guns with the most deadly[3] rapidity.

Just for a moment it seemed splendid, and then it seemed horrible[4]. The gunners were dropping in heaps[5] about their guns. To lay a hand on a gun was death. "Bang!" went the gun on the left, a hopeless miss[6], and that was the only second shot the half-battery fired. In another moment half-a-dozen surviving artillerymen were holding up their hands amidst a scattered muddle[7] of dead and wounded men, and the fight was done[8].

The war correspondent hesitated between stopping in his scrub and waiting for an opportunity to surrender decently[9], or taking to an adjacent gully he had discovered. If he surrendered it was certain he would get no copy off[10]; while, if he escaped, there were all sorts of chances[11]. He decided to follow the gully, and take the first offer in the confusion beyond the camp of picking up[12] a horse.

---

1. **moved by**: *poussé par, mû par* ou *ému par*. **He was moved by the sight of her distress**: *il fut ému par le spectacle de sa détresse*.

2. **broadside**: *flanc* (d'un navire). **To exchange broadsides**: *se canonner par le travers*.

3. **deadly**: *terrible*.

4. **horrible**: touche psychologique. Le journaliste admire l'efficacité du tir avant de mesurer l'horreur de ses effets.

5. **heaps**: *des tas, des amas*. Au sens figuré: **there were heaps of victims**: *il y a eu de nombreuses victimes*.

6. **a hopeless miss**: **hopeless**: *irrémédiable = un coup complètement manqué*.

7. **a muddle**: *un amas confus*.

8. **was done**: **to be done** = **to be over**: *être achevé*.

9. **decently**: *de façon correcte, honorable*. **A decent person**: *une personne bien*. **Indécent**: **improper**.

10. **get no copy off**: **copy**: *la copie* (d'un journaliste). **To get a parcel off**: *expédier un paquet*.

Puis, comme mû par un élan de générosité, il présenta tout son flanc à leur attaque, et cela à moins de quarante pas de l'endroit où ils se trouvaient. Le correspondant ramena ses jumelles vers les artilleurs et s'aperçut que le monstre abattait à présent les hommes qui se tenaient autour des canons à une rapidité terrifiante.

À son admiration momentanée succéda un sentiment d'horreur. Les artilleurs tombaient en masse autour de leurs canons. Poser la main sur l'un d'eux signait un arrêt de mort. « Boum ! » le canon sur la gauche avait lâché son second coup, tout à fait à côté de la cible, et ce fut le seul à être tiré par cette demi-batterie. L'instant d'après, une demi-douzaine d'artilleurs survivants levaient les mains en l'air au milieu d'un chaos de morts et de blessés épars et le combat avait pris fin.

Le correspondant hésita entre rester au milieu des arbustes rabougris en attendant l'occasion de se rendre honorablement ou s'engager dans une ravine qu'il avait découverte à proximité. S'il se rendait, il ne pourrait plus, à coup sûr, faire passer sa copie ; alors que, s'il s'échappait, il y aurait toutes sortes de possibilités. Il décida d'emprunter la ravine et, dans la confusion qui régnait au-delà du campement, de saisir la première chance offerte de s'emparer d'un cheval.

---

11. **chances** : *possibilités, occasions.* **To chance it** : *risquer le coup* (fam.).

12. **picking up** : *choisir, s'emparer de, voler.*

# IV

Subsequent authorities[1] have found fault with the first land ironclads in many particulars, but assuredly they served their purpose[2] on the day of their appearance. They were essentially long, narrow, and very strong steel frameworks carrying the engines[3], and borne[4] upon eight pairs of big pedrail wheels, each about ten feet in diameter, each a driving wheel and set upon long axles free to swivel[5] round a common axis. This arrangement gave them the maximum of adaptability to the contours of the ground. They crawled level along the ground with one foot high upon a hillock[6] and another deep in a depression, and they could hold themselves erect and steady[7] sideways upon even a steep hillside. The engineers[8] directed the engines under the command of the captain, who had look-out points at small ports[9] all round the upper edge of the adjustable skirt of twelve-inch[10] ironplating which protected the whole affair, and who could also raise or depress a conning-tower[11] set about the port-holes through the centre of the iron[12] top cover. The riflemen each occupied a small cabin of peculiar construction, and these cabins were slung along the sides of and before and behind the great main framework, in a manner suggestive of the slinging of the seats of an Irish jaunting-car.

---

1. **authorities**: an authority on a subject : *une personne autorisée, experte dans une matière.*

2. **served their purpose**: purpose : *l'intention, le dessein.*

3. **the engines**: pour une voiture ce serait *les moteurs,* ici cela paraît être *des machines,* comme celles d'un navire à vapeur.

4. **borne**: p.p. de **to bear** au sens de *porté.*

5. **to swivel**: *pivoter, tourner, être articulé.*

6. **a hillock**: *une petite colline, une butte, un monticule.*

7. **steady**: to steady (intr.) : *retrouver son équilibre.*

8. **engineers**: ici, comme souvent, *mécaniciens.*

— 4 —

Par la suite, des experts ont critiqué les premiers cuirassés terrestres sur de nombreux détails, mais, à n'en pas douter, le jour de leur apparition, ils répondirent à ce qu'on attendait d'eux. Ils comprenaient pour l'essentiel une armature d'acier, longue, étroite et très solide, qui portait les machines et reposait sur huit couples de grosses roues à pédirails : chacune d'entre elles, de quelque trois mètres de diamètre, était tractrice et s'articulait sur un long essieu, capable de pivoter autour d'un axe commun. Ce dispositif donnait à ces engins un maximum d'adaptabilité au relief du terrain. Ils rampaient en collant au sol, avec un pied en hauteur sur une bosse et un autre en profondeur dans un creux, et ils pouvaient se maintenir à la verticale et retrouver aplomb par côté, même sur une pente escarpée. Les mécaniciens orientaient les machines selon les instructions du capitaine, qui disposait de points d'observation par des petits hublots tout autour du bord supérieur du tablier à longueur réglable — blindé de fer sur une épaisseur de trente centimètres, celui-ci protégeait l'ensemble de l'engin —, et qui pouvait aussi faire monter ou descendre, à travers le centre du toit en acier, une tourelle de commandement placée près des hublots. Chacun des tireurs occupait une petite cabine d'une forme singulière et ces cabines étaient accrochées sur les côtés, à l'avant ainsi qu'à l'arrière de la grande armature principale, d'une façon qui rappelait celle dont sont suspendus les sièges d'une carriole irlandaise à deux roues.

9. **ports** = **port-holes** : *hublots*.
10. **inch** (invariable en position adjectivale) = 2,54 cm.
11. **a conning-tower** : **to con a ship** : *diriger la manœuvre d'un navire.*
12. **iron** peut avoir le sens de **steel** *(acier)* au sens propre ou figuré. To have **iron nerves** : *avoir des nerfs d'acier.*

Their rifles, however, were very different pieces of apparatus[1] from the simple mechanisms in the hands of their adversaries.

These were in the first place automatic, ejected their cartridges and loaded again from a magazine each time they fired, until the ammunition store[2] was at an end[3], and they had the most remarkable sights[4] imaginable, sights which threw a bright little camera-obscura picture into the light-tight[5] box in which the riflemen sat below. This camera-obscura picture was marked with two crossed lines, and whatever[6] was covered by the intersection of these two lines, that[7] the rifle hit. The sighting[8] was ingeniously contrived. The rifleman stood at the table with a thing like an elaboration[9] of a draughtman's dividers[10] in his hand, and he opened and closed these dividers, so that they were always at the apparent height—if it was an ordinary-sized man—of the man he wanted to kill. A little twisted strand of wire like an electric-light wire ran from this implement up to the gun, and as the dividers opened and shut the sights went up or down. Changes in the clearness of the atmosphere, due to changes of moisture, were met[11] by an ingenious use of that meteorologically sensitive substance, catgut, and when the land ironclad moved forward the sights got a compensatory deflection in the direction of its motion. The rifleman stood up in his pitch-dark[12] chamber and watched the little picture before him.

---

1. **apparatus** (sens collectif) : au sing. : **a piece of apparatus**.
2. **ammunition store : a store :** *une réserve.* **Ammunition,** mot invariable, signifie *les munitions*.
3. **at an end :** Wells imagine avant la lettre un fusil-mitrailleur.
4. **sights** (mil.) : *viseurs de fusil.*
5. **light-tight :** cf. **water-tight :** *imperméable.* **Light-tight :** étymologiquement assez *hermétiques* **(tight)** pour ne pas laisser passer le jour.
6. **whatever :** *quoi que ce soit.*
7. **that :** pronom démonstratif d'insistance, qui renvoie à **whatever**.
8. **the sighting :** nom verbal : *le repérage.*
9. **an elaboration of :** *une forme perfectionnée de.*

Mais leurs fusils étaient des instruments bien différents des mécanismes rudimentaires dont disposaient leurs ennemis.

En premier lieu, ces fusils étaient automatiques : ils éjectaient leurs cartouches vides et se rechargeaient à partir d'un magasin après chaque coup de feu, jusqu'à ce que la réserve de munitions fût épuisée ; et, de surcroît, ils étaient munis des plus remarquables viseurs qu'on pût imaginer, lesquels projetaient une petite image lumineuse de chambre noire dans les cabines inaccessibles au jour, placées plus bas et où les tireurs étaient assis. Cette image de chambre noire était traversée par deux lignes en croix et le fusil atteignait tout ce que recouvrait leur point d'intersection. Le mode de visée constituait une invention ingénieuse. Le tireur se tenait devant la table avec un objet dans la main qui ressemblait à un compas de dessinateur industriel amélioré ; et il l'ouvrait et le refermait pour le maintenir à la dimension apparente de l'homme qu'il voulait tuer, censé être d'une taille banale. Un petit cordon de fil tressé qui ressemblait à un fil électrique reliait ce dispositif au fusil et, selon que le compas s'ouvrait ou se refermait, le viseur s'élevait ou s'abaissait. Pour répondre aux modifications de la pureté de l'air dues à celles de son humidité, on utilisait ingénieusement de la corde de boyau, substance sensible aux variations météorologiques ; et, lorsque le cuirassé terrestre avançait, les viseurs prenaient une inclinaison compensatoire dans le sens du déplacement. Le tireur, dans sa chambre d'un noir d'encre, se levait pour contempler la petite image devant lui.

---

10. **a draughtman's dividers** : dividers (plur.) : *un compas* (à pointes sèches). A **drafstman** ou **draughtsman** : *un dessinateur* (industriel ou en architecture).

11. **were met** : to meet a situation, a difficulty : *faire face à une situation, à une difficulté, y répondre*. On dit aussi : **to cope with**.

12. **pitch-dark** : littéralement, *d'un noir de poix*, expression toute faite.

One hand held the dividers for judging distance, and the other grasped[1] a big knob like a door-handle. As he pushed this knob about the rifle above swung to correspond, and the picture passed to and fro like an agitated panorama. When he saw a man he wanted to shoot he brought him up to the cross-lines, and then pressed a finger upon a little push like an electric bell-push, conveniently placed in the centre of the knob. Then the man was shot. If by any chance[2] the rifleman missed his target[3] he moved the knob a trifle[3], or readjusted his dividers, pressed the push, and got him the second time[5].

This rifle and its sights protruded[6] from a port-hole, exactly like a great number of other port-holes that ran in a triple row under the eaves of the cover of the land ironclad. Each port-hole displayed a rifle and sight in dummy[7], so that the real ones could only be hit by a chance shot, and if one was, then the young man below said "Pshaw"! turned on an electric light, lowered[8] the injured instrument into his camera, replaced the injured[9] part, or put up a new rifle if the injury was considerable.

You must conceive these cabins as hung clear[10] above the swing of the axles, and inside the big wheels upon which the great elephant-like feet[11] were hung,

---

1. grasped : to grasp : *empoigner* ou *étreindre*. To have s.o. in one's grasp : *avoir qqn en son pouvoir*. Out of grasp : *hors d'atteinte*.

2. by any chance : *par extraordinaire* (hypothèse improbable).

3. his target : a target : *une cible* (sens propre ou fig.). The target (of a government) : *les objectifs* (chiffrés) *d'un gouvernement*.

4. a trifle : *une vétille, une chose sans importance*. Au sens adverbial : *un petit peu, un tant soit peu, légèrement*. To trifle with : *badiner avec, jouer avec*.

5. the second time : ce système ingénieux de visée, imaginé par Wells, semble d'une bien grande complication, surtout en regard des fusils à lunettes qui donnent aujourd'hui la mort plus simplement.

6. protruded : to protrude from : *dépasser de*. Protruding teeth : *des dents proéminentes*.

7. in dummy : *en simulacre*. A dummy trench, tank : *une fausse tranchée, un char factice*. To be, play, dummy : *faire le mort* (au bridge).

Il tenait le compas dans une main pour évaluer la distance et, dans l'autre, il serrait une grosse poignée semblable à un bouton de porte. À mesure qu'il déplaçait cette poignée, le fusil au-dessus basculait à l'unisson et l'image dansait de droite à gauche comme un panorama agité. Quand le tireur apercevait un homme qu'il voulait abattre, il amenait son reflet jusqu'aux lignes croisées, puis appuyait du doigt sur un petit bouton pareil à celui d'une sonnette, commodément situé au milieu de la poignée. Alors l'homme était abattu. Si, par le plus grand des hasards, le tireur avait manqué sa cible, il déplaçait imperceptiblement la poignée ou corrigeait la position de son compas, appuyait sur le bouton et l'atteignait la seconde fois.

Ce fusil avec ses viseurs dépassait d'un hublot identique à de nombreux autres qui s'alignaient sur trois rangs à l'abri de l'avancée du toit. Chacun de ces hublots laissait apparaître un faux fusil à viseur, si bien que les vrais fusils ne pouvaient être atteints que par une balle accidentelle et alors le jeune homme au-dessous poussait un « Bah ! » d'indifférence, allumait une lampe, redescendait dans la chambre obscure l'arme endommagée, en remplaçait la partie atteinte ou, si le dommage était important, remontait un nouveau fusil.

Il vous faut concevoir que ces cabines étaient suspendues en hauteur, au-dessus de l'espace où oscillaient les essieux, mais à l'intérieur des grosses roues, d'où pendaient les grands pieds en forme de pattes d'éléphant ;

---

8. **to lower** (de **low**) : *abaisser* (sens propre ou fig.). **To lower the colour** : *saluer le drapeau*. En emploi intransitif : **prices are lowering** : *les prix diminuent*.

9. **injured** : *détérioré(e), abîmé(e)*.

10. **clear** : (adv.) : *de manière à ne pas toucher*. **To steer clear of a rock** (naut.) : *passer au large d'un récif*.

11. **elephant like feet** : version anthromorphique rudimentaire des chaînes de chars d'assaut : reste que l'idée est prémonitoire.

and behind these cabins along the centre of the monster ran a central gallery into which they opened, and along which worked the big compact engines. It was like a long passage into which this throbbing[1] machinery had been[2] packed, and the captain stood about the middle, close to the ladder that led to his conning-tower, and directed[3] the silent, alert engineers—for the most part[4] by signs. The throb and noise of the engines mingled with the reports[5] of the rifles and the intermittent clangour[6] of the bullet hail[7] upon the armour[8]. Ever and again he would touch[9] the wheel that raised his conning-tower, step up his ladder until his engineers could see nothing of him above the waist[10], and then come down again with orders. Two small electric lights were all the illumination[11] of this space— they were placed to make him most clearly visible to his subordinates; the air was thick with the smell of oil and petrol[12], and had the war correspondent been[13] suddenly transferred from the spacious dawn outside to the bowels[14] of this apparatus he would have thought himself fallen into another world[15].

The captain, of course, saw both sides of the battle. When he raised his head into his conning-tower there were the dewy[16] sunrise, the amazed[17] and disordered trenches, the flying and falling soldiers, the depressed-looking groups of prisoners, the beaten guns;

---

1. **throbbing : to throb :** *palpiter, vrombir.*
2. **had been :** indicatif à sens conditionnel.
3. **directed : to direct people :** *donner des instructions, des directives, des ordres aux gens.*
4. **for the most part :** *essentiellement, surtout.*
5. **reports** (mil.) : *détonations, bruits d'explosion.*
6. **clangour = clang :** *bruit métallique.*
7. **the bullet hail :** littéralement : *la grêle de balles.*
8. **the armour :** *le blindage.*
9. **he would touch :** forme fréquentative : imparfait de répétition.
10. **the waist :** *la taille.*
11. **illumination :** *l'éclairage, la lumière.*

et, derrière ces cabines, au cœur du monstre, courait un galerie centrale sur laquelle elles ouvraient et où fonctionnaient les grosses machines compactes. On aurait dit un long couloir dans lequel on aurait entassé ces machines vrombissantes, et le capitaine, qui se tenait debout vers le milieu, tout près de l'échelle qui menait à sa tourelle, donnait des instructions surtout par gestes aux mécaniciens vigilants et silencieux. Le vrombissement et le cliquetis des machines se mêlaient aux détonations des fusils, au fracas intermittent des balles tombant en grêle sur le blindage. De temps en temps, il touchait le volant qui élevait sa tourelle, grimpait sur son échelle jusqu'à ce que tout le haut de son corps disparût à l'observation des mécaniciens, puis redescendait donner ses ordres. Seules deux petites lampes électriques éclairaient cet espace et elles étaient placées de façon à rendre le capitaine très visible aux yeux de ses subordonnés ; une odeur d'huile et d'essence épaississait l'atmosphère et, si le correspondant s'était soudain vu transférer de l'espace ample extérieur de l'aube dans le ventre de cet engin, il se serait cru tombé au sein d'un autre monde.

Bien entendu, le capitaine voyait la bataille sous ses deux angles. Quand il passait la tête vers le haut dans sa tourelle, il découvrait le lever de soleil sous la rosée, les tranchées surprises et chaotiques, les soldats en fuite et ceux qui s'effondraient, les groupes de prisonniers démoralisés, les canons vaincus ;

---

12. **petrol** : *l'essence ;* en américain : **gas(oline)**. *Le pétrole :* **(field)oil**.

13. **had...been** : inversion d'hypothèse = **if (he) had been**.

14. **the bowels** : littéralement : *les intestins, les entrailles*.

15. **another world** : l'auteur, qui, pour décrire les cuirassés terrestres, a dû prendre un point de vue omniscient, nous ramène brièvement au regard du journaliste.

16. **dewy** : **the dew** : *la rosée*.

17. **amazed** : *être confondu, stupéfait*. On notera cette personnification des tranchées et, deux lignes plus bas, des canons.

when he bent down again to signal "half speed," "quarter speed," "half circle round toward the right," or what not[1], he was in the oil-smelling twilight of the ill-lit engine-room. Close beside him on either side was the mouthpiece of a speaking-tube, and ever and again he would direct one side or other of his strange craft[2] to "concentrate fire forward on gunners," or to "clear out trench about a hundred yards on our right front."

He[3] was a young man, healthy enough but by no means sun-tanned, and of a type of feature and expression that prevails in His Majesty's Navy[4]: alert, intelligent, quiet[5]. He and his engineers and riflemen all went about their work, calm and reasonable men. They had none of that flapping strenuousness[6] of the half-wit[7] in a hurry, that excessive strain upon the blood-vessels, that hysteria of effort which is *so* frequently regarded as the proper state of mind for heroic deeds.

For the enemy these young engineers were defeating they felt a certain qualified pity and a quite unqualified contempt. They regarded these big, healthy men[8] they were shooting down precisely as these same big, healthy men might regard some inferior kind of nigger. They despised them for making war; despised their bawling patriotisms and their emotionality profoundly; despised them, above all, for the petty cunning and the almost brutish want of imagination their method of fighting displayed.

---

1. **what not**: *je ne sais quoi d'autre.*

2. **craft**: *embarcation, navire* (mot invariable au sens pluriel).

3. **he**: **the captain** au paragraphe précédent pourrait être perçu comme générique : le capitaine de chacun de ces engins. Cette fois, le voici individualisé selon une technique pré-cinématographique.

4. **His Majesty's Navy**: renvoie à l'Angleterre contemporaine de l'écriture du texte, celle d'Édouard VII.

5. **quiet**: par opposition à l'armée, Wells semble apprécier les qualités de la marine anglaise, ici donnée en exemple.

6. **flapping strenuousness**: **strenuous efforts**: *des efforts acharnés.* **To flap**: *voleter, battre des ailes.*

et quand il se penchait à nouveau vers le bas pour faire signe de passer en « demi-vitesse », en « quart de vitesse », de faire un « demi-tour à droite », ou d'accomplir une autre manœuvre, il se retrouvait dans le demi-jour aux relents d'huile de la salle des machines mal éclairée. Tout près de lui, de chaque côté, se trouvait l'embout d'un porte-voix, et, de temps en temps, il donnait aux tireurs, sur l'un ou l'autre flanc de son étrange vaisseau, l'ordre de « concentrer le feu vers l'avant en direction des artilleurs » ou bien de « nettoyer la tranchée à une centaine de pas sur l'avant à tribord ».

C'était un homme jeune et assez robuste mais au teint clair, dont les traits et l'expression du visage sont d'un type dominant dans la marine royale : d'une intelligence en éveil et sereine. Lui-même, ses mécaniciens et ses tireurs vaquaient tous à leurs occupations en hommes calmes et posés. En eux n'apparaissait nulle trace de l'acharnement confus des simplets impétueux, d'une tension excessive des vaisseaux sanguins ou de l'exaltation dans l'effort censée être l'humeur qui s'accorde le mieux aux actes d'héroïsme.

À l'égard de l'ennemi que ces jeunes ingénieurs étaient en train de vaincre, ils éprouvaient une certaine pitié nuancée, en même temps qu'un mépris sans nuances. Ils considéraient ces grands et robustes gaillards qui tombaient sous leurs balles précisément comme ces derniers pourraient considérer un nègre de souche inférieure. Ils les méprisaient de faire la guerre ; méprisaient profondément leur patriotisme braillard et leur sensiblerie ; les méprisaient surtout pour les ruses mesquines et l'absence, quasiment sous-humaine, d'imagination que manifestait leur mode de combat.

---

7. **the half-wit :** emploi générique. **Wit :** *l'esprit.* **A half-wit :** *un simple d'esprit.*

8. **men : that** est sous-entendu.

"If they *must*[1] make war," these young men thought, "why in thunder[2] don't they do it like sensible[3] men?" They resented[4] the assumption[5] that their own side was too stupid to do anything more than play their enemy's game, that they were going to play this costly folly[6] according to the rules of unimaginative men. They resented being forced to the trouble of making man-killing machinery; resented the alternative of having to massacre these people or endure their truculent[7] yappings; resented the whole unfathomable imbecility of war[8].

Meanwhile, with something of the mechanical precision of a good clerk posting a ledger[9], the riflemen moved their knobs and pressed their buttons....

The captain of Land Ironclad Number Three had halted on the crest close to his captured half-battery. His lined-up prisoners stood hard by[10] and waited for the cyclists behind to come for them. He surveyed the victorious morning through his conning-tower.

He read the general's signals. "Five and Four are to[11] keep among the guns to the left and prevent any attempt to recover them. Seven and Eleven and Twelve, stick to the guns you have got; Seven, get into position to command the guns taken by Three. Then we're to do something else, are we? Six and One, quicken up to about ten miles an hour and walk round behind that camp to the levels[12] near the river—

1. *must :* italiques d'insistance : *vraiment, absolument.*
2. **in thunder** (fam.) = **why in (the name of) thunder :** *pourquoi diable...* ?
3. **sensible :** *raisonnable(s), sensé(s), judicieux. Sensible :* **sensitive.**
4. **resented : to resent :** *prendre en mauvaise part, se fâcher de.*
5. **assumption :** *hypothèse, postulat.* **To assume that :** *présumer que.*
6. **folly :** *sottise, stupidité* ≠ *Folie :* **madness.**
7. **truculent :** *agressif, féroce, brutal.*
8. **imbecility of war :** Wells précise sa pensée. Ces combattants ne sont pas des bellicistes. Leurs adversaires leur ont imprudemment forcé la main. L'idée prémonitoire d'une supériorité technique qui, dans un second temps, dissuaderait l'ennemi d'attaquer semble ici implicite.

« S'ils doivent absolument faire la guerre, se disaient ces jeunes gens, pourquoi diable ne pas la faire intelligemment ? » Ils s'irritaient du postulat selon lequel leur propre camp était trop stupide pour faire autre chose que jouer le jeu de leur ennemi, et de l'hypothèse qu'ils allaient pratiquer ce jeu imbécile, coûteux en vies, selon les règles d'hommes dépourvus d'imagination. Ils s'irritaient d'avoir dû prendre la peine de construire des machines à tuer les soldats ; de l'alternative qui leur était faite de devoir soit massacrer ces gens, soit subir leurs jacassements agressifs ; ils s'irritaient de toute l'insondable bêtise de la guerre.

Pendant ce temps, avec une précision de routine qui rappelait celle d'un bon commis de bureau passant des écritures dans un grand-livre, les tireurs déplaçaient les poignées et pressaient les boutons.

Le capitaine du cuirassé terrestre n° 3 s'était arrêté sur la crête à proximité de la demi-batterie dont il s'était emparé. Ses prisonniers en rang restaient debout tout près, en attendant leur prise en charge par l'infanterie cycliste qui suivait. Il contempla à travers sa tourelle le matin de la victoire.

Il lut les signaux du général. « Le cinq et le quatre doivent rester parmi les canons du flanc gauche et contrer toute tentative pour les reprendre. Sept, onze et douze : ne quittez pas les canons que vous avez pris ; que le sept se mette en position de couvrir de son tir ceux que le trois a conquis. Ensuite, vous pensez que nous devons faire autre chose ? Que le six et le un accélèrent jusqu'à une bonne quinzaine de kilomètres à l'heure et contournent ce campement jusqu'aux berges basses du fleuve —

---

9. **ledger** : *le grand livre.*
10. **hard by** : *tout près.*
11. **are to** : *doivent* (instructions, directives).
12. **the levels** : **level** : *horizontal.* **The levels** (géogr.) : *les étendues plates, la plaine.*

we shall bag[1] the whole crowd of them," interjected[2] the young man. "Ah, here we are! Two and Three, Eight and Nine, Thirteen and Fourteen, space out[3] to a thousand yards, wait for the word, and then go slowly to cover the advance of the cyclist infantry against any charge of mounted troops[4]. That's all right. But where's Ten? Halloa! Ten to repair[5] and get movable[6] as soon as possible. They've broken up Ten!"

The discipline of the new war machines was business-like[7] rather than pedantic[8], and the head of the captain came down out of the conning-tower to tell his men: "I say[9], you chaps there. They've broken up Ten. Not badly, I think; but anyhow, he's stuck[10]."

But that still left thirteen of the monsters in action to finish up the broken army.

The war correspondent stealing down[11] his gully looked back and saw them all lying along the crest and talking fluttering[12] congratulatory flags to one another. Their iron sides were shining golden[13] in the light of the rising sun[14].

---

1. **bag** (fam.): *capturer.*

2. **interjected**: to **interject**: *lancer une remarque.*

3. **space out**: *échelonner, s'échelonner.* To **space out** one's payments, one's visits: *échelonner ses paiements, espacer ses visites.*

4. **mounted troops**: cette directive nous prépare à l'issue du dernier épisode.

5. **to repair** = sous-entendu: **is to repair**: *doit réparer.*

6. **movable**: *mobile.* **Movables**: *les biens meubles.*

7. **business-like**: *pratique, fonctionnel(le).*

8. **pedantic**: ici, au sens de *pointilleux(se), formaliste.*

9. **I say** (fam.): *dites donc!*

10. **he's stuck**: de **to stick**: *il ne peut plus avancer, il est bloqué.*

11. **stealing down**: to **steal**: *se déplacer furtivement, s'insinuer.* **Down**: *le long de* (en descendant la pente).

12. **fluttering**: to **flutter**: *flotter* (pour un drapeau).

13. **golden**: *doré* (couleur) = **gild** (doré au sens de recouvert d'une dorure) et **gold**: *en or* (massif).

« On va tous les cueillir », s'écria le jeune homme. — Eh bien, nous y voilà ! Deux et trois, huit et neuf, treize et quatorze : déployez-vous à trois cents pas l'un de l'autre, attendez l'ordre de départ, puis avancez lentement pour couvrir la progression de l'infanterie cycliste contre une charge éventuelle de cavalerie. Voilà qui va bien. Mais où est le dix ? Allons bon ! Le dix doit réparer ses dommages et se remettre en état de marche au plus tôt. Ils ont bien abîmé le dix ! »

La discipline sur ces nouvelles machines de guerre était fonctionnelle plutôt que formaliste, si bien que le capitaine sortit la tête au bas de sa tourelle pour informer ses hommes : « Dites donc, les gars là-dessous. Ils ont abîmé le dix. Pas sérieusement, je pense ; mais, en tout cas, il est bloqué. »

Mais cela laissait encore en action treize des monstres en service pour achever l'armée en déroute.

En se glissant le long de la ravine, le correspondant de guerre regarda derrière lui et vit tous les engins, posés le long de la crête : ils se congratulaient en agitant des pavillons. Leurs flancs blindés brillaient d'un éclat doré sous les rayons du soleil levant.

---

14. **the rising sun** : *le soleil levant ;* **the setting sun** : *le soleil couchant ;* **the sunrise, the sunset** : *le lever du soleil, le coucher du soleil.* Aux yeux de l'écrivain, ces engins terrifiants, monstrueux, ont aussi une beauté dans l'éclat du métal.

# V

The private adventures of the war correspondent termi-
nated in surrender about one o'clock in the afternoon[1], and
by that time he had stolen a horse, pitched off it[2], and
narrowly escaped[3] being rolled upon; found the brute[4] had
broken its leg, and shot it with his revolver. He had spent
some hours in the company of a squad of dispirited[5]
riflemen, had quarrelled with them about topography at
last, and gone off by himself in a direction that should
have brought him to the banks of the river and didn't.
Moreover, he had eaten all his chocolate and found nothing
in the whole world to drink. Also, it had become extremely
hot. From behind a broken, but attractive, stone wall he
had seen far away in the distance the defender-horsemen
trying to charge cyclists in open order, with land ironclads
outflanking them[6] on either side. He had discovered that
cyclists could retreat over open turf[7] before horsemen with
a sufficient margin of speed to allow of frequent dis-
mounts[8] and much terribly effective sharp-shooting, and he
had a sufficient persuasion that those horsemen, having
charged their hearts out[9], had halted just beyond his range
of vision and surrendered. He had been urged to sudden
activity by a forward movement of one of those machines
that had threatened to enfilade his wall. He had discovered
a fearful blister[10] on his heel.

---

1. **in the afternoon :** la bataille a, donc, duré une longue matinée.
2. **pitched off it : to pitch :** *piquer du nez, tomber.*
3. **narrowly escaped : to have a narrow escape :** *échapper de peu,
l'échapper belle.*
4. **the brute :** *l'animal* (sens non péjoratif).
5. **dispirited** = **in low spirits :** *découragés.*
6. **them :** renvoie à **the defender-horsemen.**
7. **open turf : turf :** *le gazon, une étendue d'herbe ;* **open :** *à découvert.*
8. **dismount** (nom) : *le fait de descendre de cheval.*

Les aventures personnelles du correspondant s'achevèrent par sa reddition vers treize heures et, dans l'intervalle, il avait volé un cheval, s'était fait jeter au sol en manquant de peu d'être écrasé sous le poids de son corps; il s'était aperçu que l'animal s'était cassé un membre et l'avait tué d'une balle de revolver. Il avait passé quelques heures en compagnie d'une escouade de fantassins démoralisés, avait fini par se brouiller avec eux au sujet de la topographie et il était parti seul dans une direction qui aurait dû le ramener jusqu'aux rives du fleuve mais n'en avait rien fait. En outre, il avait mangé tout son chocolat et n'avait rien trouvé à boire au monde. Qui plus est, la chaleur était devenue torride. À l'abri d'un mur de pierre, éventré mais pittoresque, il avait vu dans le lointain les cavaliers de l'armée des défenseurs essayer de charger les cyclistes qui arrivaient en ordre déployé, tandis que des cuirassés terrestres les prenaient en tenailles. Il s'était aperçu que les cyclistes étaient capables de se replier sur un espace herbeux découvert, à l'approche de la cavalerie, avec une marge de vitesse suffisante pour leur permettre de mettre fréquemment pied à terre et de tirailler d'abondance avec une efficacité redoutable; et il était à peu près convaincu que ces cavaliers, après avoir chargé à cœur joie, s'étaient arrêtés pour se rendre, juste au-delà de son champ de vision. Une avancée de l'un des engins, qui menaçait de prendre son mur en enfilade, l'avait subitement incité à se mouvoir. Il s'était découvert une terrible ampoule au talon.

---

9. **their hearts out** : *à cœur joie.*

10. **a blister** : *une ampoule* (au pied). Ce mélange de petits détails et de notations d'ensemble accrédite le récit, comme au sein d'un témoignage vécu.

He was now in a scrubby gravelly[1] place, sitting down and meditating on his pocket-handkerchief, which had in some extraordinary way become in the last twenty-four hours extremely ambiguous in hue[2]. "It's the whitest thing I've got," he said.

He had known all along that the enemy was east, west, and south of him, but when he heard land ironclads Number One and Six talking[3] in their measured, deadly way not half a mile to the north he decided to make his own little unconditional[4] peace without any further risks. He was for[5] hoisting his white flag to a bush and taking up a position of modest obscurity near it until some one came along. He became aware of voices, clatter[6], and the distinctive noises of a body of horses[7], quite near, and he put his handkerchief in his pocket again and went to see what was going forward.

The sound of firing ceased, and then as he drew near[8] he heard the deep sounds of many simple, coarse, but hearty[9] and noble-hearted soldiers of the old school swearing with vigour.

He emerged from his scrub upon a big level plain, and far away a fringe of trees[10] marked the banks of the river.

In the centre of the picture[11] was a still-intact road bridge, and a big railway bridge a little to the right.

---

1. **gravelly** : de **gravel** *(le gravier)* : *pierreux* ou *sablonneux*.

2. **hue** : *teinte, couleur, nuance*.

3. **talking** : il s'agit du tir qui est *scandé* **(measured)** et *mortel, terrible* **(deadly)**.

4. **unconditional** : **to surrender unconditionally** : *se rendre sans conditions*.

5. **he was for** : *il inclinait à, penchait pour* (+ nom verbal : en anglais).

6. **clatter** : *bruit de sabots*.

7. **a body of horses** : **a body of** : *une troupe*.

8. **as he drew near** : **to draw near** : *approcher, s'approcher (de)*. **As he drew near** = **on drawing near** : *à mesure qu'il approchait, en approchant*.

9. **coarse but hearty** : *grossiers mais chaleureux*. Le balancier thémati-

Il se trouvait à présent dans un endroit caillouteux et broussailleux, assis par terre, en train de méditer sur l'aspect de son mouchoir qui, au cours des dernières vingt-quatre heures, avait, par extraordinaire, pris une teinte extrêmement ambiguë. « C'est le tissu le plus blanc que je possède », se disait-il.

Pendant tout ce temps, il avait su que l'ennemi se trouvait à l'est, à l'ouest et au sud de sa position mais, lorsqu'il entendit les cuirassés terrestres nos 1 et 6 s'exprimer dans leur langage scandé et implacable, à moins de huit cents mètres au nord, il décida de rechercher sa propre petite paix sans conditions, en évitant des risques supplémentaires. Il était enclin à hisser son drapeau blanc en l'accrochant à un buisson et à prendre humblement une position d'anonymat à proximité, en attendant que l'on vînt. Mais il entendit tout près de lui des voix, un claquement de sabots et les bruits distinctifs d'une troupe de chevaux et remit son mouchoir dans sa poche pour aller voir ce qui avançait là.

Le bruit de la fusillade s'interrompit et ensuite, à mesure qu'il approchait, il distingua les voix graves de nombreux soldats de la vieille école, frustes, grossiers mais chaleureux et généreux, en train de jurer vigoureusement.

Il sortit de ses broussailles et déboucha sur une vaste plaine sans ondulations avec, au loin, une bordure d'arbres qui signalait les rives du fleuve.

Au centre du tableau, se trouvait un pont routier encore intact et, légèrement sur la droite, un grand pont de chemin de fer.

---

que semble revenir en arrière, regrettant, au passage, les qualités populaires perdues au profit d'une civilisation supérieure.

10. **a fringe of trees** : *une bordure d'arbres.* **To live on the fringe of society** : *vivre en marge de la société.*

11. **picture** : c'est en effet un tableau de fin de bataille qui se déploie pour nous sous le regard de l'observateur, avec des plans successifs de fresque militaire.

Two land ironclads rested, with a general air of being long, harmless sheds[1], in a pose of anticipatory peacefulness right and left of the picture, completely commanding two miles and more of the river levels. Emerged and halted a few yards from the scrub was the remainder[2] of the defender's cavalry, dusty, a little disordered and obviously annoyed[3], but still a very fine show[4] of men. In the middle distance[5] three or four men and horses were receiving medical attendance, and nearer a knot of officers regarded the distant novelties in mechanism with profound distaste[6]. Every one was very distinctly aware of the twelve other ironclads, and of the multitude of townsmen soldiers, on bicycles or afoot[7], encumbered[8] now by prisoners and captured war-gear[9], but otherwise thoroughly[10] effective, who were sweeping like a great net[11] in their rear.

"Checkmate," said the war correspondent, walking out into the open. "But I surrender in the best of company. Twenty-four hours ago I thought war was impossible—and these beggars have captured the whole blessed army! Well! Well!" He thought of his talk with the young lieutenant. "If there's no end to the surprises of science, the civilised people have it[12], of course. As long as their science keeps going[13] they will necessarily be ahead of[14] open-country men. Still...." He wondered for a space what might have happened to the young lieutenant[15].

1. **harmless sheds**: a shed: *un appentis, un hangar*. Harm: *tort* (causé à qqn). Harmless: *inoffensif;* **harmful**: *nuisible, malfaisant*.

2. **the remainder** (de **to remain**): *le reste, le reliquat*.

3. **annoyed**: to annoy: *contrarier, chagriner*.

4. **show**: a show: *un spectacle*.

5. **the middle distance**: *le second plan* (d'un paysage).

6. **distaste**: taste: *le goût*. A distaste for: *un dégoût, une répugnance pour*. To conceive a distaste: *prendre qqn* ou *qqch. en aversion*.

7. **afoot** (adv.): = **on foot**: *à pied*.

8. **encumbered**: *encombré, embarrassé, entravé*.

9. **war-gear**: *équipement, attirail, matériel de guerre* (pron. [giə]).

10. **thoroughly**: *entièrement*.

11. **like a great net**: l'une des images suggestives qui caractérisent ce texte.

Deux cuirassés terrestres au repos, qui ressemblaient dans leur aspect d'ensemble à de longs hangars inoffensifs, occupaient la droite et la gauche du tableau, dans une pose d'attente pacifique ; ils tenaient entièrement sous leur tir trois kilomètres au moins de la plaine qui bordait le fleuve. Émergeant des broussailles, les cavaliers survivants de l'armée des défenseurs avaient fait halte au bout de quelques pas : couverts de poussière, ayant perdu un peu de leur bel ordre, visiblement exaspérés, ces hommes faisaient, pourtant, encore très belle figure. Au second plan, trois ou quatre cavaliers faisaient panser leurs blessures ou celles de leurs chevaux et, plus près, une poignée d'officiers contemplaient au loin les nouvelles machines, d'un air très écœuré. Tous étaient pleinement conscients de l'existence des douze autres cuirassés et de la multitude des soldats citadins, à bicyclette ou à pied, ralentis à présent par leurs prisonniers et le matériel de guerre conquis, mais, par ailleurs, restés très efficaces, qui déferlaient sur leurs arrières comme pour les prendre dans un vaste filet.

« Échec et mat, se dit le correspondant, sortant à découvert. Mais je me rends en excellente compagnie. Il y a vingt-quatre heures, je croyais la guerre impossible et voilà que ces individus ont fait prisonnière toute cette fichue armée ! Voyez-vous ça ! » Sa conversation avec le jeune lieutenant lui revint à l'esprit. « Si les surprises de la science sont sans fin, les civilisés l'emporteront, bien sûr. Tant que leur science progressera ils seront, par force, en avance sur les campagnards. Pourtant... » Il se demanda un temps ce qui avait pu arriver au jeune lieutenant.

---

12. **have it :** loc. exprimant une victoire dans une partie ou un match.
**The blacks have it :** *les noirs gagnent* (aux échecs).

13. **keeps going :** *continue d'avancer*.

14. **ahead of :** *en avance sur* (sens propre et fig.).

15. **lieutenant :** le récit nous ramène au personnage présenté au début. Mais l'interrogation reste sans réponse, comme au sein d'une grande bataille.

The war correspondent was one of those inconsistent[1] people who always want the beaten side to win. When he saw all these burly, sun-tanned horsemen, disarmed and dismounted[2] and lined up; when he saw their horses unskilfully[3] led away by the singularly not equestrian cyclists to whom they had surrendered; when he saw these truncated Paladins[4] watching this scandalous sight, he forgot altogether that he had called these men "cunning louts" and wished them beaten[5] not four-and-twenty hours ago. A month ago he had seen that regiment in its pride going forth[6] to war, and had been told of its terrible prowess[7], how it could charge in open order with each man firing from his saddle, and sweep before it anything else that ever came out to battle in any sort of order, foot or horse[8]. And it had had to fight a few score[9] of young men in atrociously unfair machines!

"Manhood *versus*[10] Machinery" occurred to him as a suitable headline. Journalism curdles[11] all one's mind to phrases[12].

He strolled as near the lined-up prisoners as the sentinels seemed disposed to permit, and surveyed them and compared their sturdy proportions with those of their lightly built captors.

"Smart degenerates," he muttered. "Anæmic cockney-dom[13]."

---

1. **inconsistent**: **consistent**: *logique;* **inconsistent**: *illogique.*

2. **dismounted**: **to mount a horse**: *monter un cheval;* **to dismount** (intr.): *mettre pied à terre* (de cheval ou de bicyclette).

3. **unskilfully**: **skill**: *l'adresse;* **skilful**: *adroit;* **unskilful**: *maladroit.*

4. **truncated Paladins**: littéralement, *ces paladins tronqués,* i.e. *ces cavaliers sans monture* (dans une formulation burlesque).

5. **wished them beaten**: **and that he had wished...** etc. **To wish s.o.** + adj. est une construction idiomatique.

6. **going forth**: **forth** = **forward**. **To go forth**: *se mettre en route.*

7. **its prowess** (sing. invar. à sens souvent pluriel): *ces exploits* (pron.: prauis).

8. **foot or horse**. **A foot or a horse regiment**: *un régiment d'infanterie ou de cavalerie.* Ces mots sont invariables en ce sens..

9. **a few score**: **a score of**: *une vingtaine de.* Ce mot est invariable en

Le correspondant de guerre faisait partie de ces êtres illogiques qui souhaitent toujours la victoire du camp des vaincus. Quand il vit tous ces cavaliers robustes et basanés, à pied, désarmés et en rang; quand il vit la maladresse avec laquelle les cyclistes à qui ils s'étaient rendus, si peu doués pour l'équitation, emmenaient leurs chevaux; quand il vit ces paladins amputés de leur monture, qui se scandalisaient de ce spectacle, il oublia d'un coup que moins de vingt-quatre heures plus tôt, il les avait appelés des « lourdauds rusés » en souhaitant leur défaite. Un mois auparavant, il avait vu ce régiment dans toute sa fierté partir pour la guerre et avait été informé de ses exploits redoutables : de la façon dont il savait charger en ordre déployé, chaque cavalier tirant sans quitter la selle, et balayer devant lui n'importe quel attaquant en quelque ordre que ce fût, fantassin ou cavalier. Et voilà qu'il lui avait fallu affronter quelques vingtaines de jeunes gens dans un combat cruellement inégal avec des machines !

Une idée lui vint pour un titre adéquat : « L'homme contre les machines. » Le journalisme fige l'esprit tout entier en formules.

Il s'approcha nonchalamment des prisonniers en rang, d'aussi près que les sentinelles semblaient disposées à le permettre et les examina pour comparer leur robuste carrure aux formes frêles de ceux qui les avaient pris.

« Des dégénérés intelligents, murmura-t-il. De la race anémique des faubouriens. »

---

position adjectivale, comme **dozen**.

10. *versus* : *contre*, par ex. dans un procès : **Smith versus Jones**.
11. **curdle (to)** : *figer* (un liquide en général).
12. **a phrase** : *une formule* (≠ **a sentence** : *une phrase*).
13. **cockneydom** : **a cockney** : *un habitant des quartiers populaires de Londres*. En transposition française : *un faubourien*. On dit plutôt : **cockneyism**, *le faubourianisme* (d'accent ou de manières).

The surrendered officers came quite close to him presently, and he could hear the colonel's high-pitched tenor[1]. The poor gentleman had spent three years of arduous toil upon the best material[2] in the world perfecting that shooting from the saddle charge[3], and he was inquiring with phrases of blasphemy, natural in the circumstances, what one could be expected to do against this suitably consigned ironmongery[4].

"Guns," said some one.

"Big guns they can walk round. You can't shift big guns to keep pace[5] with them, and little guns in the open they rush. I saw'em rushed. You might do a surprise now and then—assassinate the brutes, perhaps——"

"You might make things like 'em."

"What? *More* ironmongery? Us?..."

"I'll call my article," meditated the war correspondent, " 'Mankind *versus* Ironmongery,' and quote the old boy[6] at the beginning."

And he was much too good a journalist to spoil his contrast[7] by remarking that the half-dozen comparatively slender young men in blue pyjamas who were standing about their victorious land ironclad, drinking coffee and eating biscuits, had also in their eyes and carriage[8] something not altogether[9] degraded below the level of a man.

---

1. **high-pitched tenor : a tenor (voice) :** *une voix de ténor.* **High-pitched :** *posée haut = aiguë, criarde.* C'est le seul détail distinctif de ce figurant en dehors de ses paroles de culotte de peau.

2. **material : raw material :** *la matière première.* Ici, il s'agit de **human material,** *un matériau humain.*

3. **charge : shooting from the saddle :** fait fonction d'épithète.

4. **suitably consigned ironmongery : an ironmonger's :** *une quincaillerie* (boutique). **Suitably consigned :** *voué(e) à ce qui sied, c'est-à-dire,* **consigned to hell, to the devil :** *vouée au diable* (dans l'expression anglaise toute faite).

5. **keep pace : to keep pace with s.o. :** *suivre l'allure de qqn, marcher de pair avec lui.* **He cannot keep pace with his work :** *il est débordé de travail.*

Bientôt, les officiers qui s'étaient rendus passèrent tout près de lui et il entendit la voix aiguë de ténor du colonel. Ce pauvre gentleman avait passé trois ans de labeur acharné avec le meilleur matériau humain au monde pour mettre au point cette charge avec son tir en selle et il demandait en blasphémant, comme le justifiaient les circonstances, ce que l'on pouvait bien être censé faire contre cette quincaillerie qu'il vouait au diable, comme il seyait.

« Des canons, suggéra quelqu'un.

— Les grosses pièces, ils peuvent les prendre à revers. On ne peut pas les déplacer assez vite pour eux et, quant aux petits canons à découvert, ils les prennent d'assaut. J'ai assisté à ça. On pourrait les attaquer par surprise de temps en temps, exterminer ces créatures, peut-être...

— On pourrait fabriquer des engins du même genre.

— Quoi ? Une autre quincaillerie ? Nous ?... »

Le correspondant songea : « Je vais appeler mon article "l'homme contre la quincaillerie", et citer ce vieux bonze pour commencer. »

Et il était bien trop bon journaliste pour gâcher son contraste en faisant remarquer que la demi-douzaine de jeunes gens, relativement sveltes, en pyjama bleu, debout autour de leur cuirassé victorieux, en train de boire du café et de manger des biscuits, avaient aussi dans le regard et le maintien un je-ne-sais-quoi qui n'évoquait pas une race d'hommes totalement dégradée.

----

6. **the old boy** (fam.) : *le vieux bonhomme, ce vieux bonze*. A propos d'un collège, **an old boy** est *un ancien élève*.

7. **spoil his contrast : to spoil :** *gâcher*. Wells prend ses distances envers le journaliste, condamné à simplifier les données du réel.

8. **carriage :** *le port, le maintien* (d'une personne).

9. **not altogether :** *pas tout à fait*. Cette formulation négative a, en conclusion, un effet d'insistance ironique sur le contraire de l'adjectif. Ces hommes représentent pour Wells une race supérieure d'hommes en un sens délibérément anti-nietzschéen.

# The Empire of the Ants

*L'Empire des fourmis*

# I

When Captain Gerilleau received instructions to take his new gunboat[1], the *Benjamin Constant*, to Badama on the Batemo arm of the Guaramadema[2] and there assist the inhabitants against a plague[3] of ants, he suspected the authorities of mockery[4]. His promotion had been romantic and irregular, the affections of a prominent Brazilian lady and the captain's liquid eyes had played a part in the process, and the *Diario* and *O Futuro* had been lamentably disrespectful in their comments. He felt he was to[5] give further occasion for[6] disrespect.

He was a Creole, his conceptions of etiquette and discipline were pure-blooded Portuguese, and it was only to Holroyd, the Lancashire[7] engineer, who had come over with the boat[8], and as an exercise in the use of English—his "th" sounds were very uncertain[9]—that he opened his heart.

"It is in effect," he said, "to make me absurd! What can a man do against ants? Dey come, dey go."

"They say," said Holroyd, "that these don't go. That chap you said was a Sambo——"

"Zambo—it is a sort of mixture of blood[10]."

"Sambo. He said the people are going!"

The captain smoked fretfully[11] for a time. "Dese tings 'ave to happen," he said at last. "What is it?

---

1. **a gunboat** : *une canonnière, une canonnière-aviso.*

2. **Guaramadema** : cette rivière ne figure pas plus sur les atlas que les deux indications topographiques précédentes.

3. **a plague** : *un fléau, une plaie.*

4. **mockery** : *dérision* ou *simulacre.*

5. **he was to** : *il devait* (dans l'intention de ses adversaires).

6. **(an) occasion for** : *une matière à, un sujet de.*

7. **Lancashire** : comté industriel du nord-ouest de l'Angleterre.

8. **had come over with the boat** : **to come over** : *traverser la mer.* La présence de ce chef-mécanicien va permettre à Wells de nous donner le point de vue, censément raisonnable, d'un technicien anglais.

Lorsque le capitaine Gerilleau reçut pour instructions de faire voile sur sa nouvelle canonnière, le *Benjamin Constant*, vers Badama, sur le Batemo, l'un des bras du fleuve Guaramadema, et d'en aider les habitants à repousser une invasion de fourmis, il soupçonna l'administration de se payer sa tête. Son avancement avait été romanesque et peu orthodoxe : les sentiments d'une dame brésilienne éminente et les yeux clairs du capitaine y avaient joué un rôle, si bien que le *Diario* et *O Futuro* s'étaient montrés d'un irrespect déplorable dans leurs commentaires. Il lui sembla qu'il allait sûrement leur offrir un nouveau sujet d'irrévérence.

En tant que créole, l'idée qu'il se faisait de l'étiquette et de la discipline était celle d'un Portugais de race pure, il n'ouvrit, donc, son cœur qu'au bénéfice de Holroyd, le chef mécanicien originaire du Lancashire, venu jusqu'au Brésil livrer le navire, et pour s'exercer à parler l'anglais, car sa prononciation des ''th'' était très incertaine.

« En réalité, dit-il, c'est pour me ridiculiser ! Que peut faire un homme contre des fourmis ? Elles viennent et elles repartent.

— On prétend, dit Holroyd, que celles-ci ne repartent pas. Ce type dont vous avez dit que c'était un Sambo...

— Un Zambo, ça désigne un genre de métis.

— Sambo. Il a dit que ce sont les gens qui partent ! »

Le capitaine fuma un temps avec irritation. « C'est des choses qui doivent arriver, dit-il enfin. De quoi s'agit-il ?

---

9. **uncertain** : ce détail situe le portrait du capitaine dans une note humoristique. A partir de là, il faudra lire ses **d** comme des **th** : **dey** pour **they, dese** pour **these, dere** pour **there,** etc.

10. **a mixture of blood** : les *sambos* ou *zambos* (en espagnol sud-américain) sont des métis de Noirs et d'Indiennes ou inversement.

11. **fretfully** : **to fret** : *se tourmenter, s'inquiéter.* **Fretful** : *irritable, maussade, chagrin.*

Plagues of ants and suchlike as God wills. Dere was a plague in Trinidad—the little ants that carry leaves[1]. Orl der[2] orange-trees, all der mangoes[3]! What does it matter[4]? Sometimes ant armies come into your houses—fighting ants; a different sort. You go and they clean the house. Then you come back again;—the house is clean, like new! No cockroaches, no fleas, no jiggers in the floor."

"That Sambo chap," said Holroyd, "says these are a different sort of ant."

The captain shrugged his shoulders, fumed[5], and gave his attention to a cigarette.

Afterwards he reopened the subject. "My dear 'Olroyd, what am I to do about dese infernal ants?"

The captain reflected. "It is ridiculous," he said. But in the afternoon he put on his full uniform and went ashore[6], and jars and boxes came back to the ship and subsequently he did. And Holroyd sat on deck in the evening coolness and smoked profoundly and marvelled[7] at Brazil. They were six days up the Amazon[8], some hundreds of miles[9] from the ocean, and east and west of him there was a horizon like the sea, and to the south nothing but a sand-bank island with some tufts of scrub. The water was always running like a sluice[10], thick with dirt, animated with crocodiles and hovering[11] birds, and fed[12] by some inexhaustible[13] source of tree trunks;

---

1. **carry leaves**: les fourmis mangeuses de feuilles ne sont pas imaginaires.
2. **orl der** = all their.
3. **mangoes**: a mango: *une mangue ;* a mango (tree): *un manguier.*
4. **what does it matter?** *Qu'est-ce que ça peut faire ?*
5. **fumed**: to fume: *rager, se faire du mauvais sang, ronger son frein.*
6. **ashore** (adv.): = **on the shore.** To go ashore: *descendre à terre.*
7. **marvelled at**: *s'émerveiller,* ou *s'étonner, de voir.*
8. **up the Amazon**: up (prép.): *à remonter l'Amazone.*
9. **miles**: un mille marin **(a nautical mile)** correspond à 1853 m.
10. **a sluice**: *une écluse.* A sluice-gate: *une porte d'écluse, une vanne.*
11. **hovering**: to hover: *planer.* Il s'agit, d'ordinaire, d'oiseaux de proie.

D'invasions de fourmis ou d'insectes de ce genre, au gré du Seigneur. C'est arrivé sur l'île de la Trinité : une invasion de ces petites fourmis qui emportent les feuilles. Tous leurs orangers et tous leurs manguiers y sont passés ! Et puis quoi ? Quelquefois des armées de fourmis entrent chez vous : des fourmis soldats, une autre espèce. On s'en va et elles nettoient la maison. Puis on revient dans une maison propre, comme neuve ! Plus de cafards, plus de puces, plus de chiques sur le plancher.

— Ce type, ce Sambo, reprit Holroyd, dit qu'il s'agit d'un autre genre de fourmis. »

Le capitaine haussa les épaules et rongea son frein en concentrant son attention sur sa cigarette.

Plus tard, il revint sur le sujet.

« Mon cher 'Olroyd, que dois-je faire à propos de ces damnées fourmis ? »

Le capitaine réfléchit. « C'est ridicule », conclut-il. Mais, l'après-midi, il revêtit son grand uniforme et descendit à terre : des jarres et des caisses en revinrent à bord ; lui aussi revint par la suite. Et Holroyd resta assis sur le pont, dans la fraîcheur du soir, à aspirer la fumée de sa cigarette et à s'étonner du spectacle du Brésil. Il leur fallut six jours pour remonter l'Amazone, à plusieurs centaines de milles de l'océan, et, à l'est comme à l'ouest, il voyait un horizon semblable à celui de la mer avec, au sud, rien qu'une île en forme de banc de sable où poussaient quelques touffes de broussaille. L'eau glissait d'une poussée continue comme celle d'une écluse, chargée d'une boue épaisse, animée par des crocodiles sous des vols d'oiseaux de proie, alimentée par une source inépuisable de troncs d'arbre :

---

12. **fed** : de **to feed** : *nourrir, alimenter* (sens propre et fig.).

13. **inexhaustible** : to **exhaust** : *épuiser*. Inexhaustible : *inépuisable*. Cette allusion aux innombrables troncs d'arbres charriés par le fleuve évoque indirectement l'immensité de la forêt amazonienne, laquelle accuse la petitesse, la faiblesse des hommes.

and the waste of it, the headlong waste[1] of it, filled his soul[2]. The town of Alemquer, with its meagre church, its thatched[3] sheds for[4] houses, its discoloured ruins of ampler days[5], seemed a little thing lost in this wilderness[6] of Nature, a sixpence dropped on Sahara. He was a young man, this was his first sight of the tropics, he came straight from England, where Nature is hedged, ditched[7], and drained[8] into the perfection of submission, and he had suddenly discovered the insignificance of man. For six days they had been steaming up[9] from the sea by unfrequented channels, and man had been as rare as a rare butterfly. One saw one day a canoe, another day a distant station, the next no men at all. He began to perceive that man is indeed a rare animal, having but a precarious hold upon this land[10].

He perceived it more clearly as the days passed, and he made his devious way[11] to the Batemo, in the company of this remarkable commander, who ruled over one big gun, and was forbidden to waste his ammunition. Holroyd was learning Spanish industriously[12], but he was still in the present tense and substantive stage of speech, and the only other person who had any words of English was a negro stoker[13], who had them all wrong[14]. The second in command was a Portuguese, da Cunha, who spoke French,

---

1. **the headlong waste : a waste :** *une région inculte, un désert.* A **wasteland :** *une terre inculte.* **Headlong** (adv.) : *tête baissée.*

2. **his soul : soul :** *désigne l'âme,* par contraste avec **mind,** *l'esprit* (au sens intellectuel) et **spirit :** *le caractère, le courage.*

3. **thatched :** de **thatch :** *chaume de toiture.*

4. **for :** ici = **in lieu of :** *en guise de.*

5. **ampler days :** *des jours plus abondants* (en ressources).

6. **wilderness** (pron. : [wildenis]) : de **wild :** *sauvage.* A **wilderness :** *un lieu sauvage, un pays inculte, un désert.*

7. **ditched :** de a **ditch :** *un fossé.*

8. **drained :** de a **drain :** *un canal, un fossé d'assainissement, un égout.* To **drain :** *assainir, assécher.*

9. **steaming up : up :** *en remontant le cours du fleuve.* To **steam :** *avancer à la vapeur. Avancer à la voile* se dirait **to sail.**

230

et cette stérilité, cette stérilité impétueuse, obsédait son âme. La ville d'Alemquer avec sa pauvre église, ses baraques au toit de chaume en guise de maisons, ses ruines pâlies d'une époque plus opulente, ressemblaient à un petit objet perdu dans ce désert de la nature, à une pièce de six pence que l'on aurait laissée tomber au milieu du Sahara. Holroyd était jeune ; il voyait là les tropiques pour la première fois ; il venait tout droit d'Angleterre où la nature est enclose de haies, creusée de fossés, assainie jusqu'à son parfait assujettissement, et il avait découvert d'un seul coup l'insignifiance de l'homme.

Cela faisait six jours que, partis de l'embouchure, ils remontaient le fleuve à la vapeur en suivant des chenaux peu fréquentés et la présence de l'homme y était aussi rare que celle d'un papillon rare. Un jour on voyait un canoé ; un autre jour, une station écartée ; le lendemain, pas âme qui vive. Il commençait à comprendre que l'homme est vraiment un animal rare, dont l'empire sur ce pays est précaire.

Il le comprit plus clairement au fil des jours et dans son avance tortueuse vers le Batemo en compagnie de ce singulier commandant de bord qui régnait sur un seul gros canon et se voyait interdire de gaspiller ses munitions. Holroyd étudiait assidûment l'espagnol, mais il en était encore au temps présent et au stade substantival de la parole, et la seule autre personne qui possédât quelques mots d'anglais était un chauffeur de race noire qui se trompait sur le sens de chacun d'eux. Le second du navire était un Portugais nommé da Cunha, qui parlait le français,

---

10 **this land** : la description de ce voyage pose le décor : celui d'une terre toute-puissante que l'homme ne domine pas.

11. **devious way** : to make one's way : *avancer, progresser*. **Devious ways** : *des voies tortueuses, détournées* (avec une connotation péjorative).

12. **industriously** : *avec application*.

13. **stoker** : *chauffeur* (sur un navire à vapeur).

14. **had them all wrong** : to have sth wrong : *mal comprendre, se tromper sur le sens de*.

but it was a different sort of French from the French Holroyd had learned in Southport[1], and their intercourse[2] was confined to politenesses and simple propositions about the weather. And the weather, like everything else in the amazing new world, the weather had no human aspect, and was hot by night and hot by day, and the air steam, even the wind was hot steam, smelling of vegetation in decay[3]: and the alligators and the strange[4] birds, the flies of many sorts and sizes, the beetles[5], the ants, the snakes and monkeys seemed to wonder what man was doing in an atmosphere that had no gladness in its sunshine and no coolness in its night[6]. To wear clothing was intolerable, but to cast it aside[7] was to scorch[8] by day, and expose an ampler area to the mosquitoes by night; to go on deck by day was to be blinded by glare[9] and to stay below was to suffocate. And in the daytime came certain flies, extremely clever and noxious[10] about one's[11] wrist and ankle. Captain Gerilleau, who was Holroyd's sole distraction from these physical distresses, developed into a formidable bore[12], telling the simple story of his heart's affections day by day, a string[13] of anonymous women, as if he was telling beads[14]. Sometimes he suggested sport[15], and they shot at[16] alligators, and at rare intervals they came to human aggregations in the waste of trees, and stayed for a day or so, and drank and sat about;

---

1. **Southport** : ville moyenne du Lancashire sur la mer d'Irlande.

2. **intercourse** : *commerce entre deux personnes, rapports.*

3. **in decay** : to decay (plants): *pourrir.* To fall into decay (building) : *tomber en ruine* (bâtiment).

4. **strange** : sens fréquent d'*inconnu*.

5. **beetles** : *scarabées, escargots, coléoptères.*

6. **in its night** : noter la rhétorique d'accumulation de cette phrase et de la suivante. Elle s'efforce de communiquer l'oppression du climat.

7. **aside** : to cast one's clothing (clothes) aside : *se débarrasser de ses vêtements.*

8. **to scorch** : *griller* (intr. et tr.). A scorching sun : *un soleil brûlant.*

9. **glare** : *lumière éblouissante, crue* (du soleil).

mais son français différait de celui qu'Holroyd avait appris à Southport si bien que leurs rapports se limitaient à des formules de politesse et à des remarques simples sur le temps qu'il faisait. Et ce temps, comme tout le reste dans ce nouveau monde stupéfiant, ce temps n'avait rien d'humain : il était brûlant le jour comme la nuit, et la vapeur en suspension dans l'air — même le vent apportait une humidité brûlante — avait des relents de végétation putrescente ; et les alligators, les oiseaux inconnus, les mouches de maintes espèces et de grosseur variée, les scarabées, les fourmis, les serpents et les singes semblaient se demander ce que l'homme venait faire dans un milieu dont l'ensoleillement était sans joie et la nuit sans fraîcheur. Porter des vêtements était insupportable, mais se dévêtir revenait à rôtir le jour et à exposer la nuit un plus grand espace de peau aux piqûres des moustiques ; monter le jour sur le pont revenait à être aveuglé par l'éclat du soleil, et demeurer en bas à suffoquer de chaleur. Et la journée amenait certaines mouches, très adroites et nuisibles, au niveau des poignets et des chevilles. Le capitaine Gerilleau, seul à pouvoir distraire Holroyd de ces misères physiques, se révéla d'un ennui prodigieux, relatant jour après jour l'histoire simple de ses amours avec une kyrielle de femmes anonymes, comme s'il égrenait un chapelet. Parfois, il proposait une séance de chasse et tous deux tiraient en direction des alligators ; et, à de longs intervalles, ils rencontraient des groupements de population au milieu du désert de la forêt et ils faisaient étape un jour ou deux, à boire et à rester assis

10. **noxious** : *nuisible(s), malfaisant(s), nocif(s), pernicieux.*
11. **one's** : noter l'emploi idiomatique du possessif.
12. **a formidable bore** : to bore : *ennuyer.* A bore : *un raseur.*
**Formidable** : *redoutable.*
13. **a string** : *un chapelet, une kyrielle.*
14. **telling beads** : littéralement, *compter les grains d'un chapelet.*
15. **sport** : désigne souvent *la pêche* ou *la chasse.*
16. **shot at** : to shoot at : *chercher à atteindre en tirant = tirer sur.*

and, one night, danced with Creole girls, who found
Holroyd's poor elements of Spanish, without either past
tense or[1] future, amply sufficient for their purposes[2]. But
these were mere luminous chinks[3] in the long grey passage
of the streaming[4] river, up which the throbbing engines
beat. A certain liberal heathen[5] deity, in the shape of a
demi-john[6], held seductive court aft[7], and, it is probable,
forward[7].

But Gerilleau learned things about the ants, more things
and more, at this stopping-place and that, and became
interested in his mission.

"Dey are a new sort of ant," he said. "We have got to
be—what do you call it?—entomologie Big[8]. Five centimet-
res! Some bigger! It is ridiculous. We are like the monkeys—
sent to pick insects[9]....But dey are eating up the country."

He burst out[10] indignantly. "Suppose—suddenly, there
are complications with Europe. Here am I—soon we shall
be above the Rio Negro—and my gun, useless!"

He nursed[11] his knee and mused.

"Dose[12] people who were dere at de dancing place, dey
'ave come down[13]. Dey 'ave lost all they got[14]. De ants come
to deir house one afternoon. Everyone run out. You know
when de ants come one must—everyone runs out and they
go over[15] the house. If you stayed they'd eat you. See?

---

1. **without... or** = with neither... nor : *sans... ni.*

2. **their purposes** : *leurs intentions, leurs desseins.* Notation ironique.

3. **chinks** : *fente(s), interstice(s).* La métaphore de Wells accompagne
l'image du *couloir (passage),* appliquée à l'aspect du fleuve.

4. **streaming** : to stream : *couler à flots.*

5. **heathen** (adj.) : *païen, païenne* (pron. : ['hi ðn]).

6. **demi-john** : *bonbonne* (de vin), *dame-jeanne.*

7. **aft, forward** (adv.) : *sur le gaillard d'arrière, d'avant.* Holroyd,
l'observateur, était à l'arrière avec les officiers.

8. **entomologie Big** : anglais incorrect du capitaine. Il veut dire : **with
a big knowledge of entomology** : *forts en entomologie.*

9. **to pick insects** : **to pick** : *cueillir, ramasser.*

10. **burst out** : (prétérit de **to burst** : *éclater*). **To burst out** : *s'exclamer,
s'écrier.* **To burst out laughing** : *éclater de rire.*

234

et, un soir, ils dansèrent avec de jeunes créoles qui trouvèrent les piètres rudiments d'espagnol de Holroyd, sans passé ni futur, amplement suffisants pour leurs desseins. Mais ce n'étaient là que des interstices lumineux dans le long couloir gris du fleuve dont ils remontaient le cours puissant dans les battements et les vibrations des machines. Une certaine divinité païenne, sous la forme d'une dame-jeanne, tenait une cour séduisante à l'arrière du navire et, sans doute, sur le gaillard d'avant.

Mais Gerilleau apprenait des choses à propos de ces fourmis, de plus en plus de choses d'une étape à l'autre, et commençait à s'intéresser à sa mission.

« C'est un nouveau genre de fourmis, dit-il. Y nous faut devenir — comment appelez-vous ça ? de grands entomologistes ? Cinq centimètres ! Certaines encore plus grosses ! C'est ridicule. Nous sommes comme des singes : on nous envoie faire un épouillage... Mais elles sont en train de dévorer le pays. »

Il s'écria avec indignation. « Et si, tout à coup, il y a des complications avec l'Europe. Je suis là — bientôt au-dessus du Rio Negro — avec mon canon qui ne sert à rien ! »

Le genou dans les mains, il méditait.

« Ces gens qui étaient au bal, y sont déclassés. Ils ont perdu tous leurs biens. Les fourmis arrivent chez eux une après-midi. Tout le monde sort en courant. Vous savez, quand les fourmis arrivent, on est obligé : tout le monde se sauve et elles se répandent partout dans la maison. Si vous restiez, elles vous mangeraient vivant. Vous comprenez ?

---

11. **nursed** : to nurse one's knee : *tenir son genou dans ses mains.*

12. **dose** : pour those. **Dere** : pour there, etc.

13. **come down** : to come down in the world : *perdre sa situation sociale, se voir déclassé.*

14. **all they got** (fam.) = all they had got, all they had.

15. **they go over** : over : *partout.* I went over his house : *j'ai visité toute sa maison.*

Well, presently dey go back; dey say, 'The ants 'ave gone'....De ants *'aven't* gone. Dey try to go in—de son, 'e goes in. De ants fight."

"Swarm[1] over him?"

"Bite 'im. Presently he comes out again—screaming[2] and running. He runs past them to the river. See? He get[3] into de water and drowns[4] de ants—yes." Gerilleau paused, brought his liquid eyes close to Holroyd's face, tapped Holroyd's knee with his knuckle[5]. "That night he dies, just as if he was stung[6] by a snake."

"Poisoned—by the ants?"

"Who knows?" Gerilleau shrugged his shoulders, "Perhaps they bit him badly[7].... When I joined dis service[8] I joined[9] to fight men. Dese things, dese ants, dey come and go. It is no business for men."

After that he talked frequently of the ants to Holroyd, and whenever[10] they chanced[11] to drift[12] against any speck of[13] humanity in that waste of water and sunshine and distant trees, Holroyd's improving knowledge of the language enabled him to recognise the ascendant word *Saüba*[14], more and more completely dominating the whole.

He perceived the ants were becoming interesting, and the nearer he drew to them the more interesting they became. Gerilleau abandoned his old themes almost suddenly, and the Portuguese lieutenant became a conversational[15] figure;

---

1. swarm: a swarm: *un essaim, un grouillement.* To swarm over s.o.: *attaquer en masse.*

2. screaming: to scream: *crier d'une voix aiguë* ou *hurler.*

3. he get: pour he gets.

4. drowns: to drown (tr.): *noyer.*

5. knuckle: *l'articulation, la jointure du doigt. La phalange:* phalanx.

6. stung: de to sting: *mordre* (serpent), *piquer* (abeille, etc.).

7. badly: *sérieusement.* To be badly injured: *être grièvement blessé.*

8. service: cf. (armed) services: *l'armée, la marine, l'aviation.*

9. joined: to join = to enlist: *s'engager* (dans l'armée, la marine, etc.).

10. whenever: *chaque fois que.*

Eh bien, un peu plus tard, la famille revient en se disant : "les fourmis sont reparties"... Mais les fourmis sont *pas* reparties. Les gens essayent de rentrer : leur fils entre. Les fourmis attaquent.

— Elles se jettent sur lui en masse ?

— Elles le mordent. Y r'sort bientôt en hurlant et en courant. Y passe à côté des autres en courant vers le fleuve. Vous comprenez ? Il entre dans l'eau et noie les fourmis, c'est vrai. » Gerilleau marqua un temps, rapprocha ses yeux clairs du visage de Holroyd, et lui donna une petite tape sur le genou de son doigt replié. « Cette nuit-là, il meurt, tout comme si un serpent l'avait mordu. »

— Empoisonné par les fourmis ?

— Qui peut le dire ? » Gerilleau haussa les épaules. « Peut-être qu'elles l'ont sérieusement mordu... Quand je me suis engagé dans la marine, c'était pour combattre des hommes. Ces créatures-là, ces fourmis, elles viennent et elles repartent. Ce n'est pas une affaire d'homme. »

Après cela, il parla fréquemment des fourmis à Holroyd et, chaque fois qu'au hasard de leur avance il leur arrivait de rencontrer un atome d'humanité dans ce désert d'eau, de soleil et d'arbres lointains, les progrès linguistiques de Holroyd lui permettaient de reconnaître la prédominance du mot *Saüba*, qui envahissait de plus en plus tous les dialogues.

Holroyd se rendit compte que ces fourmis gagnaient en intérêt, et cela de plus en plus à mesure qu'il s'approchait d'elles. Gerilleau renonça à ses anciens sujets de conversation presque d'un seul coup, et le lieutenant portugais devint une personne loquace :

---

11. **chanced** : to chance to do sth : *faire qqch. par hasard.*

12. **drift** : to drift : *dériver.*

13. **a speck of** : *une petite tache, un point.* Au sens fig. : *un atome.*

14. *Saüba* : en fait **Saúba,** mot de la langue indigène tupi, qui désigne des variétés de fourmis coupeuses de feuilles.

15. **conversational** : *qui aime à parler, loquace.*

he knew something about the leaf-cutting ant, and expanded[1] his knowledge. Gerilleau sometimes rendered[2] what he had to tell to Holroyd. He told of the little workers that swarm and fight, and the big workers that command and rule[3], and how these latter always crawled to the neck and how their bites drew blood[4]. He told how they cut leaves and made fungus[5] beds, and how their nests in Caracas are sometimes a hundred yards across. Two days the three men spent disputing[6] whether ants have eyes. The discussion grew dangerously heated[7] on the second afternoon, and Holroyd saved the situation by going ashore in a boat[8] to catch ants and see. He captured various specimens and returned and some had eyes and some hadn't. Also, they argued, do ants bite or sting?

"Dese ants," said Gerilleau, after collecting information[9] at a rancho, "have big eyes. They don't run about blind— not as most ants do[10]. No! Dey get in corners and watch what you do."

"And they sting?" asked Holroyd.

"Yes. Dey sting. Dere is poison in the sting." He meditated. "I do not see what men can do against ants, Dey come and go."

"But these don't go."

"They will[11]," said Gerilleau.

---

1. **expanded**: en contexte = **displayed**: *déployait*. Plus souvent, **to expand one's knowledge**: *enrichir ses connaissances*.

2. **rendered**: **to render**: *traduire, interpréter*.

3. **rule**: **to rule (over)**: *régner (sur)*. **Rulers**: *les gouvernants*.

4. **drew blood**: **to draw blood**: *faire venir (jaillir) le sang, faire saigner*.

5. **fungus**: (plur. : **funguses**): *des champignons*. **Edible fungus**: *champignon comestible*. On dit plus souvent **mushrooms** en ce sens. Attention : **toadstools**: *champignons vénéneux*.

6. **disputing**: **to dispute**: *discuter. Une dispute*: **a quarrel**.

7. **heated**: **a heated argument**: *une discussion qui s'échauffe, une discussion fiévreuse*. Le caractère coléreux des deux personnages se confirmera plus tard.

8. **a boat**: souvent : *un canot, une barque*. **A boat race**: *une course à l'aviron*.

238

il savait des choses à propos des fourmis coupeuses de feuilles et déployait son savoir. Parfois Gerilleau traduisait ce qu'il avait à dire, à l'intention d'Holroyd. Le lieutenant parlait des petites ouvrières qui combattent en masse et des grosses ouvrières qui commandent et dirigent, et de la façon dont ces dernières se glissaient jusqu'au cou des hommes et les mordaient jusqu'au sang. Il racontait la façon dont ces fourmis coupaient les feuilles, comment elles se faisaient des lits de champignons, et disait que leurs nids à Caracas peuvent atteindre une largeur de quatre-vingt-dix mètres. Les trois hommes débattirent deux jours durant de la question de savoir si les fourmis ont des yeux. La discussion s'envenima dangereusement l'après-midi du second jour, et Holroyd sauva la situation en se rendant à terre dans un canot pour attraper des fourmis à observer. Il en captura des spécimens variés et revint à bord : certaines avaient des yeux et d'autres pas. Ils discutèrent aussi en se demandant si les fourmis mordent ou piquent ?

« Ces fourmis-ci, dit Gerilleau, fort des renseignements recueillis dans un rancho, ont de grands yeux. Elles ne courent pas çà et là, aveuglément, comme la plupart des fourmis. Non ! Elles se postent dans un coin pour guetter ce que vous faites.

— Et elles piquent ? demanda Holroyd.

— Oui, elles piquent. Leur piqûre est venimeuse. » Il réfléchit. « Je ne vois pas ce que les hommes peuvent faire contre des fourmis. Elles viennent et elles repartent.

— Mais celles-ci ne repartent pas.

— Elles repartiront », dit Gerilleau.

---

9. **collecting information** : to collect : *rassembler, recueillir* = **to gather**. **Information** (mot sing. invariable) : *des renseignements*.

10. **as most ants do** : *comme (le font) la plupart des fourmis*. Le français sous-entend le verbe faire. On aurait pu dire **like most ants**. **As** (conj.) **they do** ; **like** (prép.) **them**.

11. **they will (go)** : le capitaine tranche, assuré du succès de son expédition.

Past Tamandu there is a long low coast of eighty miles without any population, and then one comes to the confluence[1] of the main river and the Batemo arm like a great lake, and then the forest came nearer, came at last intimately near[2]. The character of the channel changes, snags[3] abound, and the *Benjamin Constant* moored[4] by a cable that night, under the very shadow of dark trees. For the first time for many days came a spell[5] of coolness, and Holroyd and Gerilleau sat late, smoking cigars and enjoying this delicious sensation. Gerilleau's mind was full of ants and what they could do. He decided to sleep at last, and lay down[6] on a mattress on deck, a man hopelessly[7] perplexed[8]; his last words, when he already seemed asleep, were to ask, with a flourish[9] of despair: "What can one do with ants?... De whole thing is absurd."

Holroyd was left to scratch his bitten[10] wrists, and meditate alone.

He sat on the bulwark[11] and listened to the changes in Gerilleau's breathing until he was fast asleep, and then the ripple and lap[12] of the stream took his mind, and brought back that sense of immensity that had been growing upon[13] him since first he had left Para and come up the river. The monitor[14] showed but one small light, and there was first a little talking forward and then stillness.

---

1. **confluence**: *confluent, jonction.*

2. **intimately near**: il y a dans cette formule une manière de personnification de la forêt envahissante.

3. **snags**: *chicots, souches* (au ras de l'eau). **To come across a snag**: *se heurter à un obstacle, découvrir une anicroche.*

4. **moored**: **to moor**: *s'amarrer.* **To moor alongside**: *s'amarrer à quai.* **To be moored** serait: *être amarré.*

5. **a spell**: *une (courte) période.* **A spell of wet, of fine weather**: *une période de pluie, de beau temps.*

6. **lay down**: de **to lie** (intr.). On pourrait dire: **he laid himself down**, de **to lay** (tr.).

7. **hopelessly**: *irrémédiablement.*

8. **perplexed**: p.p. de **to perplex**: *déconcerter, jeter dans l'embarras.*

9. **a flourish**: *un moulinet* (de canne), *un grand geste* (du bras) ou *un geste large.*

Au-delà de Tamandu s'étend une longue côte basse de cent vingt kilomètres totalement inhabitée, puis on arrive à la jonction du cours principal du fleuve et du bras du Batemo, pareil à un grand lac ; et, à partir de là, la forêt se rapprocha, se rapprocha enfin intimement. La nature du chenal se modifie, les souches flottantes y abondent, et le *Benjamin Constant* s'amarra cette nuit-là à l'aide d'un câble, sous l'ombrage même d'arbres sombres. Pour la première fois depuis de nombreux jours une période de fraîcheur survint, si bien qu'Holroyd et Gerilleau restèrent assis, tard dans la nuit, à fumer des cigares, en savourant cette délicieuse sensation ! L'idée des fourmis et de ce qu'elles pouvaient faire hantait l'esprit de Gerilleau. Enfin, il résolut de dormir et s'étendit sur un matelas posé à même le pont, au comble de la perplexité ; ses derniers mots, alors même qu'il semblait déjà endormi, furent pour demander avec un grand geste de désespoir : « Que peut-on faire contre des fourmis ?... Toute cette histoire est absurde. »

Holroyd resta seul à gratter les morsures d'insectes de ses poignets et à méditer.

Assis sur le bastingage, il écouta les changements de la respiration de Gerilleau jusqu'à ce qu'il fût complètement endormi, puis les clapotis du courant retinrent son attention et ravivèrent le sentiment d'immensité qui l'avait gagné peu à peu depuis qu'il avait quitté Para pour remonter le fleuve. Une seule lueur brillait sur le navire de guerre et, après l'écho d'un bref dialogue à l'avant, le silence s'établit.

---

10. **bitten** : de **to bite**.

11. **the bulwark** : *le pavois, le bastingage*. Au sens fig. : **a bulwark** : *un rempart*. **Democracy is the bulwark of our liberties.**

12. **ripple and lap** : les deux mots sont à peu près synonymes : *clapotis*.

13. **growing upon** : **to grow on (upon)** : *gagner, envahir peu à peu qqn* (sentiment).

14. **the monitor** : *le navire de guerre* (vaisseau de type moderne).

His eyes went from the dim[1] black outlines of the middle works[2] of the gunboat towards the bank, to the black overwhelming[3] mysteries of forest, lit now and then by a fire-fly[4], and never still from the murmur of alien[5] and mysterious activities....

It was the inhuman immensity of this land that astonished and oppressed him. He knew the skies were[6] empty of men, the stars were specks in an incredible vastness of space; he knew the ocean was enormous and untamable[7], but in England he had come to think of the land as man's[8]. In England it is indeed man's, the wild things live by sufferance[9], grow on lease[10], everywhere the roads, the fences, and absolute security runs. In an atlas, too, the land is man's, and all coloured to show his claim to it[11]—in vivid contrast to the universal independent blueness of the sea. He had taken it for granted[12] that a day would come when everywhere about the earth, plough and culture, light tramways, and good roads, an ordered security, would prevail[13]. But now, he doubted.

This forest was interminable, it had an air of being invincible, and Man seemed at best an infrequent[14] precarious intruder. One travelled for miles amidst the still, silent struggle of giant trees, of strangulating creepers, of assertive[15] flowers,

---

1. **dim**: *pâle, indiscret*.
2. **middle works**: **works**: *les œuvres d'un navire*.
3. **overwhelming**: **to overwhelm**: *écraser, accabler*.
4. **a fire-fly** ou **firefly**: *un phosphène, une luciole*.
5. **alien**: *étranger à, éloigné de*. **An alien**: *un étranger*.
6. **were**: prétérite de concordance. Le français emploie le présent pour un état de choses permanent.
7. **untam(e)able**: **to tame**: *dompter ;* **untameable**: *indomptable*.
8. **as man's** = as man's land.
9. **by sufferance** = **on sufferance** (plus fréquent): *par tolérance*.
10. **on lease**: **a lease**: *un bail*. **To let out sth on lease**: *louer qqch. à bail*. L'image se justifie dans la mesure où un bail peut se voir résilier.
11. **his claim to it**: **to have a claim on an estate**: *avoir un titre à une propriété*.

Les yeux d'Holroyd se portèrent du milieu de la canonnière, aux contours sombres et indistincts, vers la rive et les
mystères ténébreux, accablants de la forêt, où brillait par
intervalles une luciole et qui ne connaissait jamais le
silence, dans le bruissement d'activités étrangères et
mystérieuses...

C'était l'immensité inhumaine de ce pays qui l'étonnait
et l'oppressait. Il savait que les cieux sont vides d'êtres
humains, que les étoiles ne sont que des atomes dans
l'incroyable amplitude de l'espace ; il connaissait l'énor-
mité et la nature indomptable de l'océan, mais, en
Angleterre, il en était venu à penser que la terre ferme
appartient à l'homme. En Angleterre c'est, en effet, le cas :
tout ce qui est sauvage y vit par tolérance, y croît en vertu
d'un bail ; partout des routes et des clôtures et le règne
d'une sécurité absolue. Dans un atlas aussi, le continent
appartient à l'homme et se colore tout entier pour établir
son titre de propriété, en vif contraste avec le bleu
universel, autonome de la mer. Holroyd avait tenu pour
acquis qu'un jour viendrait où, partout dans le monde, la
charrue et l'agriculture, des tramways légers et de bonnes
routes, une sécurité organisée prévaudraient. Mais, à
présent, il en doutait.

Cette forêt était sans limites, elle donnait l'impression
d'être invincible et l'homme y semblait au mieux un rare
intrus au statut précaire. On y parcourait des kilomètres et
des kilomètres parmi la résistance passive et silencieuse des
arbres géants, parmi les lianes prêtes à vous étrangler, les
fleurs dominatrices ;

12. **granted** : to take sth for granted : *tenir qqch. pour acquis.*

13. **prevail** : cette fois dans le progrès était, pour l'essentiel, celle de
Wells lui-même. Le doute, l'inquiétude appartient à son imagination.

14. **infrequent** : *rare, peu fréquent.*

15. **assertive** : to assert oneself : *s'affirmer.* **Assertive** : *dominateur-*
*(trice), impérieux(euse).* On remarquera dans cette phrase les allité-
rations en « s », non moins menaçantes qu'en français.

everywhere the alligator, the turtle[1], and endless varieties of birds and insects seemed at home[2], dwelt irreplaceably—but man, man at most held a footing[3] upon resentful[4] clearings, fought weeds, fought beasts and insects for the barest foothold, fell a prey to[5] snake and beast[6], insect and fever, and was presently carried away[7]. In many places down the river he had been manifestly driven back, this deserted creek or that preserved the name of a *casa*, and here and there ruinous[8] white walls and a shattered[9] tower enforced the lesson. The puma, the jaguar, were more the masters here....

Who were the real masters?

In a few miles of this forest there must be more ants than there are men in the whole world! This seemed to Holroyd a perfectly new idea. In a few thousand years men had emerged from barbarism to a stage of civilisation that made them feel lords of the future and masters of the earth! But what was to prevent the ants evolving also? Such ants as[10] one knew lived in little communities of a few thousand individuals, made no concerted efforts against the greater world. But they had a language, they had an intelligence! Why should things stop at that any more than men had stopped at the barbaric stage? Suppose presently the ants began to store knowledge, just as men had done by means of books and records[11], use weapons, form great empires, sustain a planned and organised war?

---

1. **the turtle** : emploi générique.

2. **at home** : *à l'aise, chez eux, dans leur élément.*

3. **held a footing** : cf. **to gain a footing** : *prendre pied, s'implanter.* **To hold a footing** : *s'accrocher à.*

4. **resentful** : (de **to resent s.o.** : *en vouloir à qqn*) : *hostile(s).*

5. **a prey to** : noter la construction : **to fall a prey to.**

6. **snake and beast** : singuliers à sens collectif, de même que les deux mots suivants.

7. **carried away** : **to be carried away** : *être emporté* (par une maladie ou les conséquences d'une vie trop difficile).

8. **ruinous** : *en ruine, délabré.*

partout les alligators, les grosses tortues, et une infinie variété d'oiseaux et d'insectes y semblaient chez eux, irremplaçablement à demeure, mais l'homme, l'homme y avait, tout au plus, pris pied dans des clairières hostiles, y combattait les herbes folles, les fauves et les insectes pour la moindre tête de pont, y devenait la proie des serpents et des fauves, des insectes, de la fièvre, et succombait bientôt. En maints endroits le long du fleuve, il s'était vu manifestement refouler : telle ou telle crique abandonnée conservait le nom d'une *casa*, et, de loin en loin, des murs blancs en ruine et une tour croûlante soulignaient la leçon. Plus que l'homme, le puma, le jaguar étaient maîtres ici...

Mais qui étaient les maîtres véritables ?

Sur quelques kilomètres carrés de cette forêt, il devait y avoir plus de fourmis qu'il n'y a d'hommes dans le monde tout entier ! Cette idée sembla tout à fait neuve à Holroyd. En quelques milliers d'années, les hommes étaient sortis de la barbarie pour atteindre à un stade de civilisation qui leur donnait le sentiment d'être seigneurs du futur et maîtres de la terre. Mais qu'est-ce qui pourrait empêcher les fourmis d'évoluer également ? Les fourmis connues vivaient en petites communautés de quelques milliers d'individus et ne concentraient pas leurs efforts pour conquérir le reste du monde : mais elles avaient un langage, elles avaient une intelligence ! Pourquoi en resteraient-elles à ce stade plus que les hommes à celui de la barbarie ? Et si bientôt les fourmis commençaient à emmagasiner des connaissances tout comme les hommes l'avaient fait à l'aide de livres et d'archives, à utiliser des armes, à constituer de grands empires, à mener une guerre préméditée et organisée ?

---

9. **shattered : to shatter :** *ébranler.*
10. **such...as** = those...that.
11. **records : to record :** *enregistrer.* **A record :** *une archive, un enregistrement, un disque.*

Things came back to him that Gerilleau had gathered about these ants they were approaching[1]. They used a poison like the poison of snakes. They obeyed[2] greater leaders even as the leaf-cutting ants do. They were carnivorous, and where they came they stayed....

The forest was very still[3]. The water lapped incessantly against the side. About the lantern overhead[4] there eddied[5] a noiseless whirl of phantom moths.

Gerilleau stirred[6] in the darkness and sighed[7]. "What can one *do*[8]?" he murmured, and turned over and was still again.

Holroyd was roused from meditations that were becoming sinister by the hum[9] of a mosquito.

## II

The next morning Holroyd learned they were within[10] forty kilometres of Badama, and his interest in the banks intensified. He came up whenever an opportunity offered to examine his surroundings[11]. He could see no signs of human occupation whatever, save for[12] a weedy[13] ruin of a house and the green-stained façade of the long-deserted[14] monastery at Mojû[15],

---

1. **approaching** : (tr. ou intr.) : **we approach London, Christmas approaches**.

2. **obeyed** : tr. en anglais.

3. **still** : *immobile* ou *silencieux(se)* selon le contexte.

4. **overhead** (adv.) : *en hauteur*.

5. **eddied** : **an eddy** : *un remous, un tourbillon* (d'eau ou de vent).

6. **stirred** : **to stir** : *s'agiter, remuer*. **Without stirring** : *sans bouger*.

7. **sighed** : **to sigh** : *soupirer*. Ne pas confondre avec **sight** : *la vision, la vue, le spectacle*. **He sighed at the sight** : *il soupira devant ce spectacle*.

8. **do** : emploi d'insistance.

9. **hum** : **to hum** : *bourdonner d'activité* (une ville, usine).

10. **within** + distance : *à moins de* (littéralement : *à l'intérieur de*). **Within a short time** : *à court délai*.

Des détails recueillis par Gerilleau à propos des fourmis en cause lui revinrent à l'esprit. Elles avaient recours à un venin semblable à celui des serpents. Elles obéissaient à des meneuses de plus grande taille tout comme les fourmis coupeuses de feuilles. Elles étaient carnivores et, de là où elles étaient venues, elles ne repartaient plus...

La forêt était très silencieuse. L'eau clapotait sans arrêt contre le flanc du navire. Autour du haut fanal, des phalènes fantomatiques tourbillonnaient dans une ronde silencieuse.

Gerilleau s'agita dans le noir et soupira.

« Qu'est-ce qu'on peut bien faire ? » murmura-t-il, puis il se retourna et retrouva son immobilité.

Holroyd fut arraché à ses réflexions, qui devenaient sinistres, par le bourdonnement d'un moustique.

— 2 —

Le lendemain matin, Holroyd apprit qu'ils étaient à moins de quarante kilomètres de Badama et son intérêt pour les rives du fleuve s'intensifia. Il remontait sur le pont chaque fois qu'une occasion se présentait d'examiner les alentours. Il ne voyait pas la moindre trace d'occupation humaine, hormis les ruines d'une maison envahie par les mauvaises herbes et la façade verdie du monastère de Mojû, depuis longtemps abandonné,

---

11. **surroundings** : *entourage, milieu, cadre.* **In familiar surroundings** : *en pays de connaissance.*

12. **save for** : **except for** : *à l'exception de.*

13. **weedy** (de **weed**) : *envahie de mauvaises herbes.* **A weedy person** : *une personne très maigre.*

14. **long-deserted** : **to desert** : *abandonner.* **Long** (adv.) = **for a long time** : *depuis longtemps.*

15. **Mojû** : ce lieu existe au Brésil.

with a forest tree growing out of a vacant[1] window space, and great creepers[2] netted[3] across its vacant portals. Several flights[4] of strange yellow butterflies with semi-transparent wings crossed the river that morning, and many alighted[5] on the monitor and were killed by the men. It was towards afternoon that they came upon the derelict cuberta[6].

She[7] did not at first appear to be derelict; both her sails were set[8] and hanging slack[9] in the afternoon calm, and there was the figure of a man sitting on the fore planking[10] beside the shipped sweeps[11]. Another man appeared to be sleeping face downwards on the sort of longitudinal bridge these big canoes have in the waist[12]. But it was presently apparent, from the sway of her rudder and the way she drifted into the course of the gunboat, that something was out of order with her. Gerilleau surveyed her through a field-glass, and became interested in the queer darkness of the face of the sitting man, a red-faced man he seemed, without a nose—crouching he was rather than sitting, and the longer[13] the captain looked the less[13] he liked to look at him, and the less able he was to take his glasses away.

But he did so at last, and went a little way to call up Holroyd. Then he went back to hail[14] the cuberta. He hailed her again, and so she drove past him. *Santa Rosa* stood out[15] clearly as[16] her name.

---

1. **vacant** : *vide*.

2. **great creepers** : **to creep** : *ramper*. **A creeper** : *une plante grimpante*. **Great** : *grand, énorme*.

3. **netted** : **to net** : *tendre un filet*.

4. **flight (a)** : *un vol* (d'oiseau ou d'avion), *une volée* (d'oiseaux).

5. **alighted** : **to alight** : *se poser, atterrir*.

6. **derelict cuberta** : **cuberta** déforme le mot **coberta,** qui désigne *une embarcation* en bois. **Derelict** (adj.) : *abandonné(e)*. **A derelict** : *un bateau abandonné, une épave*.

7. **she** : les navires sont personnifiés au féminin en anglais.

8. **set** : **to set a sail** : *déployer, établir, une voile*.

9. **slack** : *lâche, flasque, détendu ;* **to hang slack (rope)** : *avoir du mou*.

avec un arbre de la forêt qui émergeait d'une embrasure de fenêtre sans vitres et d'énormes lianes qui tendaient leurs filets entre les montants des portails sans vantaux. Plusieurs vols d'étranges papillons jaunes aux ailes presque transparentes traversèrent le fleuve ce matin-là et beaucoup d'entre eux se posèrent sur le navire et furent tués par les hommes d'équipage. C'est en début d'après-midi qu'ils rencontrèrent la *cuberta* abandonnée.

À première vue, cet abandon n'était pas évident : les deux voiles déployées pendaient mollement dans le calme de l'après-midi, et l'on apercevait la silhouette d'un homme assis sur le bordage du pont avant, près des longs avirons rentrés. Un autre homme semblait dormir à plat ventre sur l'espèce de passerelle longitudinale que possèdent ces grandes embarcations au niveau du passavant. Mais les vacillations de son gouvernail et la façon dont elle dérivait pour couper la route de la canonnière rendit bientôt manifeste le fait que quelque chose ne tournait pas rond à son bord. Gerilleau l'inspecta à la jumelle et se prit d'intérêt pour l'étrange obscurité du visage de l'homme assis, rubicond, semblait-il, et sans nez ; il était accroupi plutôt qu'assis et, plus le capitaine regardait, moins cette observation de l'homme lui plaisait et moins il avait le pouvoir de détourner ses jumelles.

Mais il le fit, enfin, et s'écarta de quelques pas pour appeler Holroyd sur le pont. Puis il revint héler la *cuberta*. Il renouvela son appel, et elle passa ainsi devant lui. Son nom, la *Santa Rosa,* se détachait distinctement.

---

10. **fore planking** : a **plank** : *une planche ;* **planking** : *le bordage d'un navire ;* **fore** : *d'avant.*

11. **shipped sweeps** : a **sweep** : *un long aviron ;* **to ship** : *ramener à bord.*

12. **in the waist** : the **waist** : *le passavant* (d'un navire).

13. **the longer... the less** : *plus... moins.* Noter l'emploi de l'article.

14. **to hail (a ship)** : *héler (un navire).* **Within hailing distance** : *à portée de voix.*

15. **stood out** : to **stand out** : *ressortir, se détacher (sur un arrière-plan).*

16. **as (her name)** : *en tant que, comme étant* (son nom).

As she came by and into the wake[1] of the monitor, she pitched[2] a little, and suddenly the figure of the crouching man collapsed[3] as though all its joints had given way[4]. His hat fell off, his head was not nice[5] to look at, and his body flopped lax[6] and rolled out of sight behind the bulwarks.

"Caramba!" cried Gerilleau, and resorted to[7] Holroyd forthwith[8].

Holroyd was half-way up the companion[9]. "Did you see dat?" said the captain.

"Dead!" said Holroyd. "Yes. You'd better[10] send a boat aboard. There's something wrong."

"Did you—by any chance—see his face?"

"What was it like[11]?"

"It was—ugh!—I have no words." And the captain suddenly turned his back on Holroyd and became an active and strident commander.

The gunboat came about[12], steamed parallel to the erratic course of the canoe, and dropped the boat with Lieutenant da Cunha and three sailors to board[13] her. Then the curiosity of the captain made him draw up almost alongside[14] as the lieutenant got aboard, so that the whole of the *Santa Rosa*, deck and hold[15], was visible to Holroyd.

He saw now clearly that the sole crew of the vessel was these two dead men, and though he could not see their faces,

---

1. **the wake**: *le sillage* (sens propre et fig.). **To follow in s.o.'s wake**: *marcher sur les traces de qqn, se mettre à sa remorque.*
2. **pitched**: **to pitch and roll**: *tanguer et rouler* (bateau).
3. **collapsed**: **to collapse**: *s'écrouler.*
4. **given way**: **to give way**: *céder, lâcher.*
5. **not nice**: litote intensifiante.
6. **flopped lax**: **to flop**: *s'affaler.* **Lax**: *mou, flasque.*
7. **resorted to**: **to resort to s.o.**: *faire appel à qqn.*
8. **forthwith** (lit.): *sur-le-champ, sans délai.*
9. **the companion** = **the companion way**: *l'échelle de coupée.*
10. **you'd better** = **you had better** + radical du verbe: *vous feriez mieux* ou *bien de...*

Au moment où l'embarcation approchait et entrait dans le sillage du navire de guerre, elle tangua légèrement et, brusquement, le corps de l'homme accroupi s'effondra comme si toutes ses articulations avaient lâché. Son chapeau tomba, sa tête n'était pas belle à voir, et son corps flasque s'écroula mollement et, en roulant sur lui-même, disparut derrière le bastingage.

« *Caramba!* » s'écria Gerilleau, et il prit aussitôt l'avis d'Holroyd.

Holroyd était à mi-hauteur de l'échelle de coupée. « Vous avez vu ça ? » demanda le capitaine.

— Il est mort ! dit Holroyd. Oui. Vous feriez mieux d'envoyer un canot l'accoster. Il y a quelque chose qui ne va pas.

— Est-ce que, par hasard, vous avez vu son visage ?

— Comment était-il ?

— Il était...pouah ! je ne sais pas comment dire. »

Et le capitaine tourna brusquement le dos à Holroyd et s'activa à lancer des ordres d'une voix stridente.

La canonnière vira de bord, vogua parallèlement à la course irrégulière de l'embarcation et descendit le canot avec da Cunha et trois matelots chargés de monter à bord. Puis la curiosité du capitaine l'incita à approcher presque bord à bord au moment où le lieutenant montait, si bien qu'Holroyd eut une vue d'ensemble de la *Santa Rosa*, de la cale au pont.

Il voyait bien à présent que ce bateau n'avait pas d'autre équipage que ces deux morts et, bien qu'il ne pût pas distinguer leur visage,

---

11. **like** : to be like : *ressembler à*.

12. **came about** : to come about : *virer de bord* (naut.) ou *se produire* (pour un événement).

13. **to board a ship** : *accoster un navire, monter à son bord*.

14. **alongside** (adv. et prép.) : **to come alongside a ship, the quay** : *accoster* (un navire), *aborder un quai*.

15. **hold (the)** : *la cale* (de **to hold** : *contenir*).

he saw by their outstretched[1] hands, which were all of ragged[2] flesh, that they had been subjected to some strange exceptional process of decay[3]. For a moment his attention, concentrated on these two enigmatical bundles[4] of dirty clothes and laxly flung[5] limbs, and then his eyes went forward to discover the open hold piled high with[6] trunks and cases, and aft, to where the little cabin gaped[7] inexplicably empty. Then he became aware that the planks of the middle decking were dotted with[8] moving black specks.

His attention was riveted[9] by these specks. They were all walking in directions radiating from the fallen man in a manner—the image came unsought[10] to his mind—like the crowd dispersing from a bull-fight[11].

He became aware of Gerilleau beside him. "Capo[12]," he said, "have you your glasses? Can you focus[13] as closely as those planks there?"

Gerilleau made an effort, grunted, and handed him the glasses.

There followed a moment of scrutiny. "It's ants," said the Englisman, and handed the focused field-glasses, back to Gerilleau.

His impression of them was of a crowd of large black ants, very like ordinary ants except for their size, and for the fact that some of the larger of them bore a sort of clothing of grey.

---

1. **outstretched**: *déployé, étendu, tendu* (pour un bras).
2. **ragged**: **rags**: *des haillons*. **Ragged**: *déchiqueté(s)*.
3. **decay**: **to decay**: *décliner, pourrir*.
4. **bundles**: **a bundle**: *un paquet, un ballot, un tas*.
5. **flung**: de **to fling**: *jeter* (avec force), *projeter*.
6. **piled high with**: expression toute faite: *où s'entassent* (des objets).
7. **gaped**: **to gape**: *ouvrir la bouche, rester bouche bée* (pers.), *être béant* (pour un trou, une crevasse, etc.).
8. **dotted with**: **a dot**: *un point*. **Dotted with**: *semé, parsemé de*.
9. **riveted**: **to rivet**: *river*.
10. **unsought**: **to seek, sought, sought**: *chercher*. **Unsought**: *sans*

il se rendit compte d'après la chair déchiquetée de leurs mains étendues, qu'ils avaient subi un étrange, un extraordinaire processus de décomposition. Son attention se fixa quelques instants sur ces deux masses énigmatiques où se mêlaient à des vêtements crasseux des membres humains distendus et flasques ; puis ses yeux se portèrent vers l'avant sur la cale découverte où s'entassaient très haut des malles et des caisses, et vers l'arrière, à l'endroit où la petite cabine béante restait inexplicablement vide. Enfin, il s'aperçut que les planches de la partie centrale du pontage étaient parsemées de petites taches noires en mouvement.

Ces taches captivèrent son attention. Elles se déplaçaient toutes dans des axes qui rayonnaient autour de l'homme effondré, à la façon — l'image lui vint involontairement — d'une foule qui se disperse au terme d'une corrida.

Il s'aperçut de la présence de Gerilleau à son côté. « *Capo*, dit-il, avez-vous vos jumelles ? Pouvez-vous les régler sur un endroit aussi proche que ces planches là-bas ? »

Gerilleau s'y efforça, poussa un grognement et lui tendit les jumelles.

Suivirent quelques instants d'examen attentif. « Ce sont des fourmis », dit l'Anglais, et il rendit à Gerilleau les jumelles mises au point.

L'impression reçue était celle d'une multitude de grosses fourmis noires, tout à fait semblables à des fourmis communes sauf pour la taille et le fait que certaines des plus grosses portaient une sorte de vêtement de couleur grise.

---

*l'avoir cherché(e), spontanément.*
11. **a bull-fight** : l'image, attribuée ainsi à la perception subjective de Holroyd, est, une fois de plus, effrayante dans son anthropomorphisme, en même temps que par la cruauté du spectacle qu'elle évoque.
12. **capo** : *chef.*
13. **focus** : to focus field-glasses : *régler des jumelles.*

But at the time his inspection was too brief for particulars[1]. The head of Lieutenant da Cunha appeared over the side of the cuberta, and a brief colloquy ensued[2].

"You must go aboard," said Gerilleau.

The lieutenant objected that the boat was full of ants.

"You have your boots," said Gerilleau.

The lieutenant changed the subject. "How did these men die?" he asked[3].

Captain Gerilleau embarked upon speculations[4] that Holroyd could not follow, and the two men disputed with a certain increasing vehemence. Holroyd took up the field-glass and resumed[5] his scrutiny, first of the ants and then of the dead man amidships.

He has described these ants to me[6] very particularly.

He says they were as large as any ants he has ever seen, black and moving with a steady deliberation[7] very different from the mechanical fussiness[8] of the common ant. About one in twenty was much larger than its fellows, and with an exceptionally large head. These reminded him at once of the master workers who are said to rule over the leaf-cutter ants; like them they seemed to be directing and co-ordinating the general movements. They tilted[9] their bodies back in a manner altogether singular as if they made some use of the fore feet[10]. And he had a curious fancy[11] that he was too far off to verify, that most of these ants of both kinds were wearing accoutrements[12],

---

1. **particulars**: *détails*, **particularly**: *minutieusement, par le menu*.

2. **ensued**: **to ensue** (intr.): *suivre, s'ensuivre* (style écrit).

3. **he asked**: le lieutenant n'a changé de sujet qu'en apparence.

4. **speculations**: *des hypothèses, des conjectures*.

5. **resumed**: **to resume**: *reprendre, recommencer* ≠ Résumer: **to sum up**.

6. **to me**: première allusion à un narrateur implicite, censément informé par le témoin.

7. **steady deliberation**: **to walk with deliberation**: *marcher d'un pas posé*. **Steady**: *constant, régulier*. **A steady rain**: *une pluie continue*.

8. **fussiness**: **to fuss about**: *s'affairer*. **Fussy** et **fussiness** sont respectivement l'adjectif et le substantif formés sur le radical **fuss**.

Mais, à ce stade, son inspection avait été trop brève pour voir les détails. La tête du lieutenant da Cunha apparut sur le flanc de la *cuberta* et un bref dialogue s'ensuivit.

« Il faut monter à bord », dit Gerilleau. Le lieutenant objecta que le bateau était rempli de fourmis.

« Vous avez vos brodequins », dit Gerilleau.

Le lieutenant changea de sujet. « Comment ces hommes sont-ils morts ? » demanda-t-il.

Le capitaine se lança dans des hypothèses qu'Holroyd n'arrivait pas à suivre, et les deux hommes eurent une controverse manifestement de plus en plus véhémente. Holroyd leva les jumelles et reprit son examen, d'abord des fourmis, puis du mort au niveau du passavant.

Il m'a décrit ces fourmis de façon très précise.

Elles étaient, m'a-t-il dit, aussi grosses que n'importe quelles fourmis qu'il a jamais vues, noires, et elles se déplaçaient d'une démarche posée et régulière, très différente de l'affairement machinal de la fourmi commune. Environ une sur vingt d'entre elles était d'une taille très supérieure aux autres, avec une tête d'une grosseur exceptionnelle. Elles lui rappelèrent aussitôt les contremaîtres qui sont censés régner sur les fourmis coupeuses de feuilles ; comme ces derniers, elles semblaient diriger et coordonner les déplacements collectifs. Elles basculaient leur corps en arrière d'une façon tout à fait surprenante, comme si elles se servaient de leurs pattes de devant. Et Holroyd se figura curieusement, bien qu'il fût trop loin pour s'en assurer, que la plupart de ces fourmis des deux types portaient un fourniment militaire :

---

9. **tilted... back** : to tilt : *incliner, pencher, culbuter, faire basculer.*

10. **fore feet** = **forelegs** (ici) : *les pattes de devant.* The hindlegs : *les pattes de derrière.*

11. **fancy** : to have a fancy that : *s'imaginer, se figurer que.*

12. **accoutrements** : (plur. idiomatique). An accoutrement : *l'équipement, le fourniment* (d'un soldat). Ce détail est présenté, en gage de vraisemblance, comme une simple hypothèse, ce qui peut désarmer le scepticisme du lecteur.

had things strapped[1] about their bodies by bright white bands like white metal threads....

He put down the glasses abruptly[2], realising that the question of discipline between the captain and his subordinate had become acute.

"It is your duty," said the captain, "to go aboard. It is my instructions."

The lieutenant seemed on the verge of[3] refusing. The head of one of the mulatto sailors appeared beside him.

"I believe these men were killed by the ants," said Holroyd abruptly in English.

The captain burst into a rage. He made no answer to Holroyd. "I have commanded you to go aboard," he screamed to his subordinate in Portuguese. "If you do not go aboard forthwith it is mutiny—rank[4] mutiny[5]. Mutiny and cowardice[6]! Where is the courage that should animate us? I will have you in irons[7], I will have you shot like a dog." He began a torrent of abuse[8] and curses, he danced to and fro. He shook his fists, he behaved as if beside himself[9] with rage, and the lieutenant, white and still, stood looking at him. The crew appeared forward, with amazed faces.

Suddenly, in a pause of this outbreak[10], the lieutenant came to some heroic decision, saluted[11], drew himself together[12] and clambered upon the deck of the cuberta.

---

1. **strapped : a strap :** *une courroie.*

2. **abruptly :** *subitement, brusquement.*

3. **on the verge of : the verge (of a river, of a forest) :** *le bord* (d'une rivière), *l'orée* (d'une forêt). **To be on the verge of :** *être à la veille de, sur le point de.*

4. **rank** (adj.) : *complet, absolu.* **A rank injustice, lie, fool :** *une injustice criante, un mensonge grossier, un parfait imbécile.*

5. **mutiny** (nom et verbe) : *un mutin ; un rebelle :* **a mutineer.**

6. **cowardice : a coward :** *un lâche.*

7. **have you in irons : irons :** *les fers* (sur un navire de guerre). Noter la construction : **to have s.o. (put) in irons :** *faire mettre qqn aux fers.*

8. **abuse** (invariable) : *des insultes, des injures.*

9. **beside himself :** *hors de lui.*

qu'elles avaient un équipement fixé autour du corps par des courroies blanches brillantes, comme des fils de métal blanc...

Il reposa brusquement les jumelles quand il se rendit compte que la question de la discipline entre le capitaine et son subordonné avait pris un tour aigu..

« C'est votre devoir, disait le capitaine, de monter à bord. Ce sont mes ordres. »

Le lieutenant semblait sur le point de refuser. La tête de l'un des matelots mulâtres apparut près de lui.

« Je crois, dit brusquement Holroyd en anglais, que ces hommes ont été tués par les fourmis. »

Le capitaine entra en fureur. Il ne répondit rien à Holroyd. « Je vous ai ordonné de monter à bord, hurla-t-il en portugais à l'intention de son subordonné. Si vous ne montez pas à bord sur-le-champ, ce sera un cas de mutinerie, de mutinerie flagrante. De mutinerie et de lâcheté. Où est le courage qui devrait nous animer ? Je vous ferai mettre aux fers. Je vous ferai fusiller comme un chien. » Il commença à déverser sur lui un torrent d'insultes et d'imprécations en sautant de colère de long en large. Il le menaçait de ses deux poings, se comportait en forcené, et le lieutenant, blême, immobile, restait à le regarder. Les hommes d'équipage apparurent à l'avant, l'air stupéfait.

Soudain, dans un silence au milieu de cette explosion de colère, le lieutenant prit une décision héroïque : il salua, se ressaisit, et grimpa sur le pont de la *cuberta*.

---

10. **this outbreak : an outbreak :** *une éruption* (volcanique) ; **an outbreak of temper :** *une explosion de rage, un accès de fureur*.

11. **saluted : to salute :** *faire un salut militaire* ≠ *saluer qqn :* **to greet s.o.**

12. **drew himself together** (de **to draw**) : *se reprit en main, se ressaisit*. Ce prologue à une tragédie prévisible cultive le suspense, plutôt que la surprise. En même temps, le capitaine se révèle odieux dans son abus de pouvoir, assorti de lâcheté.

"Ah!" said Gerilleau, and his mouth shut like a trap[1]. Holroyd saw the ants retreating[2] before da Cunha's boots. The Portuguese walked slowly to the fallen man, stooped down, hesitated[3], clutched[4] his coat and turned him over. A black swarm of ants rushed out of the clothes, and da Cunha stepped back very quickly and trod[5] two or three times on the deck.

Holroyd put up the glasses. He saw the scattered ants about the invader's feet, and doing what he had never seen ants doing before. They had nothing of the blind movements of the common ant; they were looking at him—as a rallying[6] crowd of men might look at some gigantic monster that had dispersed it.

"How did he die?" the captain shouted.

Holroyd understood the Portuguese to say[7] the body was too much eaten to tell[8].

"What is there forward?" asked Gerilleau.

The lieutenant walked a few paces, and began his answer in Portuguese. He stopped abruptly and beat off[9] something from his leg. He made some peculiar steps as if he was trying to stamp on[10] something invisible[11], and went quickly towards the side. Then he controlled himself, turned about, walked deliberately forward to the hold, clambered up to the fore decking, from which the sweeps are worked[12], stooped for a time over the second man, groaned audibly, and made his way back and aft to the cabin; moving very rigidly.

---

1. **like a trap**: a trap: *un piège* ou *une trappe*. Les deux sens sont possibles en contexte.

2. **retreating**: l'image d'une armée en repli (provisoire) est pertinente.

3. **hesitated**: on imagine que l'horreur du spectacle explique cette répugnance.

4. **clutched**: to clutch: *agripper, saisir*.

5. **trod**: de **to tread**: *fouler aux pieds, piétiner* (tr. ou intr.).

6. **rallying**: to rally (mil.): *se regrouper*.

7. **understood... to say**: *crut comprendre... qu'il disait*.

8. **to tell**: *savoir*. **Nobody can tell...** *personne ne peut dire* (sous-

«Ah!» dit Gerilleau, et sa bouche se referma comme une trappe. Holroyd vit les fourmis se replier à l'approche des brodequins de da Cunha. Le Portugais alla lentement jusqu'à l'homme au sol, se pencha, hésita, le saisit par la veste et le retourna. Un grouillement de fourmis noires jaillit de ses vêtements et da Cunha recula précipitamment et piétina le pont à deux ou trois reprises.

Holroyd leva les jumelles. Il vit les fourmis dispersées autour des pieds de l'envahisseur faire ce qu'il n'avait jamais vu faire à des fourmis auparavant. Leurs déplacements n'avaient rien des élans aveugles de la fourmi commune : elles observaient le lieutenant comme une foule d'hommes en train de se regrouper pourraient observer un monstre gigantesque qui les aurait dispersés.

«Comment est-il mort?» cria le capitaine.

À ce que comprit Holroyd, le Portugais lui dit qu'une trop grande partie du cadavre était mangée pour le savoir.

«Qu'y a-t-il à l'avant?» demanda Gerilleau.

Le lieutenant fit quelques pas et commença à répondre en portugais. Il s'arrêta net et frappa sur sa jambe pour chasser quelque chose. Il avança bizarrement comme s'il essayait d'écraser quelque chose d'invisible et se hâta vers le bastingage. Puis il se maîtrisa, pivota sur lui-même, alla posément vers l'avant du bateau en direction de la cale, grimpa sur le pontage avant d'où l'on manie les longs avirons, se pencha un moment au-dessus du deuxième homme, poussa un gémissement distinct et revint sur ses pas vers la cabine à l'arrière, d'une démarche très raide.

---

entendu : avec certitude)...

9. **beat off** : littéralement, *chasser en donnant des tapes*.

10. **stamp on** : *piétiner, écraser sous le pied*.

11. **something invisible** : le point de vue d'Holroyd est respecté sans que la nature de ce que le lieutenant a piétiné nous soit bien mystérieuse.

12. **worked** : emploi tr. ici : *maniés*.

He turned and began a conversation with this captain, cold and respectful in tone on either side[1], contrasting vividly with the wrath[2] and insult[3] of a few moments before. Holroyd gathered only fragments of its purport[4].

He reverted to[5] the field-glass, and was surprised to find the ants had vanished from all the exposed surfaces of the deck. He turned towards the shadows beneath the decking, and it seemed to him[6] they were full of watching eyes.

The cuberta, it was agreed, was derelict, but too full of ants to put men aboard to sit and sleep: it must be towed[7]. The lieutenant went forward to take in and adjust the cable, and the men in the boat stood up to be ready to help him. Holroyd's glasses searched the canoe.

He became more and more impressed by the fact that a great if minute and furtive activity was going on. He perceived that a number of gigantic ants—they seemed nearly a couple of inches in length—carrying oddly-shaped burthens[8] for which he could imagine no use—were moving in rushes[9] from one point of obscurity to another. They did not move in columns across the exposed places, but in open, spaced-out[10] lines, oddly suggestive of the rushes of modern infantry advancing under fire. A number were taking cover under the dead man's clothes, and a perfect swarm was gathering along the side over which da Cunha must presently go[11].

---

1. **on either side** = on both sides : *de part et d'autre.*
2. **the wrath** (lit.) : *la colère, le courroux.*
3. **insult** : au sens collectif.
4. **purport** : *sens, signification, but.*
5. **reverted** : to revert to : *en revenir à.*
6. **it seemed to him** : Wells évoque ainsi un détail alarmant, difficilement vérifiable à distance.
7. **towed** : to tow a ship : *remorquer un navire.*
8. **oddly-shaped burthens** : a burthen (lit.) = a burden : *un fardeau* (sens propre et fig.). **Oddly-shaped** souligne une énigme, qui sera dissipée vers la fin de la nouvelle, mais qui n'augure rien de bon.
9. **in rushes** : a rush : *une course précipitée.*

Il se tourna vers le capitaine et entama avec lui une conversation, menée d'un ton calme et déférent de part et d'autre, en vif contraste avec la colère et les invectives d'il y avait peu. Holroyd n'en comprit que des bribes de sens.

Il recourut de nouveau aux jumelles et fut surpris de s'apercevoir que les fourmis avaient disparu de toutes les surfaces exposées du pont. Il se tourna vers les zones obscures sous le pontage et il lui sembla qu'elles étaient pleines d'yeux aux aguets.

Ils tombèrent d'accord sur l'idée que la *cuberta* était abandonnée mais trop pleine de fourmis pour que l'on envoie des hommes s'installer et coucher à son bord : il fallait la remorquer. Le lieutenant passa à l'avant pour recevoir et fixer le câble, et les hommes restés dans le canot se levèrent pour être prêts à l'aider. Les jumelles d'Holroyd scrutèrent la *cuberta*.

Il se persuadait de plus en plus qu'une activité importante, bien que furtive et à une échelle minuscule, était en cours. Il s'aperçut qu'un certain nombre de fourmis géantes — elles semblaient avoir près de cinquante centimètres de long — qui portaient des fardeaux d'une forme bizarre dont il ne pouvait pas imaginer l'usage se déplaçaient en s'élançant d'un recoin obscur à un autre. Elles ne traversaient pas les zones exposées en colonnes mais en éventail, en laissant une distance entre leurs rangs, d'une façon qui rappelait bizarrement les assauts de l'infanterie moderne quand elle avance sous le feu. Un certain nombre d'entre elles se mettaient à couvert sous les vêtements du mort et un véritable grouillement de ces fourmis s'amassait le long du bord que da Cunha devait bientôt enjamber.

---

10. **spaced-out** : *écarté(s)*.

11. **presently go** : toutes ces images d'une armée en miniature a de quoi rappeler les scènes des *Voyages de Gulliver* situées à Lilliput.

He did not see[1] them actually rush for[2] the lieutenant as he returned, but he has no doubt[3] they did make a concerted rush. Suddenly the lieutenant was shouting and cursing and beating at his legs. "I'm stung!" he shouted, with a face of hate[4] and accusation towards Gerilleau.

Then he vanished over the side, dropped into his boat, and plunged at once into the water. Holroyd heard the splash[5].

The three men in the boat pulled him out and brought him aboard, and that night he died[6].

### III

Holroyd and the captain came out of the cabin in which the swollen[7] and contorted body of the lieutenant lay[8], and stood together at the stern of the monitor, staring at the sinister vessel they trailed[9] behind them. It was a close, dark night that had only phantom flickerings of sheet lightning[10] to illuminate it. The cuberta, a vague black triangle, rocked about in the steamer's wake, her sails bobbing[11] and flapping, and the black smoke from the funnels, spark-lit[12] ever and again, streamed[13] over her swaying masts.

Gerilleau's mind was inclined to run on[14] the unkind things the lieutenant had said in the heat of his last fever.

---

1. **he did not see :** Wells respecte les limitations du point de vue, mais y supplée une fois de plus par une hypothèse donnée pour très probable.

2. **rush for (to) :** *se jeter sur.*

3. **has no doubt :** l'emploi du présent renvoie du temps du récit par opposition à celui de l'action.

4. **hate = hatred :** *la haine.*

5. **splash :** *éclaboussure* ou *bruit de chute dans l'eau.*

6. **he died :** la brièveté de cette conclusion accuse, en quelque sorte, la rapidité de l'effet du venin. Les détails de cette mort viendront un peu plus loin dans de brefs retours en arrière.

Holroyd ne les vit pas vraiment se jeter sur le lieutenant quand il revint, mais il est convaincu que leur assaut fut bel et bien concerté. Soudain le lieutenant criait, jurait, se donnait des tapes sur les jambes. «Elles m'ont piqué!» cria-t-il en tournant vers Gerilleau un visage haineux et accusateur.

Puis il disparut le long du flanc de l'embarcation, se laissa tomber dans le canot et plongea aussitôt dans l'eau. Holroyd entendit le floc.

Les trois hommes du canot le tirèrent hors de l'eau et le ramenèrent sur la canonnière et, dans la nuit, il mourut.

— 3 —

Holroyd et le capitaine sortirent de la cabine où gisait le corps enflé et déformé du lieutenant, et ils restèrent debout côte à côte à l'arrière du navire de guerre, les yeux fixés sur la sinistre embarcation qu'ils remorquaient. C'était une nuit étouffante et sombre que n'éclairait par intermittence que la lueur spectrale d'éclairs diffus. La *cuberta*, triangle noir indistinct, se balançait dans le sillage du bateau à vapeur. Ses voiles pendillaient et claquaient et ses mâts oscillants disparaissaient sous le torrent de fumée noire parsemée d'étincelles lumineuses qui sortait à intervalles des cheminées de la canonnière.

Gerilleau tendait à ressasser les paroles sévères que lui avait adressées le lieutenant dans l'exaspération de sa fièvre ultime.

---

7. **swollen**: de to swell (intr. ou tr.): *enfler*.
8. **lay**: de to lie. Here lies! : *ci-gît*.
9. **trailed** = towed. A trailer : *une remorque*.
10. **sheet-lightning**: *éclairs de chaleur, éclairs diffus*. Le mot **lightning** est invariable à sens collectif. *Un éclair*: **a flash of lightning**.
11. **bobbing**: to bob up and down: *pendiller*.
12. **spark-lit**: littéralement, *éclairée par des étincelles*.
13. **streamed**: to stream (fig.): *se répandre à flots, en torrents*.
14. **to run on** (regrets, memories): *ressasser, remâcher*.

"He says I murdered 'im," he protested. "It is simply[1] absurd. Someone '*ad* to go aboard. Are we to run away from these confounded[2] ants whenever they show up[3]?"

Holroyd said nothing. He was thinking of a disciplined rush of little black shapes across bare sunlit[4] planking.

"It was his place to go," harped[5] Gerilleau. "He died in the execution of his duty. What has he to complain of? Murdered!... But the poor fellow was—what is it?—demented. He was not in his right mind[6]. The poison swelled him.... U'm."

They came to a long silence.

"We will sink[7] that canoe—burn it."

"And then?"

The inquiry irritated Gerilleau. His shoulders went up[8], his hands flew out[9] at right angles from his body. "What is one to *do*?" he said, his voice going up to an angry squeak[10].

"Anyhow," he broke out[11] vindictively[12], "every ant in dat cuberta!—I will burn dem alive!"

Holroyd was not moved to[13] conversation. A distant ululation of howling monkeys filled the sultry[14] night with foreboding[15] sounds, and as the gunboat drew near the black mysterious banks this was reinforced by a depressing clamour of frogs[16].

---

1. **simply** : *absolument, tout bonnement.*
2. **confounded** (atténue **damned**) : *maudites, fichues.*
3. **show up (to)** : *apparaître, montrer le bout de son nez.*
4. **sunlit** : *ensoleillé* **(a sunlit day)** ; *au soleil.*
5. **harped** : **to harp on an idea** : *insister sur, rabâcher, une idée.*
6. **right mind** : **not to be in one's right mind** : *être dérangé* (mentalement), *ne plus avoir toute sa tête.*
7. **sink (to)** (tr. ou intr.) : **to sink a ship** *(couler un navire)* ; **the ship sinks** : *le bateau coule.* **The sink** : *l'évier.*
8. **went up** : *se soulevèrent* (d'elles-mêmes). *Hausser les épaules* : **to shrug one's shoulders.**
9. **flew out** : **to fly (flew, flown)** : traduit ici une idée de rapidité et de spontanéité.

« Il prétend que je l'ai assassiné, protesta-t-il. C'est tout bonnement absurde. Il fallait bien que quelqu'un monte à bord. Faut-il que nous prenions la fuite devant ces fichues fourmis chaque fois qu'elles apparaissent ? »

Holroyd se taisait. Il songeait à l'assaut discipliné de petites formes noires sur les planches nues d'un pontage au soleil.

« Il lui revenait d'y aller, rabâcha le capitaine. Il est mort en faisant son devoir. De quoi a-t-il à se plaindre ? Assassiné !... Mais ce pauvre homme était — comment dit-on ? — en état de démence. Il perdait la tête. Le venin l'avait fait enfler... hum. »

Un long silence s'établit entre les deux hommes.

« Nous allons couler cette embarcation : la faire brûler.

— Et ensuite ? »

Cette question irrita Gerilleau. Ses épaules se soulevèrent et ses mains jaillirent perpendiculairement à son corps. « Que peut-on bien faire ? » demanda-t-il d'une voix que la colère rendait glapissante.

« En tout cas, s'écria-t-il d'un ton vengeur, toutes les fourmis sur cette *cuberta*, je vais les brûler vives ! »

Holroyd n'avait pas envie de parler. Un hululement lointain de singes hurleurs remplissait la nuit étouffante de bruits sinistres et, quand la canonnière se rapprochait des rives noires silencieuses, le chant déprimant des grenouilles renforçait le sens d'une menace.

---

10. **squeak : to squeak :** *pousser des cris aigus.* **A squeak :** *un petit cri aigu, un grincement.* **To have had a narrow squeak :** *l'avoir échappé belle.*

11. **broke out :** littéralement : *exploser = s'écrier brusquement.*

12. **vindictively : vindictive :** *vindicatif, vengeur.*

13. **not moved to :** *pas incité à* (litote d'accentuation).

14. **sultry :** *chaud(e) et humide.*

15. **foreboding : to forebode :** *présager des malheurs.* **Foreboding :** *sinistre(s).*

16. **clamour of frogs :** ce bref développement sur le climat et les bruits d'animaux contribue au sentiment d'oppression qui règne sur le récit.

"What is one to *do*?" the captain repeated after a vast interval, and suddenly becoming active and savage[1] and blasphemous[2], decided to burn the *Santa Rosa* without further delay. Everyone aboard was pleased by that idea, everyone helped with zest[3]; they pulled in the cable, cut it, and dropped the boat and fired her with tow[4] and kerosene, and soon the cuberta was crackling and flaring merrily amidst the immensities of the tropical night. Holroyd watched the mounting yellow flare against the blackness, and the livid flashes of sheet lightning that came and went above the forest summits[5], throwing them into momentary silhouette, and his stoker stood behind him watching also.

The stoker was stirred[6] to the depths of his linguistics. "*Saüba* go pop, pop," he said. "Wahaw!" and laughed richly[7].

But Holroyd was thinking that these little creatures on the decked canoe had also eyes and brains.

The whole thing impressed[8] him as incredibly foolish and wrong, but—what was one to *do*? This question came back enormously reinforced on the morrow[9], when at last the gunboat reached Badama.

This place, with its leaf-thatch-covered houses and sheds, its creeper-invaded sugar-mill, its little jetty of timber[10] and canes, was very still in the morning heat, and showed never[11] a sign of living men.

---

1. **savage** : *féroce*.
2. **blasphemous (to be)** : *prononcer des blasphèmes, des imprécations*.
3. **with zest** : *avec entrain, ardeur*.
4. **tow** (pron. : [tou]) : *étoupe, filasse*.
5. **summits** : cet incendie d'un navire et surtout ses effets de lumière ont peut-être été inspirés à Wells par la lecture de la nouvelle de Joseph Conrad intitulée « Youth ».
6. **stirred** : **to be stirred** : *être ému, être remué* (ex. : par un spectacle). **To the depths** : *jusqu'au fond, au tréfonds*.
7. **richly** : *abondamment*.

« Que peut-on bien faire ? » répéta le capitaine après un très long silence et, dans un accès d'activité féroce, ponctuée d'imprécations, il décida de brûler la *Santa Rosa* sans plus tarder. Tout le monde à bord se réjouit de cette idée et y contribua avec ardeur ; on rentra et on trancha le câble ; on largua l'embarcation en y mettant le feu à l'aide d'étoupe et de pétrole lampant et bientôt la *cuberta* crépitait et flambait joyeusement dans les espaces infinis de la nuit tropicale. Holroyd regardait s'élever dans le noir le flamboiement jaune et voyait s'allumer et s'éteindre la lumière blême des éclairs diffus, au-dessus des cimes de la forêt qu'ils projetaient en silhouettes pour un temps bref ; et le chauffeur, debout derrière lui, regardait aussi.

L'émotion de ce dernier le fit puiser dans les profondeurs de son vocabulaire.

« *Saüba* faire boum, boum, dit-il, hourra ! » et il rit longuement.

Mais Holroyd se disait que ces petites créatures sur l'embarcation pontée avaient aussi des yeux et un cerveau.

Toute cette expédition lui semblait incroyablement stupide et aberrante, mais que pouvait-on bien faire ? Cette question lui revint énormément amplifiée le lendemain, lorsque la canonnière atteignit enfin Badama.

Ce village, avec ses maisons et ses baraques aux toits de feuilles séchées, sa sucrerie envahie par les lianes, sa petite jetée en bois de charpente et en bambous, était très silencieux dans la chaleur du matin et ne présentait aucun signe de vie humaine.

---

8. **impressed** : to impress s.o. as : *donner à qqn l'impression d'être* + adjectif ou nom attribut.

9. **on the morrow** = on the day after : *le jour suivant, le lendemain.*

10. **timber** : *bois de charpente, de construction.*

11. **never** = not a = not a single : *négatif d'insistance.* **He never said a word to him about it** : *il ne lui en a pas dit le moindre mot.*

Whatever ants there were[1] at that distance were too small to see.

"All the people have gone," said Gerilleau, "but we will do[2] one thing anyhow. We will 'oot and vissel[3]."

So Holroyd hooted and whistled.

Then the captain fell into a doubting fit[4] of the worst kind. "Dere is one thing we can do," he said presently.

"What's that?" said Holroyd.

"'Oot and vissel again."

So they did[5].

The captain walked his deck[6] and gesticulated to himself. He seemed to have many things on his mind. Fragments of speeches came from his lips. He appeared to be addressing[7] some imaginary public tribunal either in Spanish or Portuguese. Holroyd's improving ear detected something about ammunition. He came out of these preoccupations suddenly into English. "My dear 'Olroyd!" he cried, and broke off[8] with "But what *can* one do?"

They took the boat and the field-glasses and went close in[9] to examine the place. They made out a number of big ants, whose still postures had a certain effect of watching them, dotted about the edge of the rude[10] embarkation jetty. Gerilleau tried ineffectual[11] pistol shots at these.

---

1. **whatever ants there were**: *s'il y avait des fourmis, à supposer qu'il y eût des fourmis.*

2. **we will do**: will exprime ici une volonté, une intention.

3. **'oot and vissel = hoot and whistle: a hoot** = un *coup de sirène d'un bateau.*

4. **a doubting fit: a fit**: *un accès.* **To doubt**: *avoir des doutes, des incertitudes.* **Doubtful**: *douteux.*

5. **so they did**: nous sommes retombés dans le comique de l'impuissance.

6. **walked his deck**: ici, **the quarter-deck**: *la dunette.* **To walk** (tr.): *parcourir (à pied), arpenter.*

7. **to be addressing** (tr.): *s'adresser à, haranguer.* **An address**: *un discours, une allocution, une causerie.*

8. **broke off: to break off**: *s'interrompre.*

S'il y avait des fourmis, elles étaient trop petites à cette distance pour être visibles.

«Tous les habitants sont partis, dit Gerilleau, mais nous allons faire une chose en tout cas. Faire hurler la sirène. »

Holroyd fit donc hurler la sirène.

Puis le capitaine sombra dans un accès de scepticisme aigu. «Il y a une chose que nous pouvons faire, dit-il bientôt.

— Quoi donc? demanda Holroyd.

— Faire hurler la sirène une seconde fois. »

Ce qui fut fait.

Le capitaine arpentait la dunette en gesticulant tout seul. Il semblait avoir plusieurs choses sur la conscience. Des bribes de discours lui tombaient des lèvres. Il donnait l'impression de haranguer un tribunal public imaginaire tantôt en espagnol, tantôt en portugais. L'oreille d'Holroyd qui devenait plus experte saisit une remarque à propos de munitions. Le capitaine s'arracha à ces préoccupations pour passer brusquement à l'anglais.

«Mon cher 'Olroyd! » s'écria-t-il, puis il s'arrêta et reprit: «Mais que peut-on bien faire? »

Ils empruntèrent le canot en emportant les jumelles et se rapprochèrent du bord pour inspecter le village. Ils discernèrent un certain nombre de grosses fourmis éparpillées aux alentours de la jetée d'embarquement rudimentaire: l'immobilité de leur attitude donnait plus ou moins l'impression qu'elles les guettaient. Gerilleau essaya de leur tirer dessus à coups de pistolet inutiles.

---

9. **close in** : close : *tout près*, **in** : *au fond de l'anse.*
10. **rude** : *rudimentaire, peu élaboré.*
11. **ineffectual** : *inefficaces, qui ne servent à rien.*

Holroyd thinks he distinguished curious earthworks[1] running between the nearer houses[2], that may have been the work of the insect conquerors of those human habitations. The explorers[3] pulled past[4] the jetty, and became aware of a human skeleton wearing a loin cloth[5], and very bright and clean and shining, lying beyond. They came to a pause regarding this[6]....

"I 'ave all dose lives to consider," said Gerilleau suddenly.

Holroyd turned and stared at the captain, realising slowly that he referred to the unappetizing[7] mixture of races that constituted his crew.

"To send a landing party—it is impossible—impossible. They will be poisoned, they will swell, they will swell up and abuse me[8] and die. It is totally impossible.... If we land, I must land alone, alone, in thick boots and with my life in my hand. Perhaps I should live. Or again—I might not land. I do not know. I do not know."

Holroyd thought he did[9], but he said nothing.

"De whole thing," said Gerilleau suddenly, " 'as been got up[10] to make me ridiculous. De whole thing!"

They paddled about[11] and regarded the clean white skeleton from various points of view, and then they returned to the gunboat. Then Gerilleau's indecisions became terrible.

---

1. **earthworks**: *travaux de terrassement, fortifications (préhistoriques) en terre.*

2. **the nearer houses**: *les maisons (les plus) proches de l'eau, les premières maisons.*

3. **the explorers**: l'expression est justifiée par la nature insolite de ce qu'ils découvrent ici.

4. **pulled past**: to pull: *avancer à la rame.*

5. **loin(s)**: *les reins;* a **loin cloth**: *un pagne.* Il s'agissait donc d'un indigène d'Amazonie. *Le rein* (organe): **the kidney.**

6. **regarding this**: *en considération de la chose.*

7. **unappetizing**: *peu séduisant, peu engageant.* An **appetizing offer**: *une proposition alléchante.*

Holroyd croit avoir repéré de curieuses fortifications en terre qui couraient entre les premières maisons et qui étaient peut-être l'œuvre des insectes qui s'étaient emparés de ces demeures humaines. Les explorateurs dépassèrent la jetée à la rame et aperçurent le squelette d'un homme vêtu d'un pagne, qui gisait plus loin : nettoyé de sa chair, il brillait d'un éclat très vif. Cette découverte les arrêta...

« Je dois tenir compte de toutes ces vies », dit soudain Gerilleau.

Holroyd se tourna vers le capitaine et le regarda avec des yeux ronds, le temps de comprendre lentement qu'il faisait allusion à son équipage, formé d'un mélange de races peu engageant.

« Envoyer une escouade de débarquement, c'est impossible ...impossible. Ils se feront empoisonner, ils enfleront de plus en plus, et ils m'injurieront avant de mourir. C'est totalement impossible... Si débarquement il y a, je dois le faire seul, tout seul, chaussé de gros brodequins et en risquant ma vie. Je survivrais peut-être ou bien encore, je pourrais ne pas aller à terre. Je ne sais pas. Je ne sais pas. »

Holroyd croyait savoir, mais ne dit mot.

« Toute l'affaire, dit soudain Gerilleau, a été montée pour me ridiculiser. Toute l'affaire ! »

Ils tournèrent alentour et contemplèrent sous plusieurs angles le squelette blanc, bien propre ; après quoi, ils revinrent à la canonnière. Alors, les indécisions du capitaine s'exacerbèrent.

---

8. **abuse me** : to abuse s.o. : *insulter qqn*. Le capitaine ramène tout à lui, comme toujours.

9. **thought he did** : *croyait savoir* (que le capitaine n'irait pas à terre).

10. **he got up** : to get up : *organiser, arranger*.

11. **paddled about** : to paddle : *avancer à la pagaie* (l'expression est en légère contradiction avec l'indication de la note 4 qui supposait l'emploi de rames ou d'avirons).

Steam was got up[1], and in the afternoon the monitor went on up the river with an air of going to ask somebody something, and by sunset came back again, and anchored[2]. A thunderstorm gathered[3] and broke furiously, and then the night became beautifully cool and quiet and everyone slept on deck. Except Gerilleau, who tossed about[4] and muttered. In the dawn he awakened Holroyd.

"Lord!" said Holroyd, "what now?"

"I have decided," said the captain.

"What—to land?" said Holroyd, sitting up brightly.

"No!" said the captain, and was for a time very reserved. "I have decided," he repeated, and Holroyd manifested symptoms of impatience.

"Well—yes," said the captain. *"I shall fire de big gun!"*

And he did! Heaven knows[5] what the ants thought of it, but he did. He fired it twice with great sternness[6] and ceremony. All the crew had wadding[7] in their ears, and there was an effect of going into action[8] about the whole affair, and first they hit and wrecked[9] the old sugar-mill, and then they smashed[10] the abandoned store behind the jetty. And then Gerilleau experienced the inevitable reaction.

"It is no good," he said to Holroyd; "no good at all. No sort of bally[11] good. We must go back—for instructions. Dere will be de devil of a row[12] about dis ammunition—

---

1. **steam was got up**: to get up steam: *faire monter la vapeur, mettre les machines sous pression.*

2. **anchored**: to anchor = to cast anchor: *jeter l'ancre.*

3. **gathered**: a storm is gathering: *un orage se prépare.*

4. **tossed about**: to toss and turn: *se tourner et se retourner* (en dormant).

5. **Heaven knows**: *Dieu (seul) sait...*

6. **sternness**: de **stern**: *sévère, austère.* **Sternly**: *sévèrement.*

7. **wadding**: ici: *de l'ouate* = **cottonwool**.

8. **going into action**: cette notion *d'un engagement naval* a quelque chose de burlesque en l'occurrence.

9. **wrecked**: to wreck (tr.): *démolir, détruire.* A wreck: *un navire*

On mit les machines sous pression et, l'après-midi, le navire de guerre reprit sa remontée du fleuve en donnant l'impression qu'il allait chercher des directives; et, avant le coucher du soleil, il était de retour et avait jeté l'ancre. Un orage couva puis éclata furieusement, après quoi, la nuit devint admirablement fraîche et silencieuse et tout le monde dormit, sur le pont. Sauf Gerilleau qui se tournait et se retournait en marmonnant. À l'aube, il éveilla Holroyd.

« Seigneur! s'écria Holroyd, que se passe-t-il?

— J'ai pris une décision, répondit le capitaine.

— De quoi faire? D'aller à terre? demanda Holroyd en se redressant joyeusement.

— Non! » dit le capitaine et il resta un moment sur sa réserve. «J'ai pris une décision», répéta-t-il, et Holroyd donna des signes d'impatience.

« Eh bien, oui, dit le capitaine, *je vais faire donner le gros canon!* »

Ce qu'il fit! Dieu sait ce que les fourmis en pensèrent, mais il le fit. Il le fit donner par deux fois en prenant un air très sévère et en grande cérémonie. Tout l'équipage s'était mis de l'ouate dans les oreilles, et toute cette affaire donnait l'impression d'un engagement naval: ils touchèrent d'abord, et détruisirent la vieille sucrerie, puis ils pulvérisèrent le magasin abandonné, derrière la jetée. Après quoi, Gerilleau passa par la réaction inévitable.

« Ça ne sert à rien, dit-il à Holroyd, à rien du tout. À bougrement rien. Il nous faut rentrer pour prendre les ordres. Il y aura un esclandre de tous les diables à propos de ces obus:

---

naufragé, une épave. **This man is a perfect wreck**: *la santé de cet homme est fortement atteinte.*

10. **smashed: to smash** (tr.): *écraser, pulvériser.*

11. **bally** (euphémisme pour **bloody**): *fichu.*

12. **the devil of a row: a row** (pron.: [rau]): *une dispute, un esclandre.* **The devil of**: *infernal(e), de tous les diables.*

oh! de *devil* of a row! You don't know, 'Olroyd...."

He stood regarding the world in infinite perplexity for a space.

"But what else was there to *do*?" he cried.

In the afternoon the monitor started downstream[1] again, and in the evening a landing party took the body of the lieutenant and buried[2] it on the bank upon which the new ants have so far not appeared....


# IV


I heard this story in a fragmentary state[3] from Holroyd not three weeks ago.

These new ants have got into his brain, and he has come back to England with the idea, as he says, of "exciting[4] people" about them "before it is too late." He says they threaten British Guiana[5], which cannot be much over a trifle of[6] a thousand miles from their present sphere of activity, and that the Colonial Office[7] ought to get to work upon them at once. He declaims with great passion: "These are intelligent ants. Just think what that means[8]!"

There can be no doubt they are a serious pest[9], and that the Brazilian Government is well advised[10] in offering a prize of five hundred pounds for some effectual method of extirpation.

---

1. **downstream**: *en descendant* (un fleuve, une rivière).

2. **buried**: **to bury**: *enterrer*. **A burial**: *un enterrement*.

3. **a fragmentary state**: la convention (classique) est celle d'un récit de première main, raconté par bribes, puis reconstitué à notre profit par un premier narrateur.

4. **exciting**: **to excite** (tr.): peut signifier: *susciter de l'intérêt* (chez les auditeurs, les lecteurs).

5. **British Guiana**: la remarque est ironique. Les Britanniques, indifférents à l'Amérique latine étrangère, seraient concernés par une menace contre l'une de leurs colonies.

6. **a trifle of**: *la bagatelle de*.

ouais, de tous les diables ! Vous n'imaginez pas, 'Olroyd... »

Il resta un moment à considérer l'univers, en proie à une perplexité infinie.

« Mais qu'est-ce qu'on pouvait bien *faire* d'autre ? » s'écria-t-il.

Cette après-midi-là, le navire de guerre appareilla pour redescendre le fleuve et, le soir, un détachement de débarquement emporta le corps du lieutenant pour l'enterrer sur la rive où les nouvelles fourmis n'ont pas encore fait leur apparition.

— 4 —

J'ai entendu cette histoire par fragments de la bouche d'Holroyd, il y a moins de trois semaines.

Ces nouvelles fourmis l'obsèdent et il est rentré en Angleterre dans l'idée, selon sa formule, « d'alerter les gens » à leur sujet « avant qu'il ne soit trop tard ». Il prétend qu'elles menacent la Guyane britannique, qui ne peut guère être à plus d'un petit millier de milles du champ actuel de leurs activités, et que le ministère des colonies devrait s'attaquer à leur cas sans délai. Il déclame avec véhémence : « Ces fourmis-là sont intelligentes. Rendez-vous compte de ce que ça implique ! »

On ne saurait nier que ces fourmis constituent un sérieux fléau et que le gouvernement brésilien agit sagement en offrant une récompense de cinq cents livres à qui trouvera un moyen efficace pour les éliminer.

---

7. **the Colonial Office :** *le ministère des Colonies.*

8. **what that means !** : ce sont les derniers mots du témoin Holroyd. A partir de là, l'auteur-narrateur offre un commentaire « objectif » de synthèse et d'anticipation.

9. **(a) pest :** *un animal nuisible, un fléau.*

10. **is well advised :** *est bien avisé* (de faire qqch.).

It is certain, too, that since[1] they first appeared in the hills beyond Badama, about three years ago[1], they have achieved extraordinary conquests. The whole of the south bank of the Batemo River, for nearly sixty miles, they have in their effectual[2] occupation; they have driven men out[3] completely, occupied plantations and settlements[4], and boarded and captured at least one ship[5]. It is even said they have in some inexplicable way bridged[6] the very considerable Capuarana arm and pushed many miles towards the Amazon itself. There can be little doubt that they are far more reasonable and with a far better social organisation than any previously[7] known ant species; instead of being in dispersed societies they are organised into what is in effect[8] a single nation; but their peculiar and immediate formidableness[9] lies not so much in this as in the intelligent use they make of poison against their larger enemies. It would seem this poison of theirs[10] is closely akin[11] to snake poison, and it is highly probable they actually[12] manufacture it, and that the larger[13] individuals among them carry the needle-like crystals of it in their attacks upon men.

Of course it is extremely difficult to get any detailed information about these new competitors for the sovereignty of the globe. No eye-witnesses of their activity, except for such glimpses as Holroyd's[14], have survived the encounter.

---

1. **since... ago: since :** *depuis le moment où ;* **three years ago** = **gone :** *il y a trois ans.*

2. **effectual :** *efficace.*

3. **driven out : to drive out :** *chasser, expulser* (sous-entendu, en les poussant, en les boutant dehors).

4. **settlements : to settle :** *s'établir.* **A settlement :** *une colonie de peuplement.*

5. **one ship :** il s'agit de la *Santa Rosa* dont on connaît l'histoire.

6. **bridged : to bridge (a stream) :** *jeter un pont au-dessus d'un cours d'eau* ou *le traverser.* Le second sens semble plus plausible ici.

7. **previously :** de **previous :** *précédent, antérieur.*

8. **in effect :** *de fait. En fait :* **in fact.**

Il est non moins certain que, depuis leur première apparition sur les collines de l'arrière-pays de Badama, il y a trois ans environ, leurs conquêtes ont été prodigieuses. Elles occupent efficacement toute la rive sud de la Batemo sur une longueur de près de cent kilomètres ; elles en ont complètement chassé les habitants, ont occupé les plantations et les colonies de peuplement, ont pris d'assaut et capturé au moins un navire. On prétend même que, sans qu'on puisse s'expliquer comment, elles ont franchi l'énorme bras fluvial du Capuarana et avancé sur des kilomètres vers l'Amazone elle-même. Il est peu douteux que ces fourmis sont bien plus raisonnables et dotées d'une organisation sociale bien meilleure qu'aucune des autres espèces antérieurement connues ; au lieu de vivre dans des sociétés disséminées, elles se sont organisées pour constituer pratiquement une nation unique ; mais ce qui les rend singulièrement et immédiatement redoutables tient plutôt à leur emploi intelligent de poison contre leurs ennemis d'une taille supérieure. Il semblerait que leur poison s'apparente de près à un venin de serpent et il est fort probable qu'elles en assurent bel et bien la fabrication et que les plus grosses d'entre elles le transportent sous la forme de cristaux en forme d'aiguilles dans leurs assauts contre les hommes.

Bien entendu, il est extrêmement difficile d'obtenir des renseignements précis au sujet de ces nouveaux concurrents pour la domination du globe. Aucun témoin visuel de leurs activités, en dehors de ce qu'Holroyd a pu entrevoir, n'a survécu à la rencontre.

---

9. **formidableness : formidable :** *redoutable, terrible.*
10. **this poison of theirs :** génitif partitif idiomatique = **their poison.**
11. **akin to :** *apparenté à.*
12. **actually :** *bel et bien.*
13. **larger :** comparatif idiomatique pour deux groupes contrastés.
14. **such glimpses as Holroyd's = glimpses of the kind of Holroyd's ones. To glimpse, to catch a glimpse of :** *entrevoir.* Holroyd est censément le seul témoin sérieux en tant qu'Anglais d'Angleterre et technicien.

The most extraordinary legends of their prowess and capacity are in circulation[1] in the region of the Upper[2] Amazon, and grow daily as the steady advance of the invader stimulates men's imaginations through[3] their fears. These strange little creatures are credited[4] not only with the use of implements[5] and a knowledge of fire and metals and with organised feats of engineering[6] that stagger our Northern minds—unused as we are[7] to such feats as that of the Saübas of Rio de Janeiro, who, in 1841, drove a tunnel under Paralyba, where it is a wide as the Thames at London Bridge[8]—but with an organised and detailed method of record and communication analogous to our books[9]. So far their action has been a steady progressive settlement, involving the flight or slaughter[10] of every human being in the new areas they invade. They are increasing rapidly in numbers, and Holroyd at least is firmly convinced that they will finally dispossess man over the whole of[11] tropical South America.

And why should they stop at tropical South America?

"Well, there they are, anyhow. By 1911 or thereabouts, if they go on as they are going, they ought to strike[12] the Capuarana Extension Railway, and force themselves upon the attention of the European capitalist.

By 1920 they will be half-way down the Amazon. I fix 1950 or '60 at the latest for their discovery of Europe[13].

---

1. **in circulation (to be)**: *courir* (bruit, rumeur).

2. **upper**: le comparatif idiomatique ne se traduit pas.

3. **through**: *en passant par*.

4. **credited**: **to credit s.o. with (a capacity)**: *attribuer à qqn une aptitude*.

5. **implements = tools**: *des outils*.

6. **feats of engineering**: a feat: *un coup d'éclat, un exploit*. **Engineering**: *la science, la technique de l'ingénieur*.

7. **unused as we are**: noter la construction idiomatique: *inhabitués, étrangers que nous sommes*.

8. **London Bridge**: le détail relatif aux fourmis brésiliennes est authentique. Le « pont de Londres » ainsi nommé fut construit entre 1825 et 1831.

Les plus extraordinaires légendes à propos de leurs exploits et de leurs capacités courent dans la région du haut Amazone et s'enrichissent quotidiennement à mesure que l'avance régulière de l'envahisseur stimule l'imagination des hommes à partir de leurs craintes. On crédite ces petites créatures étranges non seulement de l'emploi d'outils, d'une connaissance du feu et des métaux, de prouesses techniques organisées qui confondent notre esprit d'hommes du nord — étrangers que nous sommes à des exploits tels que celui des Saübas de Rio de Janeiro qui, en 1841, percèrent un tunnel sous le Paralyba à un endroit où il est aussi large que la Tamise au pont de Londres — mais encore de posséder une méthode systématique et minutieuse de mise en mémoire et de communication, analogue à nos livres. Jusqu'à présent, leur mode d'action a consisté à étendre régulièrement et progressivement leurs colonies, ce qui entraîne la fuite ou le massacre de tous les habitants des nouveaux territoires qu'elles envahissent. Le nombre de ceux-ci croît rapidement et Holroyd au moins a la ferme conviction qu'elles vont finir par déposséder l'homme de toute l'Amérique du sud tropicale.

Et pourquoi s'arrêteraient-elles là ?

Eh bien, elles y sont en tout cas. D'ici à 1911 ou à peu près, si elles continuent au rythme actuel, elles devraient atteindre l'extension ferroviaire du Capuarana et s'imposer à l'attention des capitalistes européens.

D'ici à 1920, elles auront descendu la moitié du cours de l'Amazone. Je situe en 1950, ou 1960 au plus tard, leur découverte de l'Europe.

---

9. **books**: Wells imagine, donc, un processus d'évolution des fourmis sur le modèle de l'évolution humaine.

10. **slaughter : a slaughter** : *un massacre*.

11. **over the whole of** : *sur toute l'étendue de*.

12. **to strike** : *tomber sur, découvrir*.

13. **Europe** : si la menace des fourmis et des termites demeure réelle au Brésil, ce scénario-catastrophe ne s'est heureusement pas matérialisé.

# The Beautiful Suit

*Le Beau Costume*

There was once[1] a little man whose mother made him a beautiful suit of clothes. It was green and gold, and woven[2] so that I cannot describe how delicate and fine[3] it was, and there was a tie of orange fluffiness[4] that tied up under his chin. And the buttons in their newness shone like stars. He was proud and pleased by his suit beyond measure[5], and stood before the long looking-glass when first he put it on, so astonished and delighted with it that he could hardly turn himself away.

He wanted to wear it everywhere, and show it to all sorts of people. He thought over[6] all the places he had ever visited, and all the scenes he had ever heard described[7], and tried to imagine what the feel of[8] it would be if he were to[9] go now to those scenes and places wearing his shining suit, and he wanted to go out forthwith into the long grass and the hot sunshine of the meadow wearing it[10]. Just to wear it! But his mother told him "No[11]." She told him he must take great care of his suit, for never would he have[12] another nearly so fine; he must save it[13] and save it, and only wear it on rare and great occasions. It was his wedding-suit, she said. And she took the buttons and twisted them up with tissue paper[14] for fear[15] their bright newness should be tarnished, and she tacked[16] little guards over the cuffs and elbows, and wherever the suit was most likely to come to harm[17].

---

1. **there was once : once** : *autrefois, jadis.* La formule marque le début classique d'un conte de fées.
2. **woven :** de **to weave :** *tisser.*
3. **fine :** *beau* ou *fin, délicat.* Ici : le second sens.
4. **fluffiness : fluffy :** *pelucheux, duveteux.*
5. **beyond measure :** *infiniment.*
6. **over :** idée de *revoir,* de *revenir sur un sujet.*
7. **heard described : to hear** régit le p.p. en ce sens passif.
8. **the feel of :** *le contact, la sensation..*
9. **if he were to :** subjonctif d'hypothèse : *s'il devait.*
10. **wearing it :** le symbolisme d'un désir immédiat de jouissance est ici évident.
11. **no :** la mère formule l'interdit puritain.

Il était une fois un petit homme auquel sa mère avait fait un beau costume. Il était vert et or, et son étoffe était si délicate et fine que je ne saurais le décrire et il s'accompagnait d'une cravate orange d'une étoffe pelu-chée, à nouer sous le menton. Et les boutons tout neufs brillaient comme des étoiles. Ce costume emplit le petit homme d'une fierté et d'une joie infinies et, quand il le mit pour la première fois, il resta debout devant la longue glace, si heureusement surpris de le voir qu'il ne pouvait plus se détourner.

Il voulait le porter partout où il irait et le montrer à toutes sortes de gens. Il passa en revue tous les lieux qu'il avait jamais visités, tous les paysages qu'il avait jamais entendu décrire, et il essaya d'imaginer l'impression qu'il éprouverait s'il lui arrivait, à présent, de s'y rendre, vêtu de son costume lumineux ; et il voulut sortir sans délai dans cette tenue pour fouler l'herbe haute du pré sous le soleil brûlant. Rien que pour porter son costume ! Mais sa mère lui dit : « Non. » Elle lui expliqua qu'il devait en prendre grand soin, car jamais il n'en aurait un autre qui approchât de sa beauté : il lui fallait le ménager, toujours le ménager, et ne le revêtir qu'en un petit nombre de grandes occasions. C'était son habit de mariage, dit-elle. Et elle en prit les boutons dans les mains pour les entortiller dans du papier de soie, de peur que l'éclat du neuf ne se ternisse, et elle piqua des morceaux de tissu en guise de protection sur les manchettes, au niveau des coudes, et à tous les endroits où le costume risquait le plus de s'abîmer.

---

12. **never would he have** : inversion d'insistance.

13. **save it** : *épargner, ménager.*

14. **tissue paper** : *papier hygiénique, papier de soie.*

15. **for fear (that)** + **should** = **lest it should** : *de peur que.*

16. **tacked** : to tack : *clouer avec des semences.* En couture : *faufiller, pointer.* A **tack-hammer** : *un marteau de tapissier.*

17. **come to harm** : harm : *tort, préjudice.* **To come to harm** (pour une personne) : *lui arriver malheur ;* (pour une chose) : *se détériorer.*

He hated and resisted[1] these things, but what could he do? And at last her warnings and persuasions had effect, and he consented to take off his beautiful suit and fold it into its proper creases, and put it away. It was almost as though he gave it up again. But he was always thinking of wearing it, and of the supreme occasions when some day it might be worn without the guards, without the tissue paper on the buttons, utterly[2] and delightfully, never caring[3], beautiful beyond measure.

One night, when he was dreaming of it after his habit[4], he dreamt he took the tissue paper from one of the buttons, and found its brightness a little faded[5], and that distressed him mightily[6] in his dream. He polished the poor faded button and polished it, and, if anything[7], it grew duller. He woke up and lay awake, thinking of the brightness slightly dulled, and wondering how he would feel if perhaps when the great occasion (whatever it might be) should arrive[8], one button should chance to be[9] ever so little[10] short of[11] its first glittering[12] freshness, and for days and days that thought remained with him distressingly. And when next his mother let him wear his suit, he was tempted and nearly gave way to the temptation just to fumble off[13] a bit of tissue paper and see if indeed the buttons were keeping as bright as ever.

He went trimly[14] along on his way to church, full of his wild desire. For you must know his mother did, with repeated and careful warnings, let him wear his suit at times,

---

1. **resisted**: tr. en anglais.
2. **utterly**: **utter**: *entier, complet*. **Utterly**: *totalement, tout à fait*.
3. **never caring**: **to care about**: *se soucier de;* **careful, careless**: *soigneux, insouciant*. **Never** = **not at all** (négatif intensif): *nullement*.
4. **after his habit** (locution idiomatique): *selon son habitude*.
5. **faded**: *flétri, pâli*. **A faded flower**: *une fleur fanée*.
6. **mightily**: **mighty**: *puissant, fort*. **Mightily** (lit.): *fortement*.
7. **if anything**: *plutôt*.
8. **should arrive**: **should**: marque une hypothèse.

Il abhorrait ces ajouts et s'y opposait, mais que pouvait-il faire ? Enfin, les mises en garde et les arguments de sa mère l'influencèrent, et il consentit à enlever son beau costume, à le remettre dans ses bons plis et à le ranger. Ce fut presque comme s'il y renonçait. Mais il pensait toujours à le mettre et aux occasions exceptionnelles où il pourrait un jour, libre de tout souci, le porter sans ses protections, sans le papier de soie autour des boutons, dans son intégrité enchanteresse, d'une infinie beauté.

Une nuit où il rêvait de son costume selon son habitude, il enleva dans son rêve le papier de soie qui enveloppait l'un des boutons, et s'aperçut que son éclat avait un peu pâli, ce qui l'affligea fort au sein du rêve. Il astiquait longuement le pauvre bouton pâli ; ce qui avait plutôt pour effet de le rendre plus terne. Il s'éveilla et resta étendu à songer à l'effet que cela lui ferait, quand viendrait la grande occasion (quelle qu'elle fût) si, par aventure, l'un des boutons se trouvait avoir perdu un peu de sa fraîcheur et de son éclat premier et, pendant de longs jours, cette pensée le hanta douloureusement. Et, la fois suivante où sa mère l'autorisa à mettre son costume, il fut tenté, et faillit céder à la tentation, de soulever simplement d'un doigt gauche un bout du papier de soie pour voir si les boutons étaient vraiment restés aussi brillants qu'avant.

Fier de son élégance, sur le chemin de l'église, il fut envahi par ce désir irraisonné. Car il vous faut savoir que sa mère, après la réitération de prudentes mises en garde, l'autorisait bel et bien à mettre parfois son costume,

---

9. **chance to be** : expression idiomatique : *se trouverait être.*
10. **ever so little** : intensif : *un tout petit peu.*
11. **short of** : *en deçà de, inférieur à.*
12. **glittering** : to glitter : *scintiller.*
13. **fumble off** : to fumble : *farfouiller, tâtonner.* **Off** : indique le résultat.
14. **trimly** : *avec élégance, coquetterie.*

on Sundays, for example, to and fro from church, when there was no threatening of rain, no dust blowing[1], nor anything to injure[2] it, with its buttons covered and its protections tacked upon it, and a sunshade[3] in his hand to shadow it if there seemed too strong a sunlight for its colours. And always, after such occasions, he brushed it over[4] and folded it exquisitely[5] as she had taught him, and put it away again.

Now all these restrictions his mother set to the wearing of his suit he obeyed, always he obeyed them, until one strange night he woke up and saw the moonlight shining outside his window. It seemed to him the moonlight was not common moonlight, nor the night a common night, and for a while he lay quite drowsily[6], with this old persuasion in his mind. Thought joined on to thought like things that whisper warmly in the shadows. Then he sat up in his little bed suddenly very alert, with his heart beating very fast, and a quiver[7] in his body from top to toe[8]. He had made up his mind[9]. He knew that now he was going to wear his suit as it should be worn. He had no doubt in the matter. He was afraid, terribly afraid, but glad, glad[10].

He got out of his bed and stood for a moment by the window looking at the moonshine-flooded[11] garden, and trembling at the thing he meant to do. The air was full of a minute[12] clamour of crickets and murmurings, of the infinitesimal shoutings of little living things.

---

1. **blowing**: to blow: *souffler*. Ici: *être soulevé(e) par le vent, voler*.

2. **to injure**: *endommager, abîmer*.

3. **a sunshade**: *une ombrelle*. **An umbrella**: *un parapluie*.

4. **over**: *de bout en bout, tout entier*.

5. **exquisitely**: exquisite: *exquis, délicat, extrême*. **An exquisite pain**: *une douleur intense*.

6. **drowsily**: drowsy: *assoupi, somnolent*.

7. **a quiver** (lit.) = quivering: to quiver: *frémir, frissonner*.

8. **from top to toe**: toe: *l'orteil*. **From top to toe**: *de pied en cap; des pieds à la tête*.

par exemple, le dimanche, pour aller à l'église et en revenir, quand il n'y avait aucune menace de pluie, que la poussière ne volait pas, et que rien ne risquait de l'endommager : avec ses boutons recouverts et ses protections piquées sur le tissu, et une ombrelle dans la main pour maintenir son costume à l'ombre si un soleil trop vif semblait en menacer les teintes. Et, après de telles occasions, il ne manquait jamais de le brosser en entier avant de le replier très délicatement comme elle lui avait appris à le faire, et de le remettre dans l'armoire.

Or, il obéissait, il obéissait toujours à toutes ces restrictions apportées par sa mère au port de son costume jusqu'à une nuit étrange où il se réveilla et vit par la fenêtre la lune briller. Il eut l'impression que ce clair de lune n'était pas ordinaire et cette nuit pas une nuit ordinaire, et il resta allongé quelque temps dans une grande somnolence, l'esprit occupé par cette persuasion bizarre. Ses pensées s'enchaînaient comme des murmures chaleureux d'objets dans le noir. Ensuite, il s'assit dans son petit lit, soudain bien éveillé : son cœur battait très vite et son corps frémissait des pieds à la tête. Il avait pris sa décision. Il savait qu'à présent, il allait porter son costume comme il convenait. Il n'avait aucun doute sur ce point. Il avait peur, une peur terrible, mais il était heureux, heureux.

Il se leva et resta un moment debout près de la fenêtre à regarder le jardin que la lune inondait de ses rayons, en tremblant à l'idée de ce qu'il voulait faire. L'air était rempli du chant minuscule des grillons et de murmures : des cris infinitésimaux de petites créatures.

---

9. **made up his mind** : to make up one's mind : *prendre une décision.*
10. **glad, glad** : ces répétitions recherchent un effet lyrique.
11. **moonshine-flooded** : to flood : *inonder.* Moonshine = moonlight.
12. **minute** (pron. [mai'nju:t]) : *minuscule, en miniature.*

He went very gently across the creaking boards, for fear that he might[1] wake the sleeping house, to the big dark clothes-press[2] wherein[3] his beautiful suit lay folded, and he took it out garment by garment[4], and softly and very eagerly tore off its tissue-paper covering and its tacked protections until there it was, perfect and delightful as he had seen it when first his mother had given it to him—a long time it seemed ago. Not a button had tarnished, not a thread had faded on this dear suit of his; he was glad enough for weeping as[5] in a noiseless hurry he put it on. And then back he went, soft and quick, to the window that looked out upon[6] the garden, and stood there for a minute, shining in the moonlight, with his buttons twinkling like stars, before he got out on the sill, and, making as little of a rustling[7] as he could, clambered[8] down to the garden path below. He stood before his mother's house, and it was white and nearly as plain[9] as by day, with every window-blind but his own shut like an eye that sleeps. The trees cast still shadows like intricate black lace upon the wall.

The garden in the moonlight was very different from the garden by day; moonshine was tangled in the hedges and stretched in phantom cobwebs from spray to spray[10]. Every flower was gleaming white or crimson black, and the air was a-quiver with the thridding of small crickets[11] and nightingales singing unseen in the depths of the trees.

---

1. **for fear that he might** = **lest he should**: *de peur que.*
2. **clothes-press (a)**: *une armoire à linge, une armoire à étagères.*
3. **wherein** (lit.): **in which.**
4. **garment**: **a garment,** *un vêtement,* tient lieu de singulier à **clothes.**
5. **as**: ici *pendant que.*
6. **looked out upon**: **to look out upon**: *donner sur* (fenêtre, colline...).
7. **a rustling**: **to rustle**: *bruire, produire un bruissement.*
8. **clambered**: **to clamber**: *escalader* ou *descendre* avec une connotation d'effort.
9. **plain**: *simple* ou *sans beauté.*

Il traversa à pas de loup le plancher qui grinçait, de peur d'éveiller la maison endormie, pour aller jusqu'à la grande armoire-étagère sombre à l'intérieur de laquelle reposait son beau costume replié, et il l'en retira, une partie après l'autre ; puis, d'un geste tendre et très ardent, il arracha les garnitures en papier de soie et les protections piquées sur son étoffe, jusqu'à ce qu'il apparût, dans sa perfection ravissante tel que lui-même l'avait vu d'abord quand sa mère lui en avait fait don : il y avait, semblait-il, bien longtemps. Pas un bouton n'avait terni, pas un fil de son costume chéri ne s'était fané ; il en pleura de joie en se hâtant de l'enfiler sans bruit. Après quoi, il revint d'un pas vif et léger à la fenêtre qui donnait sur le jardin, et s'y arrêta une minute, resplendissant dans le clair de lune, les boutons de son costume scintillant comme des étoiles, avant de passer sur le rebord extérieur et, avec le plus petit bruissement d'étoffe possible, de descendre en s'aidant des pieds et des mains jusqu'au sentier du jardin au-dessous. Il se planta devant la maison de sa mère, blanche et à peine embellie par rapport au jour, avec toutes ses jalousies, à l'exception de la sienne, fermées comme les yeux d'un dormeur. Les arbres projetaient sur le mur leurs ombres silencieuses comme une dentelle noire ouvragée.

Le jardin au clair de lune était très différent du jardin le jour ; les rayons de la lune s'emmêlaient dans les haies et tendaient d'une ramille à l'autre leurs toiles d'araignées spectrales. Toutes les fleurs brillaient d'un éclat blanc ou d'un noir empourpré et l'air frémissait des stridulations des petits grillons et du chant des rossignols, invisibles dans les profondeurs des arbres.

---

10. **spray (a) :** *une brindille, une ramille.* **A spray of flowers :** *une branche fleurie.*

11. **crickets :** *grillons.* **The Cricket of the Hearth** (titre d'un roman de Dickens) : *Le Grillon du foyer.*

There was no darkness in the world, but only warm, mysterious shadows, and all the leaves and spikes[1] were edged and lined[2] with iridescent jewels of dew. The night was warmer than any night had ever been; the heavens by some miracle at once vaster and nearer, and, spite of[3] the great ivory-tinted moon that ruled the world, the sky was full of stars.

The little man did not shout nor sing for all[4] his infinite gladness. He stood for a time like one[5] awe-stricken[6], and then, with a queer small cry and holding out his arms, he ran out as if he would embrace at once[7] the whole round immensity of the world. He did not follow the neat set[8] paths that cut the garden squarely[9], but thrust across[10] the beds and through the wet, tall, scented herbs[11], through the night-stock and the nicotine and the clusters of phantom white mallow flowers and through the thickets of southern-wood and lavender, and knee-deep[12] across a wide space of mignonette. He came to the great hedge, and he thrust his way through it; and though the thorns of the brambles scored him[13] deeply and tore threads from his wonderful suit, and though burrs and goose-grass and havers caught and clung to him, he did not care. He did not care, for he knew it was all part of the wearing[14] for which he had longed[15]. "I am glad I put[16] on my suit," he said; "I am glad I wore my suit."

---

1. **spikes**: *épis, hampes florales.* Aussi : *pointes de fer* (sur barbelés).

2. **edged and lined**: to edge : *border, liserer* (une étoffe). **To line**: *border.* Les deux mots sont quasiment synonymes.

3. **spite of** (lit.) = **in spite of**: *malgré.*

4. **for all**: *malgré.*

5. **like one** (lit.) = **as if.**

6. **awe-stricken**: to strike s.o. with awe : *frapper qqn d'une crainte respectueuse.*

7. **at once**: *aussitôt* ou bien : *à la fois, d'un seul coup.*

8. **set**: *immuables, bien tracés.*

9. **squarely**: symboliquement, le petit homme s'écarte des chemins tracés, des chemins battus, géométriques, pour se plonger dans une nature, une vie, plus libre.

Le monde échappait aux ténèbres, ne présentait que des ombres chaleureuses, baignées de mystère, et la rosée bordait, ourlait toutes les feuilles et les hampes florales d'un chatoiement de pierre précieuse. La nuit était plus tiède qu'aucune autre avant elle; les cieux étaient, par miracle, à la fois plus vastes et plus proches et, bien que l'énorme lune ivoirine régnât sur le monde, le firmament était rempli d'étoiles.

Malgré sa joie infinie, le petit homme s'abstint de crier ou de chanter. Il resta un moment immobile, comme saisi d'une crainte respectueuse, puis, en poussant un petit cri étrange et en ouvrant tout grand les bras, il sortit du jardin en courant, comme s'il voulait étreindre d'un coup toute l'immensité du globe terrestre. Il ne suivit pas les sentiers bien tracés et bien entretenus qui quadrillaient le jardin, mais s'enfonça à travers les parterres et parmi les hautes herbes aromatiques humides, parmi les cassolettes, les pieds de tabac et les touffes de fleurs de guimauve, d'un blanc spectral, parmi les gros buissons de citronnelles et de lavandes, et il s'enfonça jusqu'aux genoux dans un grand carré de résédas. Arrivé à la grande haie, il s'y força un passage; les épines des ronciers avaient beau le griffer profondément et arracher des fils de son merveilleux costume, les bardanes, les gratterons, la folle avoine avaient beau se prendre dans ses vêtements et y rester accrochés, il n'en avait cure. Il n'en avait cure, car il savait que le port, ardemment désiré, de son costume impliquait tout cela. «Je suis content de l'avoir mis, dit-il, je suis content de l'avoir porté.»

10. **to thrust across (to)**: *se frayer un chemin, s'enfoncer à travers.*
11. **herbs**: *herbes aromatiques* ou *médicinales.*
12. **knee-deep**: *en enfonçant jusqu'aux genoux.*
13. **scored him**: to score (s.o.'s skin): *érafler, entailler.*
14. **the wearing**: *le fait de porter* (son costume).
15. **longed**: to long for = to yearn for: *désirer vivement, ardemment.*
16. **glad I put** = glad (that) I put.

Beyond the hedge he came to the duck-pond, or at least to what was the duck-pond[1] by day. But by night it was a great bowl[2] of silver moonshine all noisy with singing frogs, of wonderful silver moonshine twisted and clotted[3] with strange patternings, and the little man ran down into its waters between the thin black rushes, knee-deep and waist-deep[4] and to his shoulders, smiting[5] the water to black and shining wavelets with either hand, swaying and shivering wavelets, amidst which the stars were netted in the tangled reflections of the brooding[6] trees upon the bank. He waded[7] until he swam, and so he crossed the pond and came out upon the other side, trailing, as it seemed to him, not duckweed, but very silver in long, clinging, dripping[8] masses. And up he went through the transfigured tangles of the willow-herb and the uncut seeding[9] grasses of the farther[10] bank. He came glad and breathless into the high-road. "I am glad," he said, "beyond measure, that I had clothes that fitted[11] this occasion."

The high-road ran straight as an arrow flies, straight into the deep-blue pit of sky[12] beneath the moon, a white and shining road between the singing nightingales, and along it he went, running now[13] and leaping, and now[13] walking and rejoicing, in the clothes his mother had made for him with tireless, loving hands. The road was deep in dust, but that for him was only soft whiteness;

---

1. **duck-pond** : *mare aux canards, barbotière.* **The sea is like a duck-pond** : *la mer est d'huile.*
2. **bowl** : *bol, coupe, cuvette.*
3. **clotted** : **to clot** : *se figer, se coaguler.*
4. **waist-deep** : *jusqu'à la ceinture, à la taille.*
5. **smiting** : **to smite** (irrégulier) : *frapper* (avec force).
6. **brooding** : **to brood** : *méditer sombrement.* **Brooding** : *mélancolique.*
7. **waded** : **to wade** : *passer à gué, marcher dans l'eau.*
8. **dripping** : **to drip** : *dégoutter, dégouliner.*
9. **seeding** : **to seed, to run to seed** : *monter en graine.*
10. **farther** : littéralement *la plus éloignée* (des deux).

Après la haie, il arriva à la mare aux canards ou, tout au moins, à ce qui était la mare aux canards dans le jour. Mais, à la nuit, c'était une grande vasque pleine de rayons de lune argentés et envahie par le chant des grenouilles ; pleine des merveilleux rayons argentés de la lune, tressés et figés selon d'étranges arabesques. Et le petit homme courut entre les joncs svelts et noirs pour entrer dans l'onde : il s'y enfonça jusqu'aux genoux, puis jusqu'à la taille, puis jusqu'aux épaules, frappant l'eau avec une main ou l'autre en soulevant des vaguelettes noires et luisantes, des vaguelettes qui oscillaient et frissonnaient et où les étoiles étaient prises à la nasse dans les reflets entrelacés des arbres mélancoliques de la rive. Il marcha en s'enfonçant dans l'eau, puis nagea et traversa ainsi la mare et ressortit sur l'autre rive, en traînant derrière lui, à ce qu'il lui sembla, non pas des lentilles d'eau mais bel et bien de l'argent en longues masses ruisselantes qui s'accrochaient à lui. Et il monta en traversant l'enchevêtrement des épilobes transfigurés et les herbes non fauchées, montées en graine, de la rive opposée. Il arriva joyeux, tout essoufflé, à la grand-route. « Ma joie, dit-il, est infinie, d'avoir eu des vêtements dignes de cette occasion. »

La grand-route courait droit comme un vol de flèche : elle s'enfonçait tout droit dans l'abîme bleu foncé du ciel sous la lune, une route blanche et brillante, entre les rossignols qui chantaient ; et il s'y engagea, tantôt en courant et en bondissant, tantôt en marchant avec jubilation, vêtu du costume que sa mère lui avait fait de ses mains tendres et inlassables. La route était recouverte d'une épaisse poussière, mais ce n'était pour lui qu'une blancheur moelleuse,

---

11. **fitted : to fit** : *convenir à, être à la hauteur de.*
12. **pit of sky** : image : *le gouffre, l'abîme du ciel.*
13. **now... now** : *tantôt... tantôt.*

and as he went a great dim[1] moth came fluttering[2] round his wet and shimmering[3] and hastening figure. At first he did not heed[4] the moth, and then he waved his hands at it, and made a sort of dance with it as it circled round his head. "Soft moth!" he cried, "dear moth! And wonderful night, wonderful night of the world! Do you think my clothes are beautiful, dear moth? As beautiful as your scales and all this silver vesture[5] of the earth and sky?"

And the moth circled closer and closer until at last its velvet wings just brushed[6] his lips....

And next morning they found him dead, with his neck broken[7], in the bottom of the stone pit, with his beautiful clothes a little bloody, and foul[8] and stained with the duckweed from the pond. But his face was a face of such happiness that, had you seen[9] it, you would have understood indeed how that he had died happy, never knowing that cool and streaming silver for[10] the duckweed in the pond[11].

---

1. **dim**: *obscur, indistinct.* I can only see it dimly : *je le distingue mal.*

2. **fluttering**: to flutter : *battre des ailes, voleter.* Au sens fig. to flutter about : *papillonner.*

3. **shimmering**: to shimmer : *miroiter, luire, chatoyer.*

4. **did not heed**: to heed (tr.) : *prêter attention à.* Heed my words : *écoutez mes paroles.* Heedless : *étourdi, insouciant, imprudent.*

5. **vesture** (lit.) : *vêtements.*

6. **brushed**: to brush : *frôler, effleurer, raser.*

7. **with his neck broken** : le **with**, explétif, ne se traduit pas, mais est idiomatique en anglais pour une partie du corps ou un vêtement.

8. **foul**: *infect, sali, souillé, nauséabond.*

et, tandis qu'il avançait rapidement, trempé et chatoyant, un grand papillon de nuit indistinct vint voleter autour de sa silhouette. D'abord il ne prit pas garde à ce papillon, puis il agita les bras pour le saluer et se livra à une sorte de danse pour accompagner son vol circulaire autour de sa tête : « Doux papillon, s'écria-t-il, cher papillon ! Et merveilleuse nuit, merveilleuse nuit du monde ! Trouves-tu, cher papillon, que mes vêtements sont beaux ? Aussi beaux que les écailles de tes ailes et que tous ces voiles d'argent de la terre et du ciel ? »

Et le papillon tourna de plus en plus près jusqu'au moment enfin où ses ailes lui effleurèrent légèrement les lèvres...

Et, le lendemain matin, on le trouva mort, le cou brisé, au fond de la carrière de pierres : ses vêtements qui portaient des traces de sang étaient souillés, tachés par les lentilles d'eau provenant de la mare. Mais son visage était si radieux que, si vous l'aviez vu, vous auriez bien compris qu'il était mort heureux, sans jamais reconnaître dans cette fraîche coulée d'argent les lentilles de la mare.

---

9. **had you seen it** = if you had seen it.

10. **knowing... for : to know sth for what it is :** *reconnaître la réalité de qqch.*

11. **the pond :** s'opposent ici le prosaïque et le rêve qui, dans l'expérience subjective de l'artiste, le transcende à tout risque. L'on aura noté la prose littéraire et le ton lyrique de cet apologue hédoniste.

# The Pearl of Love

*La Perle d'Amour*

The pearl is lovelier than the most brilliant of crystalline stones, the moralist declares, because it is made through[1] the suffering of a living creature. About that I can say nothing because I feel none of[2] the fascination of pearls. Their cloudy[3] lustre moves me not[4] at all. Nor can I decide for myself upon that age-long[5] dispute whether The Pearl of Love is the cruellest of stories or only a gracious[6] fable of the immortality of beauty.

Both the story and the controversy will be[7] familiar to students of mediæval Persian prose. The story is a short one, though the commentary upon it is a respectable part of the literature of that period. They have treated it as a poetic invention and they have treated it as an allegory meaning this, that, or the other thing. Theologians have had their copious way[8] with it, dealing with it particularly as concerning the restoration of the body after death, and it has been greatly used as a parable by those who write about æsthetics. And many have held it to be the statement of a fact, simply and baldly[9] true.

The story is laid[10] in North India, which is the most fruitful soil[11] for sublime love stories of all the lands in the world. It was in a country of sunshine and lakes and rich forests[12] and hills and fertile valleys; and far away the great mountains hung in the sky[13], peaks, crests, and ridges of inaccessible and eternal snow.

---

1. **it is made through** : *son élaboration passe par.*
2. **none of** : *rien de.*
3. **cloudy** : *embrumé, voilé.*
4. **moves me not** (lit.) = **does not move me.**
5. **age-long : an age** : *un siècle ;* **age-long** : *séculaire.* **In our age** : *à notre époque.*
6. **gracious** : *aimable.* Autre sens : *indulgent, bienveillant.*
7. **will be** : affirmation d'une évidence.
8. **way : to have one's way with sth** : *faire ce qu'on veut de qqch.*
9. **baldly : bald** : *chauve ;* **the bald truth** : *la vérité nue.* **Baldly** : *sèchement, platement, sans rien ajouter.*
10. **laid = set** : *placée, située.*

La perle, proclame le moraliste, est plus belle que la plus brillante des pierres cristallines parce qu'elle procède de la souffrance d'un être vivant. Je ne saurais rien dire là-dessus parce que je ne me sens pas du tout attiré par les perles. Leur éclat voilé ne m'émeut nullement. Et je ne peux pas me prononcer personnellement sur la controverse séculaire qui porte sur le fait de savoir si « La Perle d'Amour » est le plus cruel des contes ou simplement une charmante fable sur l'immortalité du beau.

Ce conte et cette controverse sont à coup sûr familiers à ceux qui étudient la prose persane médiévale. Le conte est bref, mais les commentaires qu'il a inspirés forment un pan considérable de la littérature de cette époque. On en a rendu compte comme d'une invention poétique et également comme d'une allégorie aux significations diverses. Les théologiens en ont fait ce qu'ils voulaient, prolixes à leur coutume, en s'attachant singulièrement à ce qui touche à la résurrection de la chair ; et les auteurs d'écrits sur l'esthétique s'en sont maintes fois servis en guise de parabole. Enfin, nombreux sont ceux qui l'ont tenu pour un récit factuel, une histoire tout bonnement et platement authentique.

L'anecdote est située dans le nord des Indes, terre féconde entre toutes pour accueillir des histoires d'amour sublimes. Il s'agit d'un pays de soleil, avec des lacs, des forêts luxuriantes, des collines et des vallées fertiles, et, dans le lointain, de hautes montagnes, suspendues au ciel, avec leurs pics, leurs crêtes, leurs arêtes sous une neige éternelle inaccessible.

---

11. **fruitful soil** : soil : *la terre, le terreau*. **Fruitful** : *fécond, fertile*.

12. **rich forests** : *des forêts abondantes, luxuriantes*.

13. **hung in the sky** : *étaient suspendues au ciel* (métaphore de prose poétique). Tout ce décor est brossé à grands traits dans une veine lyrique.

There was a young prince, lord of all the land; and he found a maiden[1] of indescribable beauty and delightfulness and he made her his queen and laid his heart at her feet. Love was theirs[2], full of joys and sweetness, full of hope, exquisite, brave[3] and marvellous love, beyond anything you[4] have ever dreamt of love. It was theirs for a year and a part of a year, and then suddenly, because of some venomous sting that came to her in a thicket, she died[5].

She died and for a while the prince was utterly prostrated[6]. He was silent and motionless with grief. They feared he might kill himself, and he had neither sons nor brothers to succeed him. For two days and nights he lay upon his face, fasting[7], across the foot of the couch which bore her calm and lovely body. Then he arose[8] and ate, and went about very quietly like one who has taken a great resolution. He caused her body to be put[9] in a coffin of lead mixed with silver, and for that he had an outer coffin made of the most precious and scented woods wrought[10] with gold, and about that there was to be a sarcophagus of alabaster, inlaid[11] with precious stones. And while these things were being done he spent his time for the most part[12] by the pools and in the garden-houses and pavilions and groves[13] and in those chambers[14] in the palace where they two had been most together, brooding upon[15] her loveliness.

---

1. **a maiden** (lit.) = a maid, a virgin.
2. **was theirs** : *leur appartint* = *ils le connurent*.
3. **brave** (lit.) : *beau, excellent, parfait. Brave* : **courageous**.
4. **you** : a ici le sens de *on*.
5. **she died** : ce rapide résumé d'un bonheur sans égal subitement interrompu est dans le style d'un conte de fées, d'une légende.
6. **prostrated** : *abattu*. To be prostrated with grief : *être accablé par le chagrin*.
7. **fasting** : to fast : *jeûner*. Breakfast *(le petit déjeuner)* est ce qui met un terme au jeûne de la nuit.
8. **he arose** : de to arise (style écrit) : *se lever*. To arise from the dead (biblique) : *ressusciter des morts*.
9. **caused her body to be put** = had her body put.

Un jeune prince régnait sur toute cette contrée; et il trouva une vierge d'une beauté et d'un charme indescriptibles et en fit sa reine et déposa son cœur à ses pieds. Ils connurent l'amour, un amour plein de joies, de douceur et d'espoir, un amour exquis, parfait et merveilleux au-delà de ce que l'on a jamais rêvé sur ce sujet. Ils connurent cet amour tout au long d'une année et d'une partie de l'année suivante puis, subitement, à cause d'une morsure venimeuse qu'elle reçut dans un fourré, la princesse mourut.

Elle mourut et, pendant quelque temps, le prince en fut anéanti. Il restait muet et paralysé de douleur. On craignit qu'il ne se donnât la mort, et il n'avait ni fils ni frères pour lui succéder. Pendant deux jours et deux nuits, il resta sans manger, allongé à plat ventre sur le bas de la couche où reposait le beau corps serein de la morte. Ensuite, il se releva, prit de la nourriture et vaqua à ses occupations très calmement, comme quelqu'un qui a pris une grande résolution. Il fit déposer le corps de la princesse dans un cercueil fait d'un alliage de plomb et d'argent; et, pour le recevoir, il fit fabriquer un cercueil extérieur avec les bois aromatiques les plus précieux, rehaussés d'or; enfin, autour de celui-ci, on devait mettre en place un sarcophage d'albâtre, incrusté de pierres précieuses. Pendant qu'on œuvrait à tout cela, le prince passa le plus clair de son temps près des bassins, ou dans les gloriettes, ou sous les pavillons ou les bosquets du parc, ou dans les pièces du palais, où la princesse et lui avaient le plus souvent vécu ensemble, méditant sombrement sur sa beauté.

---

10. **wrought**: p.p. de **to work** au sens de *travaillé, ciselé*.

11. **inlaid: to inlay**: *incruster*.

12. **his time for the most part** = **most of his time**. Le style est plus littéraire ici.

13. **groves**: *bosquets, futaies, bouquets d'arbres*. **An olive grove, a palm grove**: *une oliveraie, une palmeraie*.

14. **chambers** (lit.) = **rooms**.

15. **brooding upon: to brood**: *se morfondre, méditer sombrement* (sur un sujet), *broyer du noir;* à l'origine: **to brood (an egg)**: *couver (un œuf)*.

He did not rend[1] his garments nor defile[2] himself with ashes[3] and sackcloth as the custom was, for his love was too great for such extravagances. At last he came forth again among his councillors and before the people, and told them what he had a mind to do[4].

He said he could never more touch woman, he could never more think of them, and so he would find a seemly[5] youth to adopt for his heir and train him to his task, and that he would do his princely duties as became[6] him; but that for the rest of it, he would give himself with all his power and all his strength and all his wealth, all that he could command[7], to make a monument worthy of his incomparable, dear, lost mistress. A building it should be of perfect grace and beauty, more marvellous than any other building had ever been or could ever be, so that to the end of time it should be a wonder[8], and men would treasure[9] it and speak of it and desire to see it and come from all the lands of the earth to visit and recall the name and the memory of his queen. And this building he said was to be called the Pearl of Love.

And this[10] his councillors and people permitted him to do, and so he did.

Year followed year and all the years he devoted[11] himself to building and adorning the Pear of Love. A great foundation was hewn[12] out of the living rock in a place whence[13] one seemed to be looking at the snowy wilderness of the great mountain across the valley of the world.

---

1. **rend (to)** = **to tear (to)** : *déchirer.* **To rend one's hair** : *s'arracher les cheveux.*

2. **defile (to)** : *salir, souiller.*

3. **ashes** : *les cendres* (dans tous les sens du terme).

4. **a mind to do (to have)** : *avoir l'intention de faire qqch.*

5. **seemly** : *convenable, bienséant.*

6. **became** : **to become s.o.** : *convenir à, aller bien à qqn.*

7. **command (to)** : *avoir à sa disposition.*

8. **a wonder** : *une merveille ;* **to wonder at** : *s'émerveiller de.*

9. **treasure (to) sth** : *prier, tenir beaucoup à, chérir qqch.* **To treasure sth in one's memory** : *garder précieusement le souvenir de qqch.*

Il ne déchira pas ses vêtements, ni ne souilla son corps sous le sac et la cendre, selon l'usage, car son amour était trop grand pour lui dicter de telles extravagances. Finalement, il reparut parmi ses conseillers et devant son peuple et leur fit part de ses intentions.

Il leur dit qu'il ne pourrait jamais plus toucher à une femme, ni s'intéresser à leur sexe, et qu'il trouverait donc un jeune homme convenable qu'il puisse adopter en tant que son héritier et préparer à ses fonctions; et encore, que lui-même remplirait les devoirs de sa charge comme il sied à un prince, mais que, pour le reste, il s'adonnerait de tout son pouvoir, de toute son énergie, en usant de toute sa fortune et de tout son empire, à l'édification d'un monument digne de son incomparable maîtresse disparue, chère à son cœur. Cet édifice devrait être d'une élégance et d'une beauté parfaites, plus merveilleux qu'aucun autre édifice jamais bâti ou susceptible de l'être, si bien que, jusqu'à la fin des temps, il resterait une merveille, et que les hommes le chériraient, en parleraient entre eux, désireraient le voir et viendraient le visiter du monde entier; et qu'ils se rappelleraient le nom, et garderaient le souvenir, de sa reine. Et cet édifice, dit-il, devait être nommé la Perle d'Amour.

Et ses conseillers comme son peuple consentirent à son projet et il en fit ainsi.

Les années se succédèrent et il les consacra toutes à construire et à décorer la Perle d'Amour. D'énormes fondations furent taillées dans la roche vive, dans un site à partir duquel on semblait contempler les déserts neigeux des hautes montagnes à l'autre bout de la vallée du monde.

---

10. **and this**: inversion littéraire.

11. **devoted**: to **devote oneself to**: *se vouer à, se consacrer à.* To be **devoted to a cause**: *être tout acquis à une cause.*

12. **hewn**: de **to hew**: *tailler* (dans la pierre ou avec une hache).

13. **whence** (lit.) = **from where**.

Villages and hills there were[1], a winding river, and very far away three great cities. Here they put the sarcophagus of alabaster beneath[2] a pavilion of cunning workmanship[3]; and about it there were set pillars of strange and lovely stone and wrought[4] and fretted[5] walls, and a great casket of masonry bearing a dome and pinnacles and cupolas, as exquisite as a jewel. At first the design[6] of the Pearl of Love was less bold and subtle than it became later. At first it was smaller and more wrought and encrusted; there were many pierced screens and delicate clusters of rosy hued[7] pillars, and the sarcophagus lay like a child that sleeps among flowers. The first dome was covered with green tiles, framed[8] and held together by silver, but this was taken away again because it seemed close[9], because it did not soar[10] grandly[11] enough for the broadening imagination of the prince.

For by this time he was no longer the graceful youth who had loved the girl queen. He was now a man, grave and intent[12], wholly set upon[13] the building of the Pearl of Love. With every year of effort he had learnt new possibilities in arch and wall and buttress; he had acquired greater power over the material he had to use and he had learnt of a hundred stones and hues and effects that he could never[14] have thought of in the beginning. His sense of colour had grown finer and colder; he cared no more for the enamelled gold-lined brightness that had pleased him first, the brightness of an illuminated missal;

---

1. **there were** : inversion littéraire de ce membre de phrase.
2. **beneath** (prép.) = **under**.
3. **cunning workmanship** : **workmanship** : *exécution, travail.* **Cunning** : *rusé* ou *adroit, habile,* comme ici.
4. **wrought** : p.p. de **to work** au sens de *ouvré* ou *forgé* (métal).
5. **fretted** : *sculpté(s), ornés* (murs ou plafonds).
6. **the design** : *la conception, l'avant-projet.*
7. **rosy hued** : **a hue** : *une teinte.*
8. **framed** : **a frame** : *un cadre* ou *une charpente.*
9. **close** (pron. : [klous]) : littéralement : *renfermé = sans espace.*
10. **soar (to)** : *prendre son essor, s'élancer vers le ciel.*

304

Il y avait là des villages et des coteaux, et une rivière sinueuse, et trois grandes villes dans le lointain. En ce lieu, on déposa le sarcophage d'albâtre d'un travail habile ; et tout autour, on plaça des colonnes d'une belle pierre rare, et des murs ouvragés et sculptés, et un immense reliquaire en maçonnerie, surmonté d'un dôme avec des clochetons et des coupoles, ravissant comme un joyau. Au début, le plan architectural de la Perle d'Amour fut moins hardi et raffiné qu'il le devint plus tard. Au début, l'édifice était plus petit et plus ouvragé et revêtu d'incrustations ; il contenait maints écrans ajourés et maints groupes délicats de colonnes aux teintes roses, et le sarcophage reposait là, comme un enfant dormant parmi les fleurs. Le dôme primitif était recouvert de tuiles vertes dans des cadres d'argent qui les maintenaient ensemble ; mais on enleva ce dôme parce qu'il écrasait l'édifice ; parce qu'il ne s'élançait pas assez superbement vers le ciel pour satisfaire l'imagination du prince, qui s'épanouissait.

Car, à ce stade, il n'était plus le charmant jeune homme amoureux de sa jeune reine. C'était à présent un homme mûr, austère et résolu ne songeant qu'à l'édification de la Perle d'Amour. Chaque année d'effort lui avait enseigné de nouvelles virtualités en matière d'arceaux, de murs, d'arc-boutants ; il avait acquis une plus grande maîtrise des matériaux qu'il devait employer, et il avait appris l'existence de maintes pierres, de multiples teintes et effets architecturaux dont il n'aurait pas eu la moindre idée au début. Son goût pour les couleurs s'était affiné, il préférait les tons plus froids ; il n'aimait plus l'éclat des fils d'or dans l'émail qui lui plaisait au départ, l'éclat d'un missel enluminé.

---

11. **grandly** : **grand** : *grandiose, imposant*. **A grand piano** : *un piano à queue*. **This was grand** (fam.) : *ça a été épatant*.

12. **intent** : **to be intent on doing sth** : *être déterminé, résolu à faire qqch*.

13. **set upon** : **to be set upon doing sth** : *avoir à cœur de faire qqch*.

14. **never** : négation intensive : *pas le moins du monde*.

he sought[1] now for blue colourings like the sky and for the subtle hues of great distances, for recondite[2] shadows and sudden broad floods[3] of purple opalescence and for grandeur[4] and space. He wearied altogether of carvings[5] and pictures and inlaid ornamentation and all the little careful work of men. "Those were pretty things," he said of his earlier decorations; and had them put aside into subordinate buildings where they would not hamper[6] his main design. Greater and greater grew his artistry. With awe[7] and amazement people saw the Pearl of Love sweeping up[8] from its first beginnings to a superhuman breadth and height and magnificence. They did not know clearly what they had expected, but never had they expected so sublime a thing as this. "Wonderful are the miracles," they whispered, "that love can do," and all the women in the world, whatever other loves they had, loved the prince for the splendour of his devotion.

Through the middle of the building ran a great aisle[9], a vista[10], that the prince came to care for[11] more and more. From the inner entrance of the building he looked along the length of an immense pillared gallery and across the central area from which the rose-hued columns had long since[12] vanished, over the top of the pavilion under which lay the sarcophagus, through a marvellously designed opening, to the snowy wildernesses[13] of the great mountain, the lord of all mountains, two hundred miles away.

---

1. **he sought** : (pron : [sɔːt]) : de **to seek**.
2. **recondite** : *obscur, mystérieux.* **A recondite style** : *un style obscur.*
3. **floods** : *torrents, coulées.*
4. **grandeur** : *splendeur, magnificence, caractère sublime.*
5. **carvings** : de **to carve** : *sculpter.*
6. **hamper (to)** : *gêner, entraver, faire obstacle à.*
7. **awe** : *respect* mêlé de crainte.
8. **sweeping up** : **to sweep up** : s'élever **(up)** *dans un mouvement majestueux* **(sweep)**.
9. **aisle** : (pron : [ail]) : *allée centrale* d'une église.

À présent, il recherchait les coloris azurés qui évoquent le ciel, et les teintes délicates des horizons lointains, les ombres mystérieuses et les grandes coulées soudaines d'opalescences violettes; il visait au grandiose et à l'infini. Il s'était bien lassé des sculptures et des gravures murales, et des incrustations décoratives et de tout le petit travail méticuleux des artisans. « C'étaient de jolies choses », disait-il au sujet de ses ornements antérieurs, et il les faisait reléguer dans des édifices subalternes où ils ne contrarieraient pas son projet principal. Son art devenait de plus en plus remarquable. Les gens étaient frappés d'une crainte révérentielle et d'une stupeur, en voyant la Perle d'Amour prendre son essor majestueux à partir de la première ébauche pour atteindre à une ampleur, une élévation, une magnificence surhumaines. Ils ne savaient pas précisément ce à quoi ils s'étaient attendus, mais jamais ils n'avaient prévu un monument aussi sublime. « L'amour, murmuraient-ils, fait d'admirables miracles », et, dans le monde entier, toutes les femmes, quelles que fussent leurs autres amours, aimaient le prince pour l'éclat de sa ferveur.

L'édifice était traversé en son milieu par un vaste couloir, une échappée de vue, que le prince en vint à apprécier de plus en plus. À partir de l'entrée intérieure du bâtiment, son regard parcourait sur toute sa longueur une immense galerie à piliers, franchissait la zone centrale d'où les colonnes roses avaient disparu depuis longtemps, passait au-dessus du pavillon qui abritait le sarcophage et, par une baie d'une conception ravissante, se portait sur les déserts neigeux de la grande montagne, la reine de toutes les montagnes, à trois cents kilomètres de là.

10. **a vista** : *une perspective, une pensée, une échappée de vue.*
11. **to care for** : *tenir à* (qqn ou qqch.), *apprécier.*
12. **long since** : long (adv.); **long since** : *depuis longtemps.*
13. **wilderness** : wild : *sauvage;* **a wilderness** (pron : ['wildə nis]) : *une zone désertique.*

The pillars and arches and buttresses[1] and galleries soared and floated on either side, perfect yet unobtrusive[2], like great archangels waiting in the shadows about the presence of God. When men saw that austere beauty for the first time they were exalted, and then they shivered and their hearts bowed down[3]. Very often would the prince come[4] to stand there and look at that vista, deeply moved and not yet fully satisfied. The Pearl of Love had still something for him to do, he felt, before his task was done. Always he would order some little alteration to be made or some recent alteration to be put back again. And one day he said that the sarcophagus would be clearer and simpler without the pavilion; and after regarding it very steadfastly[5] for a long time, he had the pavilion dismantled and removed.

The next day he came and said nothing, and the next day and the next. Then for two days he stayed away altogether. Then he returned, bringing with him an architect and two master craftsmen[6] and a small retinue[7].

All looked, standing together silently in a little group, amidst the serene vastness of their achievement[8]. No trace of toil[9] remained in its perfection. It was as if the God of nature's beauty had taken over their offspring[10] to himself.

Only one thing there was to mar[11] the absolute harmony. There was a certain disproportion about the sarcophagus. It had never been enlarged[12], and indeed how could it have been enlarged since the early days?

---

1. **buttresses : a buttress :** *un contrefort, un contre-boutant.*
2. **unobtrusive : to obtrude :** *importuner.* **Unobtrusive :** *discret.*
3. **bowed down :** littéralement : *s'incliner.*
4. **would... come :** inversion de style + imparfait de répétition.
5. **steadfastly : steadfast :** *ferme, stable, constant.*
6. **crafstmen : craft :** *habileté, adresse,* **a craft :** *un métier manuel.* **A craftsman :** *un artisan.*
7. **(a) retinue :** *la suite* (d'un prince).
8. **achievement : to achieve :** *réaliser, accomplir.*

À droite et à gauche, les piliers, les arceaux, les contre-boutants et les galeries s'élançaient vers le ciel et y planaient dans leur perfection discrète, tels de grands archanges qui attendraient dans l'ombre l'apparition de Dieu. En voyant cette austère beauté pour la première fois, un sentiment d'exaltation s'emparait des hommes, puis ils frissonnaient et se prosternaient en leur cœur. Très souvent, le prince venait se planter là, pour contempler cette perspective, profondément ému, mais pas encore pleinement satisfait. Il sentait qu'il lui restait encore quelque chose à faire pour la Perle d'Amour, avant que son œuvre fût achevée. Toujours, il faisait apporter de petites retouches ou revenait sur une retouche récente. Et, un beau jour, il dit que le sarcophage ressortirait plus nettement et plus spontanément en l'absence du pavillon ; et, après l'avoir longtemps fixé des yeux, il fit démonter et enlever celui-ci.

Le lendemain, il vint et resta muet, et le surlendemain et le jour suivant. Puis il resta deux jours entiers sans venir. Enfin, il y retourna en amenant avec lui un architecte et deux maîtres-artisans et une petite suite.

Tous regardèrent en silence, debout ensemble, formant un petit groupe parmi l'immensité sereine de leur chef-d'œuvre. Sa perfection ne conservait aucune trace d'effort. C'était comme si le Dieu créateur de la beauté de la nature avait repris à son compte le fruit de leur labeur.

Une seule chose dissonait dans l'harmonie totale. Le sarcophage introduisait une disproportion certaine. On ne l'avait jamais agrandi et, à vrai dire, comment aurait-on pu le faire depuis les premiers jours ?

---

9. **toil** : *travail dur, labeur, effort.* **Toilsome** (lit.) : *pénible.*

10. **taken over their offspring** : **to take over** : *prendre en charge, assumer.* **Offspring** (mot invariable) : *progéniture, descendance, enfants.*

11. **to mar** : *gâter, gâcher, défigurer.*

12. **enlarged** : **to enlarge** : *agrandir, étendre, augmenter.*

It challenged[1] the eye; it nicked[2] the streaming[3] lines. In that sarcophagus was the casket of lead and silver, and in the casket[4] of lead and silver was the queen, the dear immortal cause of all this beauty. But now that sarcophagus seemed no more than a little dark oblong[5] that lay incongruously in the great vista of the Pearl of Love. It was as if someone had dropped a small valise[6] upon the crystal[7] sea of heaven.

Long the prince mused[8], but no one knew the thoughts that passed through his mind.

At last he spoke. He pointed.

"Take that thing[9] away," he said.

---

1. **challenged**: **to challenge** (tr.): *provoquer, défier*. **To challenge s.o.** (mil.): *interpeller, arrêter qqn.*

2. **nicked**: **to nick**: *entailler, faire une encoche, cocher*. **To get nicked** (fam.): *se faire pincer, épingler*.

3. **streaming**: **to stream**: *couler à flots, jaillir*.

4. **casket**: *coffret, cercueil* (am.). Le mot anglais plus courant est **coffin** en ce sens.

5. **oblong (an)**: *un rectangle*.

Il arrêtait le regard ; il brisait par son encoche l'envolée des lignes architecturales. Dans ce sarcophage, se trouvait le cercueil en alliage de plomb et d'argent et, dans ce cercueil, gisait la reine, cause chérie immortelle de toute cette beauté. Mais, à présent, ce sarcophage ne semblait être rien de plus qu'un petit rectangle sombre, déposé là, en désaccord avec l'immense pespective de la Perle d'Amour. C'était comme si quelqu'un avait laissé tomber un petit sac de voyage dans la mer cristalline du ciel.

Longtemps, le prince médita, sans que personne connût les pensées qui lui traversaient l'esprit.

Enfin, il parla. Il montra du doigt le sarcophage.

« Enlevez-moi cet objet », dit-il.

---

6. **valise :** (pron : [və'liːz]) : *sac de voyage, valise* (am.). *Une valise :* **a suitcase** (brit.).

7. **crystal :** noter l'orthographe. **A crystal ball :** *une boule de cristal.*

8. **mused :** to muse : *rêver, rêvasser, méditer.* **To speak musingly :** *parler d'un ton songeur.* **To muse on an idea :** *ruminer une idée.*

9. **that thing :** *cet objet, cette chose,* dans une connotation contemptrice. La fin de ce conte est cruelle, voire cynique, en vérité.

# ANGLAIS

| | |
|---|---|
| Michel Savio,<br>Jean-Pierre Berman et<br>Michel Marcheteau | Méthode 90<br>L'anglais en 90 leçons |
| Claude Caillate<br>et Judith Ward | La pratique courante de l'anglais |
| A. Sanford Wolf<br>et Michèle Wolf | Speak American |
| M. Delmas | Grammaire active de l'anglais |

## Lire en... anglais
### Collection dirigée par Henri Yvinec

| | |
|---|---|
| **ROALD DAHL** | Someone like you<br>*(Chantal Yvinec)* |
| **ROALD DAHL** | The Hitch-Hiker<br>*(Chantal Yvinec)* |
| | Thirteen Modern English and<br>American Short Stories<br>*(Henri Yvinec)* |
| **F. SCOTT FITZGERALD** | Pat Hobby and Orson Welles<br>*(Martine Skopan)* |
| **SOMERSET MAUGHAM** | The Escape<br>*(William B. Barrie)* |
| **SOMERSET MAUGHAM** | The Flip of a Coin<br>*(William B. Barrie)* |
| | Nine English Short Stories<br>*(Pierre Gallego)* |
| **WILLIAM FAULKNER** | Stories of New Orleans<br>*(Michel Viel)* |
| **JOHN STEINBECK** | The Snake<br>*(Lise Bloch et Françoise Thomas-Garnier)* |
| **RAY BRADBURY** | Kaleidoscope<br>*(William B. Barrie)* |
| **SAKI** | The Seven Cream Jugs<br>*(François Gallix)* |
| | Seven American Short Stories<br>*(Jean-Paul Constantin et<br>Alain Traissac)* |
| **ERNEST HEMINGWAY** | The Killers<br>*(Alain Traissac)* |

## Pratiques

| | Dictionnaire Larousse<br>Français/Anglais - English/French |
|---|---|
| *Pierre Ravier*<br>*et Werner Reutber* | Guide pratique de conversation<br>Anglais/Américain |
| *Edwin Carpenter* | Guide pratique de conversation<br>Français/Anglais - English/French<br>(Phrase Book) |
| *Guillaume de La Rocque*<br>*et Yono Bernard* | Dictionnaire de l'anglais des affaires |
| *G. Baxter et A. Lavignac* | Guide de l'anglais et de l'américain<br>des affaires |

## A L L E M A N D

| | |
|---|---|
| *Alphonse Jenny* | Méthode 90<br>L'allemand en 90 leçons |
| *Maria Briand* | Grammaire active de l'allemand |

## Lire en... allemand
### *Collection dirigée par Henri Yvinec*

| | |
|---|---|
| | Deutsche Kurzgeschichten<br>*(Margit Schön)* |
| | Moderne Erzählungen<br>*(Ingrid Souche)* |
| | Zwanzig Kurzgeschichten<br>des 20. Jahrhunderts<br>*(Maria Briand)* |
| | Geschichten von heute<br>*(Margit Schön et Herma Bouvier)* |
| **HEINRICH BÖLL** | Der Lacher<br>*(Ingrid Souche)* |

## Bilingue
### *Série dirigée par Brigitte Vergne-Cain*

| | |
|---|---|
| **FRANZ KAFKA** | La Métamorphose / Die Verwandlung<br>*(Brigitte Vergne-Cain et*<br>*Gérard Rudent)* |
| **WOLFGANG**<br>**BORCHERT** | Génération sans adieu /<br>Generation ohne Abschied<br>*(Sylvie Bufala)* |

## Lire en... italien
*Collection dirigée par Henri Yvinec*

| | |
|---|---|
| **XXX** | L'avventura<br>*(Silvia Costa)* |

## Bilingue
*Collection dirigée par Christian Bec*

| | |
|---|---|
| **ALBERTO MORAVIA** | Portraits de femmes /<br>Ritratti di donne<br>*(Jean-Michel Gardair - Claude Poncet)* |
| **DINO BUZZATI** | Barnabo des montagnes /<br>Bàrnabo delle montagne<br>*(François Livi - Michel Breitman)* |
| **DINO BUZZATI** | IL columbre<br>Le K<br>*(François Livi)* |
| **PIER PAOLO PASOLINI** | Promenades romaines /<br>Passeggiate romane<br>*(Jean-Michel Gardair - Claude Henry)* |
| **XXX** | Nouvelles fantastiques italiennes /<br>Novelle fantastiche italiane<br>*(François Livi)* |

## Pratiques

| | |
|---|---|
| | Dictionnaire Larousse<br>Français/Italien -<br>Italiano/Francese |
| *Pierre Ravier<br>et Werner Reuther* | Guide pratique de conversation<br>Italien |
| *Ernesto Vaccaro* | Guide pratique de conversation<br>Italiano/Francese |

## R U S S E

| | |
|---|---|
| *Marie-Françoise Bécourt<br>et Jean Borzic* | Méthode 90<br>Le russe en 90 leçons |

## G R E C   M O D E R N E

## Pratiques

| | |
|---|---|
| *Ippolyta Della Tolla* | Guide pratique de conversation<br>Grec moderne |

## N E E R L A N D A I S

*Dorien Kouijzer*
*et Laurent Réguer*

Méthode 90
Le néerlandais en 90 leçons

(A paraître)

## L A T I N

*Félix Gaffiot*

Dictionnaire Latin/Français abrégé
*(Catherine Magnien)*

Composition réalisée par COMPOFAC - PARIS

IMPRIMÉ EN FRANCE PAR BRODARD ET TAUPIN
Usine de La Flèche (Sarthe).
LIBRAIRIE GÉNÉRALE FRANÇAISE - 6, rue Pierre-Sarrazin - 75006 Paris.

ISBN : 2 - 253 - 05346 - 5 ✦ 30/8734/3